Mourir

*Réflexions sur
le dernier chapitre
de la vie*

SHERWIN B. NULAND

Mourir

*Réflexions sur
le dernier chapitre
de la vie*

Traduit de l'américain par Larry Cohen

L'édition originale de cet ouvrage a été publiée en 1994 par Alfred A. Knopf, Inc.,
sous le titre *How we die. Reflections on life's final chapter.*
© 1993 by Sherwin B. Nuland.

Diffusion exclusive au Canada :
Editions du Renouveau Pédagogique, ERPI
5757, rue Cypihot
Saint-Laurent (Québec)
H4S 1X4

© 1994, InterEditions, Paris, pour la traduction française

ISBN 2 7613 0813 1

A mes frères,
Harvey Nuland et Vittorio Ferrero

« La mort a dix mille portes différentes par lesquelles les hommes peuvent effectuer leur sortie. »

John Webster, *The Duchess of Malfi,* 1614

SOMMAIRE

PROLOGUE

Tout le monde veut savoir comment on meurt, mais rares sont ceux qui l'avouent. Qu'il s'agisse d'anticiper les événements de sa propre maladie finale ou de mieux comprendre ce qui arrive à un proche qui n'a plus longtemps à vivre – ou, plus probable encore, que l'on soit fasciné par la mort qui est notre lot à tous –, on n'échappe pas à l'idée de la fin de la vie. Pour la plupart des gens, la mort reste un secret occulte, autant érotisé que redouté. On subit irrésistiblement l'attrait des angoisses qui effrayent le plus ; on reste fasciné à l'idée de côtoyer le danger, à l'idée excitante de jouer avec le feu. Le papillon et la flamme, l'homme et la mort : il y a peu de différence.

Personne ne paraît psychologiquement apte à faire face à l'idée de son propre état de mort, d'une inconscience définitive dans laquelle il n'y a ni vide ni vacuum, dans laquelle il n'y a tout simplement rien. État qui semble si radicalement différent du néant qui a précédé la vie. Tout comme on le fait à l'égard d'autres terreurs et d'autres tentations qui se profilent, on cherche les moyens de nier la puissance de la mort et l'emprise glacée dans laquelle elle tient la pensée humaine. La proximité permanente de la mort inspire depuis toujours des méthodes par lesquelles on en dissimule, consciemment et inconsciemment, la

réalité : contes, allégories, rêves, voire plaisanteries. Dans les
générations récentes, on a rajouté un élément : on a inventé la
manière moderne de mourir. La mort intervient désormais à
l'hôpital moderne, où l'on peut la cacher, la nettoyer de sa pour-
riture organique et, enfin, la conditionner pour l'enterrement
moderne. Aujourd'hui, on est en mesure de nier la puissance
non seulement de la mort mais même de la nature. Devant elle,
on se voile la face, voile que l'on écarte pourtant un petit peu,
car on a du mal à résister à la tentation d'un coup d'œil furtif.

On compose des scénarios que l'on veut voir jouer par ses
bien-aimés mortellement malades, et, dans bien des cas, la représentation se déroule suffisamment bien pour combler les attentes.
La foi mise dans la possibilité d'un scénario de ce type a toujours été une tradition dans les sociétés occidentales, qui
voyaient autrefois dans la bonne mort le salut de l'âme et une
expérience d'élévation morale pour les parents et amis et qui la
célébraient dans leurs représentations esthétiques de l'*ars
moriendi*, l'art de mourir. A l'origine, l'*ars moriendi* avait une
vocation religieuse et spirituelle que William Caxton, imprimeur
du quinzième siècle, caractérisait d'« art de mourir pour la santé
de l'âme de l'homme ». Le concept évolua peu à peu pour devenir enfin celui de la belle mort, c'est-à-dire la façon correcte de
mourir. Mais l'*ars moriendi* se heurte de nos jours aux tentatives modernes de dissimulation et d'aseptisation – et surtout de
prévention – qui débouchent sur le genre de scènes qui ont lieu
au chevet du mourant dans ces cachettes spécialisées qui s'appellent services de réanimation, centres de recherche en cancérologie et services des urgences. La bonne mort ressemble de plus
en plus à un mythe. En réalité, elle l'a toujours été dans une
large mesure, mais jamais autant qu'aujourd'hui. Composante
essentielle du mythe : l'idéal tant recherché de mourir dans la
dignité.

Il y a peu de temps, je reçus dans mon bureau à l'hôpital une
avocate de quarante-trois ans que j'avais opérée trois ans plus
tôt d'un début de cancer du sein. Or, en dépit de la rémission
de la maladie et de la perspective tout à fait probable d'une guérison définitive, elle semblait étrangement inquiète ce jour-là.
Vers la fin de la visite, elle demanda si elle pouvait encore dis-

cuter un peu avec moi. Elle commença alors à raconter la mort de sa mère, intervenue peu de temps auparavant dans une autre ville, et causée par la même maladie dont elle-même avait été presque sûrement guérie. « Ma mère est morte dans la souffrance, dit-elle, et les médecins avaient beau essayer, ils n'ont rien pu faire pour lui faciliter les choses. Cela ne ressemblait absolument pas à la fin paisible à laquelle je m'étais attendue. Je m'étais imaginé une expérience spirituelle où nous aurions parlé de sa vie, de notre vie ensemble. Mais cela ne s'est jamais produit ; il y a eu trop de douleur, trop d'analgésiques. » Puis elle s'écria, la voix étranglée de larmes : « Docteur Nuland, il n'y a pas eu de dignité dans la mort de ma mère ! »

Ma patiente avait fortement besoin d'être rassurée, d'entendre que la mort de sa mère n'avait rien d'anormal, qu'elle n'avait rien fait qui eût empêché sa mère de vivre cette mort « spirituelle » et digne qu'elle avait prévue. Il n'en demeure pas moins que tous ses efforts et toutes ses espérances avaient été inutiles et, à présent, cette femme sensible et intelligente se trouvait plongée dans le désespoir. Je cherchai à lui faire comprendre que sa croyance dans la probabilité d'une mort dans la dignité correspond à une tentative, de la part de notre société, de maîtriser ce qui, en réalité, constitue le plus souvent une série d'événements destructeurs qui, en raison de leur nature même, entraînent la désagrégation de l'humanité du mourant. J'ai rarement vu beaucoup de dignité dans le processus par lequel on meurt.

Cette quête d'une dignité véritable défaille lorsque le corps défaille. De loin en loin, certes, on rencontre un individu à la personnalité exceptionnelle qui se voit accorder des circonstances tout aussi exceptionnelles pour mourir : le rêve se réalise dans ce cas. Mais, sachons-le, une coïncidence aussi heureuse que celle-ci ne peut être le lot que d'un nombre très restreint de personnes.

J'ai entrepris d'écrire ce livre pour démythifier le processus en question. Pour moi, il s'agit non pas de le présenter comme une suite horrible d'humiliations douloureuses et dégoûtantes, mais d'éclairer la réalité biologique et clinique de la mort, telle que la voient ceux qui y assistent et telle que la ressentent ceux qui la subissent. Seule une explication sans détour des détails mêmes de la mort permet de faire face à tout ce qui, en elle, effraie le plus. C'est grâce à la connaissance de la vérité et en étant préparé à l'affronter que l'on peut s'affranchir de la peur de cette *terra incognita* qui engendre tant d'illusions et de désillusions.

Le sujet fait l'objet d'une littérature abondante. La plupart des ouvrages visent à aider les gens à se remettre du trauma affectif qui accompagne le processus de la mort et ses suites ; en revanche, les détails de la détérioration physique ont reçu peu d'attention. Ce n'est que dans les pages des revues spécialisées que l'on trouve des descriptions des processus par lesquels les différentes maladies privent l'individu de sa vitalité et, finalement, de sa vie.

Tant ma carrière que l'expérience de la mort que j'ai engrangée durant toute une vie confirment la remarque de John Webster selon laquelle il existe « dix mille portes différentes par lesquelles les hommes peuvent effectuer leur sortie » ; je ne souhaite que contribuer à exaucer la prière de Rilke : « Ô Seigneur, donne à chacun sa propre mort ». Ce livre parle des portes ainsi que des passages qui y conduisent. J'ai cherché à l'écrire de manière à permettre, dans la mesure du possible, à chacun de faire des choix qui lui donneront une mort personnelle.

J'ai pris six des catégories de pathologie les plus courantes de notre époque, non seulement parce que parmi elles se trouvent les maladies mortelles qui emporteront l'immense majorité d'entre nous, mais aussi parce qu'elles présentent toutes des traits caractéristiques de certains processus universels de l'expérience finale de la vie. L'arrêt de la circulation sanguine, l'insuffisance de l'apport d'oxygène aux tissus, la lente extinction des fonctions du cerveau, la défaillance d'organes, la destruction de centres vitaux : voilà les armes brandies par tous les cavaliers de la mort. Qui apprend à les connaître peut aussi comprendre le processus de la mort découlant d'autres maladies qui ne figurent pas dans cet ouvrage. Celles que j'ai sélectionnées constituent à la fois les chemins les mieux balisés de la mort et ceux que tout le monde doit prendre, si rare que soit la maladie finale.

Ma mère mourut d'un cancer du côlon une semaine après mon onzième anniversaire, et ce fait a déterminé le cours de ma vie.

Tout ce que je suis devenu – et une bonne partie de ce que je ne suis pas devenu – remonte directement ou indirectement à son décès. Par ailleurs, j'ai entamé la rédaction de cet ouvrage un peu plus d'un an après la mort de mon frère, autre victime du cancer du côlon. C'est ainsi que, dans ma vie professionnelle et personnelle, je vis depuis plus d'un demi-siècle dans la conscience du caractère imminent de la mort et, en dehors de mes dix premières années, j'ai œuvré constamment en sa présence. Voici donc le livre dans lequel j'essaie de raconter ce que j'ai appris sur le sujet.

Sherwin B. Nuland
New Haven
juin 1993

Note

A l'exception de Robert DeMatteis, j'ai modifié le nom de tous les patients et de leurs proches dans un souci de confidentialité. Il est par ailleurs à noter que le « docteur Mary Defoe », que le lecteur rencontrera au chapitre 8, représente en fait un portrait de synthèse de trois jeunes médecins de l'hôpital de Yale-New Haven.

1

LE CŒUR SERRÉ

Chaque vie diffère de toute autre qui l'a précédée, et il en est de même de chaque mort. Le caractère unique de l'individu va jusqu'à conditionner la façon dont il meurt. Si la plupart des gens savent que des maladies différentes conduisent, le long de chemins divers, aux heures finales de la vie, rares sont ceux qui mesurent pleinement la multiplicité infinie des manières dont les dernières forces de l'esprit humain peuvent se séparer du corps. Chacune des manifestations de la mort est aussi particulière que ce visage singulier que l'individu montre au monde au cours de la vie. Chaque homme rend l'âme d'une façon jusqu'alors inconnue du ciel, chaque femme suit un chemin final qui lui est propre.

La première fois dans ma vie professionnelle que je vis les yeux implacables de la mort, ils regardaient un homme de cinquante-deux ans apparemment bien installé entre les draps frais du lit qu'il occupait dans une chambre particulière d'un grand centre hospitalo-universitaire. Ayant à peine commencé ma troisième année d'études de médecine, j'eus le sort bouleversant de rencontrer en même temps mon premier patient et la mort.

James McCarty était cadre dirigeant d'une entreprise de bâtiment. Son succès en affaires avait incité cet homme robuste à adopter un mode de vie dont on connaît aujourd'hui le caractère suicidaire. Mais les événements de sa maladie se produisirent il y a presque quarante ans, époque où l'on connaissait beaucoup moins les dangers de trop bien vivre, où le tabac, la viande rouge, des montagnes de beurre, d'épaisses tranches de lard et la bedaine qui en résultait passaient pour les récompenses anodines de la réussite. James McCarty s'était laissé grossir et il s'enfonçait dans une vie sédentaire. Alors que, auparavant, il avait dirigé sur les chantiers les équipes de sa société prospère, il se contentait désormais de commander de façon impérieuse depuis son bureau. Pendant le gros de la journée, il donnait des ordres du fond d'un confortable fauteuil pivotant qui lui donnait une vue dégagée sur le terrain de golf de New Haven et son club, où il avait l'habitude de prendre un déjeuner plantureux.

Les événements de l'hospitalisation de James McCarty firent irruption tel le crépitement soudain d'une mitrailleuse et se gravèrent instantanément et définitivement dans mon esprit. Je n'ai jamais oublié ce que je vis ni ce que je fis cette nuit-là.

James McCarty arriva dans le service des urgences à 20 heures environ par un soir chaud et humide du début de septembre. Il se plaignait d'une douleur constrictive derrière le sternum qui semblait s'irradier à partir de là, montant dans sa gorge et descendant dans son bras gauche. Cette douleur avait commencé une heure plus tôt à la suite du lourd dîner qu'il prenait habituellement, de plusieurs cigarettes et d'un appel téléphonique contrariant de la part de la cadette de ses trois enfants, jeune femme gâtée qui venait juste d'entamer sa première année dans une université prestigieuse.

L'interne qui vit M. McCarty dans le service des urgences remarqua son teint cendreux, sa forte transpiration et l'irrégularité de son pouls. Dans les dix minutes qu'il fallut pour chercher l'électrocardiographe à l'autre bout du couloir et de poser les électrodes sur le patient, celui-ci donnait déjà des signes d'amélioration et son rythme cardiaque était revenu à la normale. L'électrocardiogramme révéla néanmoins la présence d'un infarctus, ce qui signifiait qu'une petite région de la paroi du cœur avait été endommagée. L'état du patient paraissant stable, on se prépara à le transférer dans une chambre à l'étage (dans les années cinquante, il n'y avait pas de service de réanimation coronarienne). Son médecin de famille vint le voir et s'assura que son patient se sentait bien et semblait hors de danger.

James McCarty parvint à l'étage à 23 heures, en même temps que moi. Je revenais de la soirée que l'association dont je faisais partie avait organisée en vue d'appâter de nouveaux membres parmi les étudiants de première année. La bière et la convivialité m'avaient donné une assurance exceptionnelle, aussi décidai-je de visiter le service auquel j'étais rattaché depuis le matin même au titre de mon premier stage clinique en médecine interne. En effet, les étudiants de troisième année à la faculté de médecine font souvent preuve d'un zèle qui frise le fanatisme, et je n'étais pas différent de la plupart de mes camarades. Je m'étais rendu dans le service pour suivre l'interne partout dans l'espoir de pouvoir assister à une urgence intéressante et, dans la mesure du possible, de me rendre utile. Si jamais il y avait un geste à effectuer – une ponction lombaire ou la mise en place d'un drain thoracique –, je tenais à être présent pour le faire.

Quand je pénétrai dans le service, l'interne, David Bascom, me prit par le bras comme s'il était soulagé de me voir. « Tu veux bien m'aider ? Joe [l'étudiant de garde] et moi avons à nous occuper d'un cas de poliomyélite avec atteinte bulbaire aiguë qui va assez mal et il faut que quelqu'un fasse les papiers d'admission pour le nouveau cardiaque qui entre juste dans la chambre 507, d'accord ? »

Si j'étais d'accord ? Bien sûr que je l'étais ! A vrai dire, je ne demandais pas mieux, c'était pour cela que j'étais revenu dans le service. On confiait à l'époque beaucoup plus de responsabilités aux étudiants en médecine que de nos jours et je savais que, pour peu que je remplisse correctement le dossier d'admission, j'aurais à coup sûr le droit de travailler sur les détails de la guérison de M. McCarty. Après plusieurs minutes où j'attendais avec impatience, l'une des deux infirmières de garde transféra le malade du chariot au lit et l'y installa confortablement. Dès qu'elle fut repartie en vitesse pour aider les autres restés auprès du malade poliomyélitique, je me glissai dans la chambre de James McCarty en veillant à fermer la porte derrière moi : je ne voulais pas courir le risque de voir l'interne revenir et reprendre les choses en main.

Le patient m'accueillit avec un sourire faible et forcé ; il ne pouvait guère trouver ma présence rassurante. Au fil des ans, je me suis souvent demandé ce qui a pu traverser l'esprit de ce patron qui avait dirigé d'une poigne de fer des hommes durs et costauds quand il vit mon visage juvénile (j'avais alors vingt-deux ans) et qu'il m'entendit dire que j'étais là pour me renseigner sur ses antécédents et pour l'examiner. Quoi qu'il en fût, il eut à peine le temps d'y penser. Comme je m'asseyais à côté de son lit, il rejeta soudain sa tête en arrière et poussa un hurlement sans paroles qui semblait remonter du plus profond de son cœur affligé. Dans un mouvement parfaitement synchronisé, il abattit ses poings serrés sur sa poitrine avec une force étonnante cependant que, à vue d'œil, son visage et son cou s'enflèrent et devinrent cramoisis. Ses yeux donnèrent l'impression de s'être bombés sous la pression d'une poussée violente, comme s'ils tentaient de s'extraire de leur orbite. Dans un gargouillement, il prit une inspiration infiniment longue et mourut.

Je criai son nom, puis celui de l'interne, mais je savais que personne ne m'entendrait dans la salle des urgences située à l'autre extrémité du corridor, où l'on traitait le cas de poliomyélite. J'aurais pu y courir pour obtenir de l'aide, mais cela m'aurait fait perdre des secondes précieuses. Je cherchai des doigts l'artère carotide du cou du patient ; elle était immobile et sans pouls. Puis, pour des raisons que je ne parviens toujours pas à m'expliquer, je décidai d'agir de mon propre chef. Le risque de m'attirer des ennuis pour ce que j'étais sur le point de faire me parut infiniment moins grave que l'idée de laisser mourir un homme sans même essayer de le sauver. Il n'y avait tout simplement pas le choix.

A cette époque, la chambre de chaque patient cardiaque disposait d'un gros sac en mousseline contenant du matériel de thoracotomie, c'est-à-dire des instruments permettant d'ouvrir le thorax en cas d'arrêt cardiaque. La réanimation cardiopulmonaire à thorax fermé n'ayant pas encore été inventée, la pratique normale était dans ce cas d'essayer de masser directement le cœur en le tenant dans la main et en lui appliquant une longue série de pressions rythmiques.

J'arrachai l'emballage stérile du matériel et saisis le scalpel qui avait été placé dans une enveloppe spéciale en haut du sac pour qu'il soit immédiatement à portée de main. Ce que je fis ensuite, je ne l'avais jamais fait ni vu faire auparavant et pourtant, cela me parut on ne peut plus naturel, automatique. D'un seul mouvement étonnamment assuré de la main, je pratiquai une longue incision en commençant juste au-dessous du mamelon gauche du patient, au sternum, et en continuant aussi loin que possible vers l'arrière sans avoir à changer sa position demi-assise. Seul un petit suintement sombre sortait des artères et des veines que je coupais, mais sans écoulement de sang. Si j'avais encore eu besoin d'une preuve de sa mort par arrêt cardiaque, je l'avais à présent. Encore une incision dans le muscle exsangue et j'étais dans la cavité thoracique. Je pris l'instrument en acier à double valve qui s'appelle un écarteur, je le glissai entre les côtes et je tournai la vis suffisamment pour pouvoir y introduire ma main et serrer ce qui serait, selon toute probabilité, le cœur silencieux de James McCarty.

Touchant le feuillet fibreux du péricarde, je me rendis compte que le cœur qui se trouvait à l'intérieur remuait encore. Je sentis sous le bout de mes doigts un tortillement irrégulier et non coordonné qui annonçait, d'après mes livres de cours, la fibrillation ventriculaire, véritable agonie d'un cœur qui se résigne à son repos éternel. De mes mains nues et non stérilisées, j'attrapai des ciseaux et j'ouvris de part en part le péricarde. Aussi délicatement que possible, je pris le pauvre cœur agité de M. McCarty et je me mis à faire une série de compressions fermes, régulières et rythmées que l'on appelle massage cardiaque et qui sert à maintenir le flux du sang au cerveau en attendant que l'on puisse faire venir un appareil électrique qui rétablisse, par un choc salutaire, le fonctionnement normal du muscle cardiaque en pleine contraction.

J'avais lu qu'un cœur en état de fibrillation donnait à celui qui le touchait la sensation de tenir dans le creux de sa main un sac humide et gélatineux rempli de vers hyperactifs : ce fut effectivement le cas. La diminution rapide de sa résistance à mes compressions m'indiqua que le cœur ne s'emplissait pas de sang et, donc, que mes efforts étaient vains, d'autant que les poumons n'étaient plus oxygénés. Mais je m'obstinai quand même. Et c'est alors que se produisit soudain la situation la plus stupéfiante qui soit : feu James McCarty, dont l'âme était désormais définitivement partie, rejeta une nouvelle fois la tête en arrière et, fixant le plafond du regard vitreux et vague des morts, lança aux cieux lointains une affreuse quinte de toux grinçante qui évoquait l'aboiement des chiens de l'enfer. Ce n'est que plus tard que je compris avoir assisté à la version de McCarty du râle d'agonie, ce bruit qu'un spasme des muscles du larynx produit à la suite de l'augmentation de l'acidité du sang d'un homme qui vient de mourir. Cela avait été sa façon à lui de me dire de renoncer, mes tentatives pour le ranimer étant nécessairement vouées à l'échec.

Seul dans la pièce avec un cadavre, je regardai ses yeux ternes et j'y vis quelque chose que j'aurais dû remarquer avant : les pupilles de McCarty étaient immobiles, largement dilatées, signant la mort cérébrale ; manifestement, elles ne réagiraient plus jamais à la lumière. Ce fut seulement au moment de m'écarter du carnage désordonné qui s'étalait sur le lit que je pris conscience que j'étais trempé. Des ruisseaux de transpiration coulaient sur mon visage alors que mes mains et ma blouse blanche étaient tachées du sang foncé et sans vie qui avait suinté de l'incision du thorax de McCarty. Maintenant j'étais en larmes, mon corps secoué par des sanglots. Je me rendis également compte que j'étais en train de crier au patient, exigeant qu'il vive, hurlant son nom dans son oreille gauche comme s'il pouvait m'entendre, pleurant cependant de frustration et de chagrin devant mon échec et le sien.

La porte s'ouvrit et l'interne entra précipitamment. Il lui suffit d'un rapide coup d'œil pour saisir le sens de la scène. Ma poitrine se soulevait et je ne maîtrisais plus désormais mes pleurs. Il avança jusqu'au bord du lit, puis, comme si nous jouions dans un vieux film de guerre, mit la main sur mon épaule et me dit tout bas : « Ça va, mon gars, ça va. Tu as fait tout ton possible. » Il me fit asseoir et commença, avec patience et douceur, à détailler tous les événements cliniques et biologiques ayant rendu inévitable la mort de James McCarty. Mais ce que j'allais retenir de ses propos fut surtout cette phrase, prononcée avec tant de douceur : « Eh bien, Shep, maintenant tu sais ce que c'est d'être médecin. »

Poètes, essayistes, chroniqueurs, plaisantins, sages, tous écrivent souvent sur la mort alors qu'ils l'ont rarement vue. Les médecins et les infirmières, témoins fréquents de la mort, écrivent peu à son sujet. La plupart des gens y assistent une ou deux fois au cours de leur vie, et ce dans des situations où ils se trouvent trop investis affectivement pour pouvoir en garder des souvenirs précis. Ainsi, les survivants de destructions massives développent rapidement des défenses psychologiques tellement puissantes contre les horreurs qu'ils ont vécues que ces images cauchemardesques occultent et déforment la réalité de leur expérience. Bref, des récits objectifs des multiples façons de mourir sont rares.

Actuellement, peu de gens assistent directement à la mort de leurs proches. Il est devenu exceptionnel de mourir chez soi et c'est le plus souvent réservé aux personnes atteintes d'une maladie longue ou chronique ou se trouvant dans un état dégénératif dans lequel les médicaments et les sédatifs ont pour effet d'occulter les événements biologiques réels. C'est ainsi que la quasi-totalité des Américains qui meurent à l'hôpital – c'est-à-dire 80 % au moins – sont dans une large mesure dissimulés à ceux qui leur ont été les plus chers, ou en tout cas les détails de leur évolution finale vers la mort le sont.

Toute une mythologie s'est développée autour de la façon dont on meurt. A l'instar de la plupart des mythologies, celle-ci repose sur un besoin psychologique inné que partagent tous les hommes. Elle vise à combattre d'une part la peur et d'autre part son contraire, le désir d'aider l'individu en désarmant la terreur qu'il éprouve à faire face à la réalité. Tout en souhaitant que la mort intervienne rapidement ou dans le sommeil pour que l'on ne souffre pas, on s'accroche à une image des derniers moments de la vie qui joint à la grâce un sentiment de conclusion ; on veut à tout prix croire à un processus lucide de récapitulation d'une vie entière ou, à défaut, à un glissement sans faille dans une inconscience dépourvue de toute souffrance.

La représentation artistique sans doute la plus connue de la profession médicale est le célèbre tableau de Sir Luke Fildes de

1891, *Le Médecin.* On y voit une simple maison de pêcheur sur la côte anglaise où une petite fille tranquillement allongée et apparemment sans connaissance attend l'approche de la mort. Il y a aussi les parents affligés et le médecin pensif et plein de compassion qui continue sa veillée au chevet de la patiente, impuissant devant l'emprise de plus en plus forte de la mort. Interrogé sur son œuvre, l'artiste répondit : « A mon avis, le sujet est extrêmement pathétique et peut-être terrible, mais sa beauté est plus grande encore. »

Point de vue qui ne peut qu'étonner de la part de Fildes, qui, quatorze ans plus tôt, avait vu son fils mourir de l'une des maladies infectieuses qui emportaient tant d'enfants au cours des dernières années du dix-neuvième siècle, veille de l'avènement de la médecine moderne. Et, alors que l'on ignore quelle maladie tua Phillip Fildes, on sait en tout cas qu'elle ne put avoir mis une fin paisible à sa jeune vie. S'il s'agit de la diphtérie, il mourut quasi en s'étranglant ; si ce fut la sclarlatine, il connut selon toute probabilité des délires et des accès brutaux de fièvre ; en cas de méningite, il eut vraisemblablement des convulsions et des migraines insupportables. Peut-être que la fillette peinte par Fildes, ayant déjà subi pareilles souffrances, se trouvait désormais dans l'état de repos qu'apporte le coma terminal mais, quelle que pût être la nature précise de son expérience des dernières heures précédant son « beau » trépas, elle fut sûrement insoutenable et pour elle et pour ses parents. C'est rarement avec douceur que l'on s'enfonce dans cette nuit infinie.

Quatre-vingts ans auparavant, Francisco Goya avait fait preuve de plus d'honnêteté que Luke Fildes, peut-être parce qu'il vécut à une époque où l'on rencontrait partout le visage de la mort. Dans son tableau *Lazarillo de Tormes,* peint dans le style de l'école réaliste espagnole au cours d'une période de grand réalisme dans la vie européenne, on voit un médecin qui immobilise d'une main la tête du jeune patient cependant qu'il s'apprête à lui introduire dans la gorge les doigts de l'autre afin d'arracher la fausse membrane diphtérique qui entraînera la mort par suffocation si elle n'est pas enlevée. Le nom de la maladie en espagnol témoigne de la familiarité des contemporains du peintre avec la mort : *El Garrotillo* (« Le Garrot »), en raison de la strangulation par laquelle elle tue ses victimes. Mais les jours où l'on affrontait ainsi la mort sont aujourd'hui révolus, à tout le moins en Occident.

Je dois pourtant m'interroger à ce stade sur mon choix du mot *affronter* : serait-il possible que, après presque quarante ans de contact avec de nombreux James McCarty, je me mette de temps en temps au diapason de la sensibilité qui marque notre époque, où la mort passe pour le défi final, voire suprême de la vie de tout individu, une bataille rangée qu'il est impératif de gagner ? Selon cette conception moderne, la mort serait un sinistre adversaire à vaincre, que ce soit à l'aide des armes puissantes de la biomédecine la plus perfectionnée ou par l'assentiment conscient que l'on donne à cette puissance, assentiment qui évoque la sérénité pour laquelle l'usage actuel a inventé une locution : « mourir dans la dignité », voilà la manière dont notre société exprime l'envie universelle de remporter un triomphe gracieux sur la conclusion désolante et souvent répugnante d'une vie qui s'éteint.

Or la mort n'a rien d'un affrontement. Ce n'est qu'un événement dans la continuité des rythmes de la nature. Non pas la mort mais la maladie constitue le véritable ennemi, la force maligne qu'il importe d'affronter. La mort est l'arrêt qui survient lorsqu'on a perdu l'épuisante bataille. Même dans le face-à-face avec la maladie, il convient de se rappeler que les multiples maladies qui frappent notre espèce ne représentent au fond que les véhicules différents qui ramènent chaque personne, par un voyage inexorable, à l'état de non-existence physique et peut-être aussi spirituelle dont elle vient lors de sa conception. Toute victoire sur une pathologie importante, pour retentissante qu'elle paraisse, n'est qu'un sursis avant la fin inévitable.

La science médicale a conféré à l'humanité une bénédiction, celle d'avoir séparé les processus pathologiques réversibles de ceux qui ne le sont pas et de développer sans cesse les moyens de faire pencher la balance en faveur de la préservation de la vie. Mais la biomédecine moderne a parallèlement contribué à renforcer l'illusion stérile par laquelle chacun nie la venue certaine de sa propre mort. En dépit des affirmations de nombreux spécialistes travaillant en laboratoire, la médecine restera à jamais ce que les Grecs la jugeaient, un art. Et l'une des tâches les plus exigeantes que cet art impose au praticien est d'arriver à connaître les frontières mal définies entre les catégories de traitement : celles dont on peut considérer les chances de réussite comme certaines, probables, possibles ou négligeables. C'est souvent dans les espaces non explorés qui séparent le probable de tout ce qui se situe au-delà que le médecin sérieux doit faire son chemin, guidé uniquement par le discernement accumulé tout au long d'une vie d'expérience et obligé de communiquer cette sagesse à ceux qui souffrent.

Au moment où la vie de James McCarty connut sa fin abrupte, les conséquences de la mauvaise condition de son cœur étaient désormais inéluctables. Si, en effet, on avait déjà de nombreuses connaissances, au début des années cinquante, sur les maladies du cœur, les moyens thérapeutiques dont on disposait dans ce domaine étaient peu nombreux et bien souvent relativement inefficaces. Aujourd'hui, en revanche, un patient souffrant de la même affection que James McCarty a toutes les chances non seulement de continuer à vivre mais de voir son cœur s'améliorer sensiblement à la suite de son séjour à l'hôpital, à telle enseigne que sa durée de vie s'allongera peut-être de plusieurs années. Les chercheurs en médecine ont réalisé tant de progrès que celui qui survit à une première crise cardiaque – c'est le cas de 80 % environ de ceux qui en subissent – serait fondé à voir dans cette épreuve un bienfait inespéré pour autant qu'elle révèle une condition qui l'aurait probablement tué en l'absence d'un traitement intervenu en temps opportun.

Mais, alors que la balance s'est incontestablement penchée du bon côté, au point de rendre très probable la réussite de la plupart des traitements dans ce domaine, il ne faut pas pour autant en conclure que le cœur malade est devenu un cœur immortel. Car, si, aux États-Unis, la grande majorité des cardiaques survivent à leur première attaque, plus d'un demi-million de personnes meurent chaque année d'une forme ou l'autre de cette même affection alors qu'on la diagnostique chez encore 4,5 millions d'autres. Enfin, 80 % de ceux qui finissent par mourir de troubles cardiaques sont victimes d'une forme particulière de ces troubles : l'insuffisance coronarienne (ou athérosclérose des artères coronaires) constitue la principale cause de décès dans les pays industrialisés.

Le cœur de James McCarty s'arrêta parce qu'il ne recevait plus assez d'oxygène, et ce parce qu'il ne recevait pas assez d'hémoglobine, cette substance protéique contenue dans le sang et qui a pour mission de transporter l'oxygène. Ce manque d'hémoglobine était dû à une irrigation sanguine insuffisante du cœur qui s'expliquait à son tour par un processus de durcissement et de rétrécissement des vaisseaux qui nourrissent celui-ci, les artères coronaires. Dans le cas qui nous intéresse ici, l'artériosclérose, comme on appelle ce processus, survint en raison d'une conjonction de facteurs : l'alimentation déséquilibrée du patient, son tabagisme, son manque d'exercice physique, son hypertension et une certaine prédisposition héréditaire. Il est probable que la conversation téléphonique avec sa fille gâtée eut le même effet spasmodique sur les artères coronaires dangereusement rétrécies de James McCarty que sur ses poings rageusement fermés. Ce nouveau rétrécissement brutal des artères dut suffire pour perforer ou fissurer l'un des dépôts de l'artériosclérose que l'on désigne sous le nom de plaques et qui se trouvaient dans ce cas sur la paroi d'une artère coronaire importante. A partir de là, la plaque endommagée forma le centre où se fixèrent de nouveaux caillots : l'embolie était totale et le flux du sang, déjà fortement compromis, stoppé. Cette oblitération finale de l'artère provoqua l'*ischémie,* ou insuffisance de la circulation, qui priva d'apport sanguin une partie suffisamment étendue du muscle cardiaque, ou myocarde, pour pouvoir perturber son rythme normal et l'envahir de cette agitation chaotique qu'est la fibrillation ventriculaire.

Il est tout à fait possible que l'insuffisance de l'apport sanguin n'alla pas jusqu'à détruire une partie du myocarde de James McCarty, l'ischémie suffisant parfois à elle seule à provoquer la fibrillation ventriculaire, surtout dans un cœur déjà éprouvé par une crise précédente, et il en va de même de l'adrénaline et d'autres substances apparentées que l'organisme sécrète dans des situations de stress. Mais, quelle qu'en fût la cause précise, le système de communications électriques dont dépendaient la régularité et la coordination du cœur de James McCarty s'était grippé, tout comme la vie du patient.

A l'instar de tant d'autres termes médicaux, le mot *ischémie* a une histoire intéressante et une grande puissance évocatrice. Il reviendra à maintes reprises tout au long de nos récits sur la mort, car il s'agit d'une force omniprésente d'extinction de l'énergie vitale. Et, si l'absence d'alimentation du cœur offre l'exemple le plus spectaculaire des dangers du phénomène, il faut néanmoins se rappeler que l'obstruction de l'apport d'oxygène et de nutriments constitue le dénominateur commun de toute une série de maladies mortelles.

Le concept d'ischémie et le mot lui-même remontent à un Poméranien brillant et fougueux du milieu du dix-neuvième siècle (le loulou de Poméranie passe pour une petite boule d'exubérance pugnace, caractéristique qui semble également s'appliquer au personnage en question) qui débuta sa riche carrière en tant qu'enfant terrible de la recherche ; quand il l'acheva soixante ans plus tard, il était universellement désigné sous le surnom de « pape de la médecine allemande ». En effet, nul autre n'aura contribué autant que Rudolf Virchow (1821-1902) à la compréhension des effets dévastateurs des maladies sur les organes et les cellules de l'homme.

Ce professeur d'anatomie pathologique à l'université de Berlin pendant près de cinquante ans produisit plus de deux mille ouvrages et articles qui traitaient non seulement de la médecine mais aussi d'anthropologie et de la politique allemande. Élu au Reichstag, il défendait des idées si progressistes qu'un jour l'autocratique Otto von Bismarck le provoqua en duel. Ayant le choix des armes, Rudolf Virchow couvrit de ridicule le combat annoncé au point de rendre impossible sa tenue : l'arme qu'il avait choisie n'était autre que le scalpel.

Parmi les nombreux sujets de recherche auxquels il se consacra, on compte l'incidence de différentes pathologies sur les artères, les veines et les éléments sanguins qui y transitent, question qui le fascinait particulièrement. Il élucida les principes de l'embolie, de la thrombose et de la leucémie et inventa les mots pour en parler. C'est ainsi que, à la recherche d'un terme pour dénommer le mécanisme par lequel les cellules et les tissus sont privés de leur apport de sang, il s'empara du verbe grec *iskhein* – « arrêter » ou « réprimer » – lui-même dérivé de la racine indo-européenne *seoh,* qui se rapporte à l'idée de « saisir », de « tenir » ou de « produire une interruption ». Associant ce verbe à *aima,* ou « sang », les Grecs avaient créé le mot *iskhaimos* pour signifier l'arrêt du flux du sang. Virchow choisit le mot *ischémie* pour désigner les conséquences d'une diminution ou d'un arrêt total de l'apport du sang dans une structure du corps, que celle-ci ait la taille d'une cellule, celle d'une jambe ou encore celle d'une partie du myocarde.

Mais le terme *diminution* a une valeur forcément relative. Dès lors qu'augmente l'activité d'un organe, ses besoins en oxygène et, donc, en sang s'accroissent de même. Si jamais les artères ont rétréci au point de ne plus pouvoir satisfaire ces besoins ou qu'elles subissent pour quelque raison que ce soit une brusque contraction qui restreint encore la circulation, l'organe insuffisamment alimenté devient rapidement ischémique. Dans la douleur et la colère, le cœur pousse un cri d'alarme et continue à le faire jusqu'à ce que ces réclamations pour obtenir davantage de sang suscitent une réponse ; celle-ci prend le plus souvent la forme du stratagème naturel de la victime, qui, alertée par l'agitation de sa poitrine, ralentit ou arrête l'activité martyrisant son muscle cardiaque.

Exemple connu de tous : le muscle du mollet du sportif amateur qui reprend chaque année son jogging dès les premiers jours du printemps. L'écart entre la quantité de sang requise par le muscle en mal d'entraînement et celle qui parvient à se frayer un chemin à travers les artères tout aussi peu en forme peut provoquer l'ischémie. Le mollet, ne recevant pas suffisamment d'oxygène, entre alors dans une crise déchirante qui avertit le sportif manqué de la nécessité de mettre fin à son effort avant que ne meure de faim toute une région de cellules musculaires, processus qui s'appelle *infarcissement.* On désigne sous le nom de crampe l'avertissement aigu de la douleur qui monte du mollet surmené. Lorsqu'il a sa source dans le cœur, on emploie l'expression plus élégante d'*angine de poitrine,* mais le phénomène est le même. Si cette crampe du cœur dure suffisamment longtemps, on dit que la victime a présenté un infarctus du myocarde.

Le mot *angine* vient du verbe latin *angere,* qui veut dire « étrangler ». C'est à un autre philologue médical, le remarquable praticien anglais du dix-huitième siècle William Heberden (1710-1801), que l'on doit, outre la notion d'angine de poitrine, l'une des descriptions les plus poussées des symptômes qui caractérisent cet état. Dans une analyse parue en 1768 des différentes formes de douleur de poitrine, il écrivit :

> Mais il existe des troubles de la poitrine, signalés par des symptômes forts et particuliers, qui comportent un danger considérable, qui sont loin d'être rares et qu'il convient d'aborder plus en détail. En raison de leur siège ainsi que de la sensation d'étranglement et d'angoisse qui les accompagne, il ne serait pas impropre de les appeler angine de poitrine.
>
> Celui qui en souffre en subit l'attaque pendant qu'il marche (et tout particulièrement quand il monte une pente ou juste après un repas) ; il éprouve une douleur fort désagréable à la poitrine qui semble capable de mettre la vie en jeu au cas où elle durerait ou qu'elle augmenterait, mais, dès l'instant qu'il s'immobilise, tout le malaise disparaît.

Heberden avait vu assez de patients – « près de cent atteints de ces troubles » – pour pouvoir étudier la fréquence et la progression de cette affection :

> Ce sont les hommes qui sont le plus sujets à cette maladie, surtout ceux qui ont dépassé la cinquantaine.
>
> Quand elle continue depuis un an ou davantage, elle ne cesse plus instantanément dès que l'on s'immobilise, et elle se reproduit non seulement au cours de la marche, mais lorsque l'on se trouve allongé, notamment sur le côté gauche, et elle oblige à se lever du lit. Dans certains cas invétérés, elle est déclenchée par le mouvement d'un cheval ou d'une voiture, voire par le fait d'avaler, de tousser, d'aller à la selle ou de parler ainsi que par toute préoccupation intellectuelle.

Heberden fut frappé par la progression inexorable de la maladie : « Car si, en l'absence de tout accident, la maladie continue de se développer, tous les patients s'écroulent subitement et périssent tout de suite ou presque. »

James McCarty n'eut jamais le luxe d'une série de crises d'angine de poitrine : il succomba à sa première expérience d'ischémie myocardique. Son cerveau mourut parce que son cœur, d'abord frappé de fibrillation avant de s'arrêter, ne pouvait plus y transporter de sang. Peu à peu, tous les autres tissus du corps suivirent le cerveau ischémique sur le chemin de la nécrose.

Il y a quelques années, il m'a été donné de connaître une personne miraculeusement réanimée après une mort cardiaque subite de ce genre. Irv Lipsiner, courtier en Bourse, était un homme grand et solidement bâti qui s'adonnait depuis toujours au sport. Bien qu'il dût suivre un traitement à l'insuline à cause du diabète dont il souffrait de longue date, celui-ci n'avait aucune incidence sur son excellente forme physique, du moins à ce qu'il paraissait de prime abord... Irv Lipsiner avait certes eu une petite crise cardiaque quand il avait quarante-sept ans, âge auquel son père mourut de la même cause. Mais, son myocarde n'ayant subi que des dégâts minimes, il n'avait pas réduit le niveau habituel de sa vigoureuse activité.

Un samedi de 1985, en fin d'après-midi, alors qu'il avait cinquante-huit ans, Irv Lipsiner entamait sa troisième heure de tennis quand deux des quatre joueurs s'en allèrent ; désormais, il fallait continuer en simple. A peine le premier échange de balles avait-il commencé que, sans avertissement ni douleur prémonitoire, Irv Lipsiner s'affaissa ; il avait perdu connaissance. La chance voulut que deux médecins jouaient sur le court voisin : ils se précipitèrent à son secours et le trouvèrent les yeux vitreux, sans réaction ni respiration. Le cœur ne battait plus. Ayant conclu, à juste raison, à un état de fibrillation ventriculaire, ils tentèrent tout de suite une réanimation cardiopulmonaire, qui continua pendant ce qui leur sembla une éternité, en attendant l'ambulance. Quand celle-ci arriva enfin, Irv Lipsiner avait déjà commencé à réagir, au point de retrouver spontanément une pulsation régulière à partir de l'introduction d'un tube dans sa trachée et de son installation dans l'ambulance. Peu de temps après, il se trouvait parfaitement réveillé dans le service des urgences de l'hôpital Yale-New Haven, où il se demandait, comme il devait l'exprimer plus tard, la raison de « tout ce tintouin ».

Il ne fallut pas plus de quinze jours pour que le patient soit rentré chez lui, s'étant entièrement remis de l'épisode de fibrillation ventriculaire. Quelques années après, je fis sa connaissance au haras où il a élu domicile. Tous les jours, il interrompt son travail afin de faire du cheval ou de jouer au tennis, généralement en simple. Écoutons la description que donne Irv Lipsiner de la sensation qu'il avait eue de tomber raide mort sur un court de tennis :

> La seule chose dont je me souvienne est de m'être écroulé, sans éprouver la moindre douleur. C'était comme si je me trouvais dans une pièce où quelqu'un avait appuyé sur l'interrupteur et qu'il n'y avait brusquement plus de lumière. La seule différence, c'est que cela s'est déroulé au ralenti. Autrement dit, on ne perd pas connaissance comme cela [il claque ses doigts] mais comme ceci [sa main dessine lentement une courbe descendante à la manière d'un avion qui tourne doucement en préparation de l'atterrissage], progressivement et presque dans une spirale, comme... [il réfléchit un instant, puis il pince les lèvres et aspire dans un lent *diminuendo*] ça. Le passage de la lumière à l'obscurité a été bien évident, mais il s'est fait..., comment dire, très graduellement.
>
> Je savais bien que je m'étais écroulé. J'avais l'impression que quelqu'un m'avait ôté toute vie. Je me suis senti comme mon chien d'avant qui avait été écrasé par une voiture ; quand je l'ai regardé par terre, alors qu'il était déjà mort, il semblait comme d'habitude, sauf qu'il avait rétréci. Vous savez, rétréci uniformément. Voilà comment je me suis senti, comme si j'avais fait *pfuitt*.

En effet, la lumière s'était éteinte de cette façon précise parce que l'apport de sang au cerveau avait été brusquement arrêté. Au fur et à mesure que se consommait l'oxygène contenu dans le sang désormais stagnant de l'organe, celui-ci commença à défaillir, la baisse de la vue et de la connaissance faisant penser davantage à une lampe dont on tournerait progressivement le bouton qu'à un interrupteur mural sur lequel il suffirait d'appuyer. Ce fut cela la lente descente en vrille d'Irv Lipsiner vers la perte de connaissance et, à peu de choses près, la mort. Le bouche à bouche et le massage thoracique, deux techniques de réanimation cardiopulmonaire, lui firent entrer de l'air dans les poumons et envoyèrent du sang aux organes vitaux jusqu'à ce que le cœur décide, pour des raisons qui lui sont propres, de reprendre ses responsabilités.

Irv Lipsiner ne ressentit aucune douleur ischémique. La cause probable de sa fibrillation ventriculaire se trouvait dans quelque stimulation chimique transitoire d'une région de son muscle cardiaque que l'épisode de 1974 avait rendue hypersensible. Si l'on est réduit aux conjectures quant aux raisons de cette stimulation, on peut néanmoins supposer qu'elle s'expliquait par le stress d'une partie de tennis trop longue, qui libéra dans le système circulatoire une quantité supplémentaire d'adrénaline. C'est peut-être pour cela qu'une artère coronarienne eut un spasme et déclencha ainsi l'arythmie constatée. Tels sont les caprices de l'insuffisance coronarienne qu'Irv Lipsiner n'en eut pas le cœur endommagé, mais il n'empêche qu'il ne devait plus jamais jouer au tennis plus de deux heures de suite.

Soulignons le caractère insolite de son expérience : il n'y eut pas de douleur cardiaque avant la fibrillation, alors que l'immense majorité de ceux qui tombent raides morts éprouvent probablement une douleur ischémique caractéristique. A l'instar de son équivalent dans le mollet, cette douleur est subite et aiguë. Ceux qui l'ont connue en décrivent l'effet comme celui d'un étau qui serre fortement. Parfois elle se manifeste comme une pression écrasante, un insupportable poids contondant qui appuie contre le devant de la poitrine et qui s'irradie le long du bras gauche ou jusque dans le cou et la mâchoire. Sensation effrayante, y compris pour celui qui l'a déjà eue avant, puisqu'elle s'accompagne à chaque fois d'une impression – tout à fait réaliste, du reste – de la possibilité d'une mort imminente. La personne ainsi atteinte a en général des sueurs froides, des nausées, voire des vomissements, et, dans bien des cas, se trouve essoufflée. Si l'ischémie ne se calme pas au bout d'une dizaine de minutes, l'insuffisance d'oxygène peut avoir des conséquences irréversibles : une partie du muscle cardiaque finit par être lésée par le processus désigné sous le nom d'*infarctus du myocarde*. En pareil cas, ou dans celui où le manque d'oxygène suffit pour troubler la conduction du cœur, 20 % environ des personnes concernées meurent avant de pouvoir atteindre le service des urgences, taux qui se réduit presque de moitié si l'on parvient à gagner l'hôpital dans le délai que les cardiologues appellent l'« heure d'or ».

Tôt ou tard, 50 à 60 % de ceux qui souffrent d'insuffisance coronarienne meurent dans l'heure qui suit l'attaque, qu'il s'agisse de la première manifestation ou d'une crise ultérieure. Quand on considère que, chaque année, 1,5 million d'Américains ont un infarctus du myocarde (dont 70 % à domicile), on comprend aisément que l'insuffisance coronarienne constitue la première cause de décès aux États-Unis, comme d'ailleurs dans tous les pays industrialisés du monde. La quasi-totalité de ceux qui survivent à tous les infarctus finiront un jour victimes de la capacité de plus en plus diminuée du cœur à remplir son rôle de pompe.

Si l'on prend en compte l'ensemble des causes naturelles, on constate que 20 à 25 % environ des Américains ont une mort subite, étant entendu par là qu'ils meurent de façon inattendue dans les quelques heures qui suivent l'apparition des symptômes et qu'ils ne sont ni hospitalisés ni alités à domicile. Et entre 80 et 90 % de ces décès (soit environ 400 000 personnes) ont une origine cardiaque, les autres étant dus à des maladies des poumons, du système nerveux central ou de l'aorte, artère dans laquelle le ventricule gauche chasse son sang. Dès lors qu'il s'agit d'une mort non seulement subite mais instantanée, on dénombre très peu de cas qui ne relèvent pas de l'insuffisance coronarienne.

La victime de cette maladie se trahit le plus souvent par ses habitudes alimentaires et son tabagisme ainsi que par le peu d'attention qu'elle accorde à des tâches simples d'hygiène de vie telles que l'exercice physique ou le maintien à un niveau normal de sa pression artérielle. Quelquefois, c'est une affaire d'ascendance, qui prend la forme d'antécédents familiaux ou de diabète ; il peut aussi s'agir de cette agresssivité et de cette impétuosité que les cardiologues appellent aujourd'hui la personnalité de type A. Dans ce cas, il y a de fortes chances pour que celui dont le myocarde souffrira un jour d'angine de poitrine soit l'écolier excessivement ambitieux qui lève vigoureusement la main dès que l'institutrice demande des volontaires : « S'il vous plaît, c'est moi qui le fera mieux que tous les autres ! » Il est facile à identifier, la mort le trouvera sans peine. Il y a peu de hasard dans les choix que fait l'ischémie cardiaque.

Bien avant que l'on connaisse les périls occultes du cholestérol, du tabagisme, du diabète et de l'hypertension, le monde médical commençait déjà à repérer les caractéristiques de ceux qui paraissaient destinés à la mort cardiaque. William Osler, auteur du premier grand manuel médical, édité en 1892, aurait pu avoir en tête James McCarty lorsqu'il écrivait ces mots : « Ce n'est pas l'être délicat et névrosé qui a une prédisposition à l'angine de poitrine, mais celui qui est robuste, vigoureux d'esprit et de corps, l'homme vif et ambitieux dont le compteur de vitesse indique toujours la vélocité maximum. » Il se reconnaît par sa vitesse.

En dépit de tous les progrès de la médecine, il y a encore beaucoup de gens qui meurent au cours de leur première crise cardiaque. Comme l'heureux Lipsiner, la plupart d'entre eux ne meurent pas à proprement parler de la nécrose du myocarde, mais plutôt d'une perturbation soudaine du rythme du cœur provoquée soit par l'effet d'une ischémie (ou parfois de modifications chimiques locales), soit par celui d'une conduction électrique déjà fragilisée à la suite d'une blessure antérieure, reconnue ou non. Mais, de nos jours, la façon la plus courante de succomber à l'insuffisance coronarienne ne correspond ni à l'expérience d'Irv Lipsiner ni à celle de James McCarty. Le plus souvent, la détérioration se fait progressivement, de nombreux avertissements et beaucoup de traitements réussis intervenant avant l'issue finale. La destruction de fragments du muscle cardiaque s'étale sur des mois ou des années et s'achève le jour où cette pompe assiégée et défaillante tombe tout simplement en panne. C'est alors qu'elle abandonne la partie, par manque de force ou parce que le système de pilotage qui en assure la coordination électrique ne parvient plus à se relever d'une nouvelle remise en cause de son autorité. Les chercheurs médicaux, convaincus comme ils le sont de travailler dans un domaine scientifique, ont réalisé tellement de progrès que leurs confrères praticiens, qui, eux, ont conscience d'exercer un art, peuvent souvent, grâce à des actions opportunes et au choix méticuleux qu'ils font parmi les thérapeutiques actuellement disponibles, donner aux cardiaques de longues périodes d'amélioration et de stabilisation de leur santé.

Il n'en demeure pas moins que, chaque jour, 1 500 Américains meurent d'ischémie cardiaque, que ce soit subitement ou progressivement. La prévention et les méthodes thérapeutiques modernes ont certes contribué, depuis le début des années soixante, à réduire régulièrement ce chiffre, mais il est pratiquement impossible que la courbe baisse suffisamment pour modifier radicalement la situation pour l'immense majorité de ceux chez qui on a déjà diagnostiqué, ou chez qui on décèlera au cours des dix années à venir, cette impitoyable maladie. Celle-ci représente, à l'instar de tant d'autres maladies, un continuum progressif qui a pour fonction ultime dans le système écologique de notre planète d'éteindre la vie humaine.

Mais, pour rendre compréhensible la suite des événements qui conduisent à la perte graduelle de la capacité du cœur à assurer correctement la circulation sanguine, il faut d'abord examiner certaines des étonnantes qualités qui lui permettent, lorsqu'il est en bonne santé, de fonctionner avec une précision extraordinaire.

2

LE CŒUR A SES RAISONS

Le cœur est constitué presque entièrement d'un muscle, le myo-carde, qui enveloppe un grand espace central divisé en quatre compartiments : une paroi verticale, qui passe de l'avant à l'arrière, sépare cet espace en cavités gauches et droites, tandis qu'une sorte de paroi située en angle droit avec cette cloison verticale sépare chacune de ces deux moitiés en partie supérieure et partie inférieure. Comme les parties qui se trouvent de chaque côté de la cloison verticale ont chacune une certaine indépendance, on les appelle souvent le cœur gauche et le cœur droit. De part et d'autre, la paroi séparant le haut du bas est percée d'un orifice pourvu d'une valvule à sens unique qui permet au sang de passer facilement du compartiment supérieur, ou oreillette, au compartiment inférieur, ou ventricule. Dans un cœur sain, les val-vules se ferment totalement dès que le ventricule est rempli pour empêcher le sang de refluer dans l'oreillette. Les oreillettes sont des compartiments qui reçoivent du sang, les ventricules des com-partiments qui le chassent. La portion du myocarde qui renferme la partie supérieure du cœur n'a pas besoin d'être aussi épaisse que celle qui recouvre les puissants ventricules.

On peut ainsi affirmer que l'on possède non pas un cœur, mais deux, que relient entre eux les cloisons interauriculaire et inter-

Vue extérieure du cœur mettant en évidence les artères coronaires

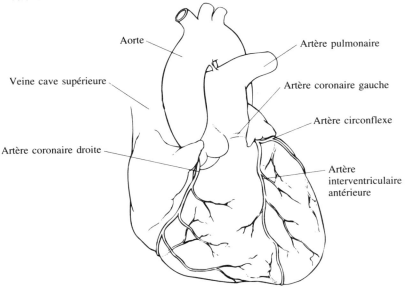

Aorte

Artère pulmonaire

Veine cave supérieure

Artère coronaire gauche

Artère circonflexe

Artère coronaire droite

Artère interventriculaire antérieure

Vue en coupe d'un cœur normal
(les flèches indiquent le sens de la circulation)

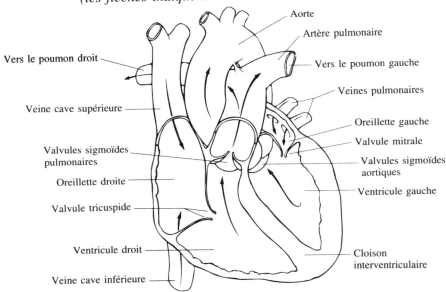

Aorte

Artère pulmonaire

Vers le poumon droit

Vers le poumon gauche

Veines pulmonaires

Veine cave supérieure

Oreillette gauche

Valvule mitrale

Valvules sigmoïdes pulmonaires

Valvules sigmoïdes aortiques

Oreillette droite

Ventricule gauche

Valvule tricuspide

Ventricule droit

Cloison interventriculaire

Veine cave inférieure

ventriculaire ; chacun dispose d'un compartiment supérieur qui reçoit et d'un compartiment inférieur qui envoie. Les deux cœurs doivent accomplir des tâches tout à fait différentes : la fonction de celui de droite consiste à accueillir le sang « usagé » qui revient des tissus et de lui faire parcourir la faible distance séparant le cœur des poumons, où il sera fraîchement oxygéné, alors que celui de gauche est là pour recevoir ce sang désormais à forte teneur en oxygène et le chasser vigoureusement dans le reste du corps. C'est afin de traduire cette division du travail que les médecins différencient depuis des siècles les deux parcours en parlant de *petite circulation* et de *grande circulation.*

Un cycle complet commence dans les deux grandes veines qui reçoivent des parties supérieure et inférieure du corps du sang foncé et pauvre en oxygène ; la grande capacité de ces deux larges vaisseaux bleus, leur source et leur position relative se reconnaissent aisément dans le nom que leur donna, il y a 2 500 ans, la médecine grecque : les veines caves supérieure et inférieure. Ces deux veines amènent leur sang à l'oreillette droite, d'où il continue sa descente par l'orifice valvulaire (la valvule auriculo-ventriculaire droite, ou tricuspide) pour arriver dans le ventricule droit, qui le chasse, avec une pression égale au poids d'une colonne de mercure d'à peu près 35 millimètres de haut, dans un large vaisseau appelé l'artère pulmonaire, qui se ramifie bientôt en deux conduits menant chacun à un poumon. Revitalisé dans les poumons grâce à des petits sacs d'air (les alvéoles pulmonaires), le sang désormais d'un rouge vif achève la petite circulation en retournant par les veines pulmonaires à l'oreillette gauche, d'où il descendra dans le ventricule avant d'être renvoyé jusqu'à la dernière cellule vivante du gros orteil.

Étant donné qu'il faut une pression approximative de 120 millimètres de mercure pour produire une contraction de cette force, le muscle du ventricule gauche a une épaisseur de près de 1,3 centimètre, ce qui lui donne la paroi la plus robuste et la plus épaisse des quatre compartiments. Cette pompe vigoureuse, qui envoie à chaque contraction 70 millilitres de sang, en fait circuler chaque jour quelque 7 millions de millilitres par l'action de 100 000 puissantes pulsations rythmiques : le mécanisme d'un cœur vivant est un véritable chef-d'œuvre de la nature.

Cette série compliquée d'opérations exige une parfaite coordination, rendue possible par l'envoi de messages le long de fibres microscopiques qui ont leur origine dans un minuscule amas de tissus en forme d'ellipse situé vers le haut de l'oreillette droite et sur sa paroi arrière, tout près de l'embouchure de la veine cave supérieure. C'est à cet endroit précis, où la veine cave se vide dans l'oreillette, que le sang entame son long voyage qui le fait transiter par le cœur et les poumons ; voilà donc le point où il convient de situer la stimulation de tout le processus en question. On pourrait comparer ce fragment tissulaire, le nœud sinusal, à un stimulateur cardiaque qui commande les battements coordonnés du cœur. Un amas de fibres transporte les messages du nœud sinusal à un relais situé entre les oreillettes et les ventricules (d'où son nom de nœud auriculo-ventriculaire), qui repartent ensuite pour le muscle des ventricules à travers un réseau arborescent de fibres qu'on appelle faisceau de His, d'après le nom de l'anatomiste suisse qui le découvrit au dix-neuvième siècle et dont la carrière se déroula pour l'essentiel à l'université de Leipzig.

Le nœud sinusal est le générateur particulier du cœur ; si des nerfs extérieurs peuvent modifier le rythme de celui-ci, c'est finalement la conduction d'électricité à partir du nœud sinusal qui détermine la merveilleuse et impeccable régularité de sa pulsation. Les sages des civilisations anciennes, stupéfaits à chaque fois qu'ils observaient l'orgueilleuse indépendance du cœur mis à nu d'un animal, proclamaient que ce mécanisme divin de chair hardie et autonome devait forcément être le domicile de l'âme.

Le sang qui se trouve dans les cavités du cœur ne fait qu'y passer ; il ne s'arrête pas pour nourrir ce muscle car les battements syncopés de celui-ci le propulsent dans le système circulatoire. L'alimentation qui permet au muscle cardiaque, ou myocarde, d'assumer ses travaux herculéens est assurée par un groupe de vaisseaux distincts qui, puisqu'ils ont leur origine dans des artères qui entourent le cœur à la manière d'une couronne, ont reçu le nom de coronaires. Des branches des principales artères coronaires descendent jusqu'à la pointe inférieure du cœur et se ramifient encore en fibrilles qui apportent du sang d'un rouge vif, riche en oxygène, au myocarde. Lorsqu'elles se trouvent en bonne santé, les artères coronaires sont les amies du cœur ; malades, elles le trahissent aux moments critiques.

Trahison tellement fréquente qu'elle porte désormais la responsabilité d'au moins la moitié des décès aux États-Unis. Ces vaisseaux si volages traitent le sexe faible avec plus d'égards que ceux qui s'adonnaient traditionnellement à la chasse et à la pêche : en effet, non seulement l'infarctus est moins courant chez les femmes que chez les hommes mais, même quand il se manifeste, c'est relativement plus tard dans la vie. La moyenne d'âge des femmes au moment de leur première crise se situe entre soixante et soixante-dix ans, tandis que les hommes ont de fortes chances de subir cette expérience terrifiante une dizaine d'années plus tôt. Lorsque l'on arrive à cet âge, les artères coronaires ont déjà atteint un degré de rétrécissement suffisant pour mettre en péril la viabilité du myocarde, mais le processus a normalement commencé bien des années auparavant. Une étude souvent citée faite sur des soldats américains tués pendant la guerre de Corée révèle que les vaisseaux coronaires des trois quarts environ de ces jeunes hommes portaient déjà des traces d'artériosclérose. On en trouve d'ailleurs, à des degrés variables, chez la quasi-totalité des adultes américains, phénomène qui s'amorce pendant l'adolescence et qui se développe avec l'âge.

La substance responsable de l'obstruction prend la forme de petits blocs d'un blanc jaunâtre, désignés sous le nom de plaques, qui adhèrent à la paroi interne de l'artère et font saillie dans son canal central. Les plaques sont faites de cellules et de tissu conjonctif et ont un noyau constitué de débris et de lipides, variété courante de corps gras dont le nom remonte au mot grec *lipos,* qui veut dire « graisse » ou « huile ». Compte tenu de sa forte teneur en lipides, une plaque s'appelle également athérome, d'après les mots grecs *athérê,* pour « bouillie », et *oma,* pour « croissance » ou « tumeur ». La formation d'athéromes étant de loin la cause la plus fréquente d'artériosclérose, elle porte le plus souvent le nom d'athérosclérose, c'est-à-dire durcissement par athérome.

A mesure que progresse un athérome, il augmente en volume et a tendance à faire corps avec les plaques voisines tout en absorbant du calcium du système sanguin. Le résultat est la lente accumulation d'une masse d'athérome induré tapissant sur une grande distance la paroi du vaisseau, qui devient de plus en plus grumeleuse, dure et épaisse. On a parfois comparé une artère athéroscléreuse à un vieux bout de tuyau très usé et mal entretenu dont l'intérieur est recouvert de dépôts épais et irréguliers de rouille et de sédiments encroûtés.

Même avant que l'on découvre que l'angine de poitrine et l'infarctus du myocarde s'expliquaient par le rétrécissement des artères coronaires, quelques médecins commençaient à faire des remarques sur le cœur de ceux qui succombaient à ces affections. Par exemple, le même Edward Jenner qui introduisit en 1798 le vaccin antivariolique étudiait avec acharnement les maladies et avait coutume de suivre jusqu'à la table d'autopsie le plus de patients possible, cet examen incombant de toute façon, à l'époque, au praticien. Sur la base de ses dissections, Jenner commença à soupçonner que le rétrécissement des artères coronaires qu'il constatait dans les cadavres avait un rapport direct avec les symptômes angineux découverts chez les patients vivants. Il décrivit ainsi, dans une lettre à un confrère, une expérience de dissection d'un cœur pendant l'une de ses autopsies :

> Mon couteau se heurta à quelque chose de suffisamment dur et grumeleux pour l'ébrécher. Je me souviens d'avoir regardé un instant le vieux plafond qui s'effritait, en pensant qu'un bout de plâtre était peut-être tombé. Mais un examen plus poussé fit apparaître la cause véritable : les artères coronaires étaient devenues des canaux osseux.

En dépit des remarques de Jenner et des progrès de la compréhension de la manière dont l'occlusion coronaire endommage le cœur, il fallut attendre 1878 pour qu'un médecin parvienne à diagnostiquer correctement un infarctus du myocarde. Le docteur Adam Hammer de Saint Louis, aux États-Unis, réfugié politique ayant quitté l'Allemagne en raison de la répression qui suivit la révolution manquée de 1848, envoya à une revue médicale de Vienne un rapport intitulé « Ein Fall von thrombotischem Verschlusse einer der Kranzarterien des Herzens » (« Un cas d'occlusion thrombotique d'une des artères coronaires » ; notons que le terme allemand pour artère coronaire, *Kranzarterie,* vient du mot *Kranz,* ou couronne de fleurs, ce qui donne une nouvelle signification poétique à l'idée du cœur comme siège des sentiments). Hammer avait été appelé en consultation pour examiner un homme de trente-quatre ans qui, à la suite d'une attaque subite, se trouvait dans un état de collapsus cardiovasculaire dont l'aggravation rapide faisait craindre une mort imminente. Si, à l'époque, les médecins connaissaient déjà le mécanisme de l'ischémie myocardique, aucun d'eux n'avait diagnostiqué l'infarctus dont elle était la cause ; d'ailleurs, personne n'y avait même songé. Comme il regardait, impuissant, son patient mourir, Hammer suggéra à son confrère qu'il fallait attribuer la nécrose du myocarde à l'occlusion totale d'une artère coronaire et, donc, que l'autopsie s'imposait comme seul moyen de tester cette hypothèse inédite. Ce ne fut pas chose facile que d'obtenir l'autorisation de la famille accablée de douleur, mais ce praticien expérimenté sut vaincre toutes les objections par le recours opportun à cet éternel dissipateur des réticences qui a pour nom l'argent. Comme il l'exprima avec une grande franchise dans l'article évoqué : « Devant ce remède universel, même les appréhensions les plus subtiles, fussent-elles d'ordre religieux, finissent par céder. » Grâce à cette obstination, Hammer eut la satisfaction de trouver un myocarde d'un jaune-brun pâle, couleur indiquant l'infarctus, et une artère coronaire entièrement obstruée : son intuition était confirmée.

Au cours des décennies qui suivirent, les principes de l'insuffisance coronarienne et de l'infarctus se dessinèrent de plus en plus clairement. Dès l'invention de l'électrocardiographe en 1903, on eut les moyens de tracer les messages transmis par les fibres assurant la conduction du cœur et on put rapidement interpréter les tracés représentant les changements électriques qui interviennent lorsqu'une baisse du débit sanguin met en danger le muscle cardiaque. On découvrit aussi d'autres pistes diagnostiques, dont le fait que le myocarde lésé libère certaines substances chimiques, ou enzymes, dont la présence identifiable dans le sang facilite la détection de l'infarctus.

L'infarctus concerne habituellement une surface de 5 à 8 centimètres carrés de la paroi musculaire alimentée par l'artère coronaire oblitérée. Dans la moitié des cas à peu près, c'est l'artère interventriculaire antérieure qui est en cause, vaisseau qui descend le long de la surface antérieure du cœur gauche jusqu'à la pointe inférieure et qui s'effile au fur et à mesure qu'il produit des ramifications dans le myocarde. Le rôle fréquent de cette artère dans les infarctus explique pourquoi la moitié environ de ceux-ci touchent la paroi antérieure du ventricule gauche. Sa paroi postérieure est alimentée par l'artère coronaire droite, qui se trouve à l'origine de 30 à 40 % des occlusions, cependant que la paroi latérale dépend, pour son apport en sang, de l'artère circonflexe, qui occasionne encore 15 à 20 % des cas.

Le ventricule gauche, élément le plus puissant de la pompe cardiaque et source de la force musculaire qui nourrit tous les organes et tissus du corps, subit des lésions dans la quasi-totalité des crises cardiaques : chaque cigarette, chaque noix de beurre, chaque tranche de viande, chaque augmentation de l'hypertension pousse les artères coronaires à redoubler leur résistance au flux sanguin.

Quand se produit brusquement l'occlusion d'une artère coronaire, une période de privation aiguë d'oxygène s'amorce. Si le manque d'oxygène est d'une durée et d'une acuité suffisantes pour rendre impossible la récupération des cellules musculaires paralysées par l'interruption instantanée du flux sanguin, la douleur de l'angine de poitrine cède à l'infarctus : le tissu musculaire ainsi atteint passe de l'extrême pâleur de l'ischémie à la mort certaine. Si la surface nécrosée est relativement restreinte et n'a pas tué le patient en provoquant une fibrillation ventriculaire ou tout autre trouble d'égale gravité du rythme cardiaque, le muscle concerné, désormais enflé, pourra s'accrocher à une survie précaire en attendant d'être remplacé, signe de la guérison progressive, par du tissu cicatriciel. Cette région de tissu demeure toutefois incapable de participer à l'action puissante du reste du myocarde. Lors de chaque rétablissement à la suite d'une crise cardiaque, de quelque ampleur que ce soit, la personne a nécessairement perdu encore un peu de muscle au profit de la région de tissu cicatriciel, de plus en plus étendue. La force de son ventricule diminue progressivement à mesure qu'avance l'athérosclérose, y compris en l'absence de toute crise cardiaque. En effet, il arrive dans certains cas que l'occlusion de petites ramifications des vaisseaux principaux reste inaperçue mais continue néanmoins à saper la force des contractions cardiaques, le résultat étant à terme que le cœur commence à défaillir. C'est en fait l'état chronique d'insuffisance cardiaque, et non pas l'attaque foudroyante, qui emporte jusqu'à 40 % des victimes des maladies coronariennes.

La conjonction particulière des causes immédiates et des lésions de tissu subies détermine le type et la gravité du danger devant lequel se trouve tel cœur à un stade donné de son déclin. L'un ou l'autre facteur peut donc prédominer momentanément : il s'agit tantôt de la susceptibilité aux spasmes ou à la thrombose des artères coronaires partiellement obstruées, tantôt du myocarde malmené, dont le système de communications est tellement déréglé et hyperexcitable que le moindre stimulus déclenche en lui la fibrillation, tantôt de ce système lui-même, qui, devenu léthargique, répugne à transmettre des signaux, si bien qu'il vacille, se ralentit ou même permet au cœur de s'arrêter complètement, tantôt d'un ventricule trop endommagé et affaibli pour expulser une quantité suffisante du sang reçu de son oreillette.

Lorsque l'on rajoute les 20 % des cardiaques qui meurent, à la manière de James McCarty, de leur première crise au nombre de ceux qui succombent brusquement après des semaines ou des années d'aggravation de leur maladie, on obtient un total de 50 à 60 % de morts subites parmi les personnes qui souffrent d'insuffisance coronarienne. Quant aux autres, ils s'éteignent à petit feu et désagréablement en raison de l'une des variantes de ce que l'on appelle l'insuffisance cardiaque chronique. En effet, si, au cours des vingt ou trente dernières années, le taux de mortalité des victimes de crise cardiaque a diminué de 25 %, celui des victimes d'insuffisance cardiaque a augmenté d'un tiers : ceci explique-t-il cela ?

L'insuffisance cardiaque chronique est la conséquence directe de l'incapacité d'un myocarde lésé et affaibli à se contracter avec suffisamment de force pour expulser à chaque pulsation le volume nécessaire de sang. Quand il ne parvient plus à bien chasser dans la petite et la grande circulation le sang déjà entré dans le cœur, une partie de ce sang reflue dans les veines qui l'ont ramené et provoque ainsi une pression qui remonte jusque dans les poumons et les autres organes d'où il vient. Cette congestion a pour résultat l'infiltration, dans les parois perméables des vaisseaux les plus petits, d'une partie de la composante fluide du sang et donc d'occasionner des œdèmes, ou gonflements des tissus. De ce fait, des structures telles que le rein ou le foie n'arrivent plus à fonctionner comme il faut, et cette situation est aggravée par la capacité diminuée de cette pompe qu'est le ventricule gauche à chasser la quantité requise du sang nouvellement oxygéné qu'elle reçoit, ce qui réduit même l'alimentation des organes déjà enflés. C'est ainsi que le ralentissement général de la circulation s'accompagne d'une diminution du débit sanguin qui parvient aux tissus et qui en repart.

La pression du sang insuffisamment éjecté provoque le ballonnement des compartiments du cœur, qui restent dilatés. Le muscle ventriculaire s'épaissit dans un effort pour compenser sa propre faiblesse. Le cœur ainsi grossi apparaît encore plus redoutable qu'avant, mais il ne s'agit plus que de vaines fanfaronnades. Soufflant rageusement, il accélère le pas dans l'espoir de chasser davantage de sang. Bientôt, il se trouve dans l'obligation croissante de courir toujours plus vite, telle Alice au Pays des Merveilles, juste pour ne pas être à la traîne. Les efforts du cœur distendu et élargi demandent plus d'oxygène que ne peuvent lui apporter les artères coronaires rétrécies, le risque étant que le myocarde subisse encore des lésions ou que de nouvelles arythmies fassent leur apparition. Certaines de celles-ci sont fatales : près de la moitié des cardiaques meurent de fibrillation ventriculaire et d'autres troubles semblables du rythme cardiaque. Voilà pourquoi le cœur défaillant a beau bomber le torse, il continuera à défaillir dans une espèce de cercle vicieux de tentatives de plus en plus désespérées pour masquer et, donc, compenser ses propres faiblesses. Comme l'a exprimé un confrère cardiologue : « L'insuffisance cardiaque engendre l'insuffisance cardiaque. » Celui qui en souffre avance déjà sur le chemin de la mort.

Dès le moindre effort, le patient manque de plus en plus de souffle, car ni le cœur ni les poumons ne sont à même de satisfaire aux exigences croissantes dont ils font l'objet. Certains cardiaques ont du mal à rester allongés au-delà d'une brève période : sans le concours de la pesanteur que leur permet la station verticale, ils parviennent difficilement à évacuer de leurs poumons les excès de fluide. J'en ai connu beaucoup qui ne pouvaient plus dormir qu'en calant plusieurs oreillers sous la tête et les épaules et, même ainsi, ils étaient sujets pendant la nuit à de terrifiantes crises d'essoufflement. Le cardiaque souffre également de fatigue chronique et d'apathie, état qui s'explique par l'effet conjugué de l'effort accru de respiration et de l'alimentation insuffisante des tissus, résultat du faible rendement du cœur.

La pression redoublée qui se transmet des veines caves aux autres vaisseaux du corps provoque le gonflement des pieds et des chevilles ; chez le grabataire, le fluide finit par se concentrer, sous l'effet de la pesanteur, dans le bas du dos et les cuisses. Quoique exceptionnel de nos jours, il n'était pas rare, à l'époque où je faisais mes études, de trouver un patient assis dans son lit, le ventre et les jambes enflés de liquide, qui soulevait presque convulsivement les épaules pendant qu'il haletait comme s'il s'agissait de sa dernière chance pour sauver sa vie. Dans la bouche grande ouverte de ce combattant d'une bataille perdue d'avance contre la mort imminente, on remarquait en général la couleur bleue d'une langue et de lèvres désoxygénées, totalement desséchées alors que le mourant se noyait. Les médecins redoutaient alors de faire quoi que ce soit qui puisse augmenter l'angoisse déjà insoutenable de cet être aux yeux exorbités dont les tissus étaient imprégnés d'eau et qui n'entendait plus que les horribles soufflements et gargouillis de son râle d'agonie. A cette époque-là, on n'avait pas grand-chose à proposer à un malade en phase terminale en dehors de sédatifs, mais on savait heureusement que chaque répit ainsi obtenu le rapprochait de la fin de son martyre.

Pareilles scènes, si elles sont devenues moins courantes aujourd'hui, n'ont pas pour autant disparu. Ainsi, un professeur de cardiologie m'écrivait-il les lignes qui suivent : « Il y a beaucoup de patients atteints d'une insuffisance cardiaque incurable dont les dernières heures – ou derniers jours – sont rendues pénibles et même insupportables par leur sensation de noyade cependant que le médecin se voit condamné à l'impuissance et au recours à la morphine comme moyen de sédation. Sortie déplaisante s'il en fût. » Outre le cœur lui-même, les troubles durables occasionnés par des tissus imbibés et anémiques peuvent tuer de bien d'autres façons encore. Les organes malmenés finissent eux aussi par défaillir. Or, quand les reins ou le foie arrêtent de fonctionner, c'est la vie qui cesse en même temps. L'insuffisance rénale, ou urémie, représente une porte de sortie pour certains cardiaques, comme d'ailleurs l'insuffisance hépatique, qui se signale fréquemment par l'apparition d'une jaunisse.

Non seulement le cœur se fait des illusions en se lançant dans une frénésie d'activité, mais il réussit même parfois à tromper de la sorte les organes susceptibles de le tirer d'embarras. Par exemple, le rein doit pouvoir extraire suffisamment de sel et d'eau supplémentaires du sang pour diminuer la charge que supporte le cœur, mais l'insuffisance cardiaque l'amène à faire exactement le contraire. Convaincu, et à juste titre, de recevoir moins de sang qu'il n'en a l'habitude, il compense cette baisse de débit en produisant des hormones qui ont pour conséquence la réabsorption du sel et de l'eau déjà prélevés et, de ce fait, leur réintroduction dans la circulation. Résultat : le volume total de liquide du corps augmente au lieu de diminuer, ce qui crée de nouvelles difficultés pour le cœur déjà surmené. Celui-ci arrive ainsi à s'abuser et à abuser par la même occasion le rein ; l'organe qui cherche à être son ami se transforme sans le vouloir en ennemi.

Des poumons lourds, gonflés d'eau, victimes d'une circulation par trop lente, constituent le bouillon de culture idéal pour des bactéries et des inflammations qui s'étendent : d'où le nombre élevé de cardiaques qui meurent de pneumonie. Mais les poumons n'ont pas besoin de bactéries pour mener à bien leur entreprise meurtrière. Une brusque aggravation de cet état d'infiltration, que l'on désigne sous le nom d'œdème pulmonaire aigu, est souvent l'événement final pour le cardiaque de longue date. Qu'on puisse l'imputer à de nouvelles lésions du cœur ou à un surmenage temporaire provoqué par un effort physique ou une émotion inattendus ou encore à la forte teneur en sel d'un aliment consommé (je connais le cas d'un homme décédé de ce que l'on serait tenté d'appeler une « insuffisance coronarienne aiguë d'origine charcutière »), le volume excessif de fluide reflue et inonde les poumons. Lorsque cela se produit, la personne manque rapidement d'air, sa respiration se fait sifflante et gargouillante et, finalement, l'oxygénation compromise du sang provoque soit la mort cérébrale, soit la fibrillation ventriculaire ou d'autres troubles du rythme cardiaque desquels il n'y a plus de retour. Partout dans le monde en ce moment même, des gens sont en train de mourir de cette manière.

Manière qui trouve une illustration frappante dans l'histoire d'un autre homme dont il m'a été donné de voir la mort. Si l'on se situe dans l'univers des maladies chroniques du cœur, on pourrait très bien appeler Horace Giddens M. Tout-le-Monde. Car les détails de son cas font vivement ressortir l'un des déroulements les plus courants de la descente inexorable qui est celle du cardiaque.

Horace Giddens était un banquier prospère de quarante-cinq ans dans une petite ville du Sud lorsque nos chemins se croisèrent vers la fin des années quatre-vingt. Il rentrait chez lui d'un long séjour à l'hôpital Johns Hopkins de Baltimore, où son médecin l'avait envoyé en désespoir de cause, pensant que là, il y aurait peut-être moyen de ralentir la progression alarmante de son angine de poitrine et de son insuffisance cardiaque ou, à tout le moins, d'obtenir un répit. Jusqu'alors, en effet, tous les traitements connus avaient échoué. Prisonnier d'un mariage où les querelles étaient la règle, Horace Giddens avait fait le difficile voyage à Baltimore autant pour fuir l'hostilité démoralisante de sa femme que pour se faire soigner. Mais, en tout cas, il était déjà trop tard : sa maladie avait atteint un stade si avancé qu'aucune thérapeutique existante ne pouvait l'aider. Après toute une série d'examens et de consultations, les médecins de l'hôpital lui avouèrent, avec le plus de doigté possible, leur impuissance et lui dirent qu'il serait inutile de lui donner tout traitement autre que palliatif. Pour Horace Giddens, ni angioplastie ni pontage ni transplantation cardiaque. Le hasard voulut que je fasse une visite de politesse au domicile des Giddens le soir même où il rentrait de Baltimore avec la certitude qu'il n'avait plus longtemps à vivre.

Sa femme insensible était apparemment au courant de son retour, mais elle ne semblait pas connaître, ni même souhaiter connaître, l'heure précise de son arrivée. Lorsqu'il pénétra enfin dans la maison, j'étais tranquillement installé sur une chaise à écouter passivement la conversation de la famille. Le spectacle fut particulièrement pénible à voir : cet homme grand et décharné entra d'un pas traînant dans le salon, grimaçant d'essoufflement, ses frêles épaules soutenues fermement et gentiment par la bonne de la famille, qui était en adoration devant lui. Une grande photo de lui posée sur le piano m'indiquait qu'il avait été autrefois d'une beauté robuste ; maintenant, son visage grisâtre aux traits tirés accusait surtout de la fatigue. Il marchait avec une raideur qui témoignait du grand effort qu'il devait faire, et avec prudence, comme s'il craignait de perdre son équilibre ; il fallut l'aider à s'asseoir.

Je connaissais l'insuffisance coronarienne de Horace Giddens et je savais qu'il avait déjà subi plusieurs infarctus du myocarde authentiques. Pendant que je regardais la lutte de ses épaules qui se soulevaient à chaque souffle paroxysmal, j'essayais d'imaginer l'état de son cœur et d'identifier dans mon esprit les différents éléments expliquant la défaillance de celui-ci. Ayant derrière moi une quarantaine d'années d'expérience médicale, je me livre facilement à ce genre de conjectures quand je me trouve, à titre mondain, en compagnie d'un malade. Il s'agit d'un exercice automatique, d'un test auquel je me soumets et aussi, de façon assez particulière, d'une forme d'empathie. Je le fais systématiquement, machinalement, et je suis sûr qu'il en va de même pour la plupart de mes confrères.

Ce que je me représentais derrière le sternum de Horace Giddens était un cœur élargi et ramolli qui ne parvenait plus à battre avec la moindre vigueur. Sur près de 8 centimètres, sa paroi musculaire avait été remplacée par une grosse cicatrice blanchâtre et il y avait également d'autres surfaces de cicatrisation plus circonscrites. Systématiquement, après quelques pulsations, se produisait une contraction spasmodique et irrégulière dont l'origine se trouvait dans l'un ou l'autre foyer de rébellion du ventricule gauche, contraction qui entravait les vaines tentatives du muscle pour maintenir un rythme régulier. Tout se passait comme si les différentes parties des ventricules cherchaient à s'affranchir de l'automaticité propre au processus tandis que le nœud sinusal s'escrimait à réaffirmer son autorité contestée. Processus que je ne connaissais que trop bien : la gravité de l'ischémie avait interrompu le flux régulier de messages que le nœud sinusal essayait de transmettre aux ventricules. Privés ainsi des signaux habituels, ceux-ci se mettaient fébrilement à battre de leur propre chef en déclenchant chaque pulsation à partir de n'importe quel endroit du myocarde qui acceptait spontanément de relever le défi. Toute augmentation du stress ou toute diminution de l'oxygénation conduisent alors à un état que les Français nomment si pertinemment l'« anarchie ventriculaire » et qui diffuse en pagaille dans le myocarde une avalanche de contractions désordonnées et inefficaces avec, à la clef, cette rapidité totalement chaotique qui s'appelle la tachycardie ventriculaire et, finalement, la fibrillation. A observer les mouvements incertains de Horace Giddens, j'eus conscience du peu de chemin qui le séparait de ce terrible dénouement.

Les veines caves et les veines pulmonaires étaient distendues et contractées par la pression du sang qui y avait reflué à cause de la faiblesse du cœur. Les poumons, désormais durs comme du cuir, devaient ressembler à deux éponges gris-bleu totalement imbibées, recouvertes d'œdèmes boursouflés et à peine capables de se dilater et de se contracter comme le double soufflet rose qu'elles avaient été. Toute cette image d'étranglement sanguin me fit un instant penser à une autopsie que j'avais vue d'un pendu : sur son visage d'un violet livide, engorgé et bouffi, on reconnaissait à peine les traits d'un être humain.

Horace Giddens avait bien vécu et avait supporté avec philosophie les flèches empoisonnées que lui décochait sa femme. En plus de se consacrer à sa fille de dix-sept ans, qui l'adorait, il s'appliquait à se montrer digne de la grande confiance que lui témoignaient les habitants de sa ville, qui l'admiraient et l'estimaient pour sa probité et la sagesse financière dont il faisait preuve dans la gestion de leur épargne. Mais maintenant il était rentré chez lui pour mourir.

Comme je regardais ses narines se dilater à chaque souffle pénible, je ne pus m'empêcher de remarquer que la pointe de son nez était légèrement bleutée, de même que ses lèvres : l'humidité de ses poumons faisait obstacle à une bonne oxygénation. Quant à la démarche laborieuse et traînante, elle était imposée par des chevilles et des pieds si enflés qu'ils semblaient déborder par le haut des chaussures, désormais trop petites pour contenir la chaire congestionnée qu'elles couvraient. Il n'y avait pas un seul organe de ce corps engorgé qui ne fût pas, à un degré ou à un autre, atteint d'œdème.

Le pompage défaillant ne constituait qu'une des raisons pour lesquelles Horace Giddens éprouvait tant de mal à marcher. Sans doute se rendait-il douloureusement compte de l'effort que lui coûtait chaque pas, sans doute savait-il que même l'augmentation la plus minime d'activité risquait de déclencher la souffrance tant redoutée de l'angine de poitrine puisque les canaux de plus en plus étroits de ses rigides artères coronaires ne parvenaient plus à faire mieux.

Horace Giddens s'installa dans le fauteuil et parla brièvement avec sa famille, apparemment sans remarquer ma présence. Puis, physiquement et psychiquement fatigué, il monta péniblement l'escalier pour gagner sa chambre, en s'arrêtant plusieurs fois afin de se retourner et dire quelques mots à sa femme. Acte qui me rappela une pratique à laquelle ceux que l'on appelle les invalides cardiaques ont souvent recours pour masquer l'état avancé de leur maladie : le patient qui, au cours de sa promenade quotidienne, ressent l'amorce d'une attaque angineuse trouve utile de s'immobiliser et de regarder, avec un intérêt feint, la vitrine d'un magasin en attendant la disparition de la douleur. Le professeur de médecine, originaire de Berlin, qui me décrivit pour la première fois cette méthode permettant de sauver la face (et parfois la vie) la désignait par son nom allemand de *Schaufenster schauen,* ou « lèche-vitrines ». C'est de cette stratégie que Horace Giddens se servait afin d'obtenir le répit qu'il fallait pour éviter toute difficulté majeure pendant sa longue montée vers son lit.

A peine quinze jours plus tard, Horace Giddens mourut par un après-midi pluvieux. J'avais beau être présent, j'étais dans l'impossibilité la plus totale de faire quoi que ce soit pour lui. Je ne pouvais que regarder, impuissant, cependant que sa femme se répandait en injures contre lui, et ce jusqu'au moment où il porta brusquement la main à la gorge, comme pour signaler l'affreux chemin d'irradiation suivi par son angine. Sa pâleur augmentait à vue d'œil, il se mit à haleter, puis il chercha à tâtons la solution de nitroglycérine qui attendait sur la table basse devant son fauteuil roulant. Il réussit à l'entourer de ses doigts, mais le flacon glissa de sa main tremblante et éclata sur le sol en dispersant la précieuse substance qui aurait éventuellement pu élargir ses artères coronaires juste assez pour le sauver. Pris de panique et de sueurs froides, il implora sa femme d'appeler la bonne, qui savait où se trouvait son flacon de réserve. Elle ne bougea pas. De plus en plus agité maintenant, il tenta de crier, mais il ne sortit de sa bouche qu'un murmure rauque qui était trop faible pour être entendu en dehors de la pièce. L'expression du malade avait de quoi vous fendre le cœur, car il se rendait compte de l'inutilité de ses tentatives étranglées.

Je me sentis obligé de me précipiter à son secours, mais je me trouvai comme cloué à ma chaise. Je ne réagis pas, personne ne réagit. Tout d'un coup, Horace Giddens s'élança furieusement de son fauteuil roulant en direction de l'escalier ; il accomplit ses premiers pas à la manière d'un coureur désespéré qui essaie, avec les dernières forces qui lui restent, d'atteindre un lieu sûr. Arrivé à la quatrième marche, il glissa, chercha avidement sa respiration, saisit la rampe et, dans un ultime effort exténué et grimaçant, parvint à genoux jusqu'au palier. Tétanisé, je le regardai en haut de l'escalier et je vis ses jambes se plier sous lui. Nous entendîmes tous le bruit d'effondrement que fit son corps au moment de tomber en avant, juste au-delà de notre champ visuel.

Horace Giddens était toujours en vie, mais à peine. Sa femme ordonna, avec l'efficacité tranquille d'un assassin expérimenté, à deux domestiques de le transporter dans sa chambre. On appela le médecin de famille. En quelques minutes, et bien avant l'arrivée de celui-ci, le patient était mort.

Si ce fut très probablement la fibrillation ventriculaire qui provoqua la mort dans ce cas, il a pu néanmoins s'agir tout aussi bien d'œdème pulmonaire aigu ou de cette affection terminale qui s'appelle le choc cardiogénique et dans lequel le ventricule gauche n'a tout simplement plus la force d'assurer un débit sanguin suffisamment élevé pour soutenir la vie. Chez l'immense majorité de ceux qui meurent d'insuffisance coronarienne, ce sont ces trois problèmes qui sont directement en cause. Ils surviennent parfois dans le sommeil et à une telle vitesse que la mort intervient en quelques minutes. Si un personnel médical est présent, il peut adoucir l'effet de leurs pires manifestations. En outre, les miracles de la biomédecine moderne permettent des années durant de reporter leur apparition. Mais sachons que toute victoire sur l'athérosclérose des artères coronaires se résume à un triomphe d'atermoiement. Plus rien n'arrête la progression inexorable de cette maladie, parce que l'ordre naturel des choses l'exige. En effet, et pour paradoxal que cela puisse paraître, la perpétuation de notre espèce passe inévitablement par la mort naturelle des individus qui la composent.

Le lecteur aura peut-être compris désormais les raisons de mon incapacité à lever ne serait-ce que le petit doigt pour aider le malheureux qui s'éteignait devant mes yeux. La tragédie de Horace Giddens, je l'observais en réalité confortablement enfoncé dans mon fauteuil du septième rang d'un théâtre où l'on jouait la remarquable pièce de Lillian Hellman intitulée « The Little Foxes ». Ce méticuleux récit de la mort par insuffisance coronarienne d'un personnage fictif du début du siècle avait-il été écrit par un cardiologue qu'il n'aurait pas été plus précis. Des phrases entières de la description que j'ai donnée plus haut viennent tout droit des indications de mise en scène de Lillian Hellman. Le spécialiste qui examina Horace Giddens à l'hôpital Johns Hopkins était à coup sûr le même William Osler dont j'ai cité les propos quelques pages plus tôt.

L'œuvre en question rend avec une grande fidélité la manière dont tant de victimes d'insuffisance coronarienne meurent encore aujourd'hui. Car, en dépit de toutes les tactiques élaborées par la médecine moderne en vue de retarder les échéances et de réduire la souffrance des cardiaques, la scène finale de la lutte d'un cœur malade se déroule, en cette fin du vingtième siècle, de façon identique à celle dont Horace Giddens fut le protagoniste une centaine d'années auparavant.

Si bon nombre des victimes d'insuffisance coronarienne continuent, à l'instar de James McCarty, de mourir dès leur première crise, la plupart d'entre eux suivent plutôt un chemin similaire à celui de Horace Giddens : ils survivent à l'infarctus initial ou aux manifestations d'ischémie, pour entamer ensuite une longue période de vie très réglée. A l'époque de Horace Giddens, il s'agissait de tout faire précisément pour mener une *vie réglée,* c'est-à-dire vivre sans stress physique ni psychique. On prescrivait de la nitroglycérine pour faire avorter l'angine de poitrine et un sédatif peu puissant pour calmer l'angoisse. Un certain nihilisme thérapeutique qui était alors en vogue parmi les médecins hospitalo-universitaires explique peut-être pourquoi ils ne conseillaient pas de prendre de la digitaline pour renforcer la capacité de contraction du ventricule. Ce médicament n'aurait pas empêché le spasme cardiaque qui, selon toute vraisemblance, emporta Horace Giddens, mais il aurait sûrement atténué l'insuffisance cardiaque chronique qui l'affligea tant au cours des derniers mois de sa vie.

Depuis, la situation a beaucoup changé. L'éventail d'options dont on dispose de nos jours pour traiter l'athérosclérose des artères coronaires témoigne de la succession de percées ayant marqué la science biomédicale, percées qui vont d'une simple modification du mode de vie à la transplantation même du cœur. Compte tenu des multiples façons dont cette maladie accomplit son œuvre destructrice, le myocarde a besoin d'une grande variété de sources d'aide que le cardiologue a pour mission de fournir. Pour ce faire, il doit connaître la nature de l'ennemi et les détails de la stratégie que ce dernier applique dans une campagne donnée. Plus concrètement, il commence par évaluer non seulement l'état du cœur et des artères coronaires du patient, mais aussi la probabilité d'une aggravation dont l'imminence exigerait de prendre des mesures actives de prévention. A cette fin, il a été développé une série d'examens qui s'utilisent si couramment que leurs noms font désormais partie du vocabulaire des malades et de leurs proches : angiographie, echocardiographie, enregistrement Holter, pour ne citer que ces quelques exemples.

Or, même armé des renseignements objectifs que fournissent ces examens, on ne saurait donner des conseils adéquats à un patient dont on ignorerait par ailleurs le mode de vie et la personnalité. Il ne suffit pas de mesurer la quantité de sang expulsée du ventricule à chaque contraction ni de connaître le calibre résiduel des artères coronaires rétrécies, le mécanisme des contractions du myocarde, le débit du cœur, l'hypersensibilité aux stimuli irritables de son système électrique ou tout autre facteur que l'on étudie de façon si assidue et impersonnelle dans les laboratoires et les services de radiologie. Le cardiologue doit aussi avoir une idée claire des types de stress qui existent dans la vie du patient ainsi que des possibilités de les influencer.

Les antécédents de l'individu, son alimentation, son degré de tabagisme, la probabilité qu'il y a de l'amener à suivre les injonctions du médecin, ses projets et ses rêves, le réseau de parents et d'amis sur lequel il peut compter, sa personnalité et sa capacité à se changer s'il le faut : autant de facteurs qu'il faut prendre en compte lorsque l'on prend des décisions en matière de traitement et de pronostic à long terme. C'est la compétence du cardiologue en tant que praticien qui lui permet de faire la connaissance du patient et de devenir son ami ; la reconnaissance du peu d'utilité des examens et des médicaments en l'absence de dialogue fait partie intégrante de l'art de la médecine.

A l'issue des examens et des discussions, vient le moment de traiter. Il s'agit avant tout de diminuer le stress que subit le cœur, de renforcer les réserves de celui-ci et l'élasticité qu'il pourra mobiliser à l'avenir et de corriger les anomalies précises que révèlent les examens. Idée sous-entendue dans toute thérapeutique : la nécessité de faire son possible pour ralentir le progrès de l'athérosclérose tout en sachant que l'on ne pourra jamais l'arrêter totalement. On peut ajouter encore un principe de base, postulat de ce qui précède : on ne saurait réduire le cœur à une simple pompe bête et disciplinée, car c'est un participant réactif et dynamique à l'entreprise de la vie, capable d'adaptation, d'accommodation et, dans une certaine mesure, de réparation.

En 1772, William Heberden décrivit sans le savoir ce que l'on reconnaît aujourd'hui comme l'exemple classique d'un programme d'exercices bien conçu pour renforcer la capacité du cœur à relever le défi d'une charge de travail supplémentaire. Voici ce qu'il fit remarquer dans une analyse des sujets angineux : « J'en connais un qui s'était fixé comme tâche quotidienne de scier du bois pendant une demi-heure ; il fut presque guéri ainsi. » De nos jours, la scie à bois a fait place au vélo de santé, mais le principe reste le même.

Il existe désormais une grande variété de médicaments cardiotoniques qui aident le myocarde et son système de conduction à résister aux effets de l'ischémie ; gageons que bien d'autres viendront les compléter. Il y en a même que l'on peut utiliser dès les toutes premières heures de l'occlusion coronarienne pour dissoudre un caillot nouvellement formé qui provoque l'obstruction dans le vaisseau athéroscléreux. On compte par ailleurs des médicaments qui réduisent l'irritabilité du myocarde, qui empêchent les spasmes, qui dilatent les artères coronaires, qui renforcent le battement du cœur ou qui en diminuent l'accélération, qui chassent, en cas d'insuffisance cardiaque, l'excès d'eau et de sel, qui ralentissent la coagulation sanguine, qui diminuent le taux de cholestérol dans le sang ou la pression artérielle, qui apaisent les angoisses. Tous comportent le risque d'effets secondaires peu souhaitables, voire franchement dangereux, effets qui, bien sûr, se laissent traiter à l'aide d'autres médicaments. Le cardiologue doit aujourd'hui trouver le juste milieu entre deux extrêmes : dessécher le patient au point de trop l'affaiblir pour qu'il puisse vivre normalement et lui permettre de supporter une telle surcharge de fluide qu'il court le risque de subir une grave insuffisance cardiaque.

Il n'est guère d'autre domaine de l'infirmité humaine où la magie de l'électronique ait autant réalisé qu'en cardiologie. Si le diagnostic a incontestablement bénéficié le plus de ces miracles, la thérapeutique s'est également enrichie grâce aux physiciens et aux ingénieurs spécialisés dans ces activités ésotériques. Il n'est que de voir, pour s'en convaincre, le stimulateur cardiaque, qui assume les tâches habituelles du nœud sinusal et qui déclenche en toute sécurité une pulsation régulière et prévisible, ou encore le défibrillateur, qui non seulement reprend les affaires en main dès que le mécanisme du cœur se comporte de manière étourdie, mais présente aussi l'avantage de pouvoir s'implanter directement dans le corps du patient et, donc, assurer une réponse automatique et instantanée à toute perturbation du rythme cardiaque.

Chirurgiens et cardiologues ont conçu des interventions permettant de dériver le sang d'un secteur artériel oblitéré et d'élargir à l'aide d'une sonde à ballonnet un vaisseau sclérosé, techniques désignées respectivement sous le nom de pontage coronaire et angioplastie. Il arrive même parfois que, dans un cas où aucune autre méthode ne se montre efficace, le patient remplisse toutes les conditions pour pouvoir se débarrasser de son cœur et le remplacer aussitôt par un cœur d'occasion mais en parfait état. Pour peu que l'on choisisse avec soin le candidat, on obtient un fort taux de réussite dans toutes ces opérations. Et pourtant, l'athérosclérose continue, à l'issue de chacune d'elles, à grignoter la vie. Les artères provisoirement élargies se rebouchent dans bien des cas, des athéromes apparaissent dans les vaisseaux greffés et les symptômes de l'ischémie retrouvent souvent leurs lieux de prédilection dans le myocarde.

Car, pour longs que soient les reports obtenus, la victime de l'athérosclérose des artères coronaires succombera quasi inévitablement à son affection. Elle peut mourir contre toute attente, à un moment où elle semble bien répondre au traitement retenu, ou alors sous l'effet de l'aggravation progressive de l'insuffisance cardiaque chronique. Même si ses symptômes les plus flagrants se manifestent moins souvent de nos jours qu'autrefois, quand on ne possédait pas encore de moyens de les faire reculer, cette affection demeure l'une des causes les plus importantes de la mort de nombreux cardiaques. La moitié environ de ceux qui en souffrent meurent en l'espace de cinq ans. En effet, si le taux de mortalité en cas de crise cardiaque déclarée a baissé de quelque 35 % au cours des vingt dernières années, celui de l'insuffisance a fait un bond spectaculaire et sa montée se poursuivra certainement. A l'heure actuelle, on dénombre bien plus de Horace Giddens et beaucoup moins de James McCarty que par le passé.

Il y a plusieurs raisons à cela, dont la plus évidente est que non seulement les médecins et le personnel paramédical, mais aussi les équipements hospitaliers, et notamment les services de réanimation, ont considérablement amélioré leur capacité de faire face aux urgences créées par l'infarctus du myocarde. Mais il est un autre facteur qui joue un rôle tout aussi important. L'amélioration générale des soins de santé a eu pour conséquence d'allonger la durée de vie d'un nombre croissant de personnes, qui arrivent ainsi à un âge avancé où la baisse de l'efficacité du cœur et l'insuffisance cardiaque qui en découle sont de plus en plus fréquentes. C'est ainsi que, dans la population de moins de cinquante-cinq ans, la fréquence de l'insuffisance cardiaque a même diminué, l'augmentation des chiffres d'ensemble étant due entièrement à la tranche d'âge supérieure à soixante-cinq ans. Plus de 2 millions d'Américains connaissent, à un degré ou à un autre, une défaillance cardiaque, au point qu'elle impose des limites à leur niveau d'activité et sape leur vitalité ; dans les cas aigus, elle entraîne un taux de mortalité de 50 % dans les deux années. Aux États-Unis, 35 000 personnes en meurent tous les ans, chiffre certes inférieur à celui des 515 000 qui succombent à une crise cardiaque proprement dite, mais tout de même inquiétant.

Ceux dont le cœur ne lâche pas par fibrillation ventriculaire ou arrêt cardiaque mourront à la fin pour l'une des raisons déjà énumérées : respiration insuffisante pour assurer l'oxygénation du sang, incapacité des reins ou du foie à nettoyer le corps de ses toxines, libération tous azimuts de bactéries dans l'organisme, baisse de la tension artérielle au-dessous du niveau requis pour assurer la survie et, plus particulièrement, le fonctionnement du cerveau. Cette dernière condition, appelée le choc cardiogénique, ainsi que l'œdème pulmonaire constituent de loin les ennemis cardiaques les plus courants, ceux que les services de réanimation et des urgences du monde entier combattent sans répit. Dans la plupart de ces batailles, les malades et leurs alliés médicaux vaincront, ne fût-ce que provisoirement.

Ayant maintes fois observé ces troupes médicales dans leur lutte furieuse, les ayant souvent assistées ou dirigées au fil des ans, je peux témoigner de cette association paradoxale du chagrin humain et de l'acharnement clinique qui stimule le sentiment d'urgence qui inonde l'esprit enflammé de chaque soldat. Le mouvement tumultueux du tout représente bien plus que la somme des parties, et pourtant – miracle ! –, le travail frénétique se fait et parfois même réussit.

Pour chaotique qu'elle puisse paraître, toute réanimation suit peu ou prou le même déroulement. Le patient, presque invariablement sans connaissance en raison de l'insuffisance de l'irrigation sanguine du cerveau, est vite entouré d'une équipe qui a pour mission de l'arracher du bord du précipice en arrêtant la fibrillation ou en faisant reculer son œdème pulmonaire, ou les deux à la fois. Une sonde est rapidement enfoncée dans sa bouche et introduite dans sa trachée afin de dilater ses poumons de plus en plus inondés en y insufflant de l'oxygène à forte pression. En cas de fibrillation, de grosses plaques métalliques sont placées sur sa poitrine et un choc électrique de 200 joules est appliqué sur son cœur afin de tenter de stopper cette trémulation inefficace et dans l'espoir que cela permettra le rétablissement d'un rythme cardiaque normal, comme il arrive souvent.

Si aucun battement n'est perceptible, un membre de l'équipe amorce une compression rythmée du cœur en appuyant fortement sa main ouverte contre le bas du sternum à une vitesse approximative d'une pression par seconde. La compression ainsi obtenue des ventricules entre le plat du sternum en avant et la colonne vertébrale en arrière provoque l'éjection du sang dans le système circulatoire. C'est le seul moyen de maintenir en vie le cerveau et les autres organes vitaux. Lorsque ce massage externe, à thorax fermé, porte ses fruits, il est possible de sentir le pouls du patient à des endroits aussi éloignés du cœur que le cou ou l'aine. Car, contrairement à ce que l'on pourrait croire, le massage effectué sur un thorax intact produit des résultats bien supérieurs à ceux que donne la compression manuelle directe du cœur, unique méthode connue à l'époque de ma navrante rencontre, voici une quarantaine d'années, avec le myocarde obstiné de James McCarty.

A ce stade de l'intervention, l'équipe a déjà introduit des cathéters intraveineux pour injecter des médicaments cardiotoniques dans la circulation. Elle s'apprête à placer dans les veines principales des tubes en plastique plus gros. Les différentes substances injectées de cette manière répondent à des soucis multiples : maîtrise du rythme cardiaque, réduction de l'excitation du myocarde, renforcement de sa contractilité, expulsion hors des poumons de tout excès de liquide, qui sera évacué par le rein. Chaque réanimation diffère des autres. En dépit d'un déroulement général identique, chaque étape, chaque réponse au massage et à la médication, la volonté de chaque cœur de se remettre en marche, sont variables. La seule certitude que l'on ait, qu'elle soit affirmée ou non, est que médecins, infirmières et techniciens doivent combattre non seulement la mort mais leurs propres incertitudes. Dans la plupart des réanimations, celles-ci se résument à deux grandes questions : faisons-nous ce qu'il faut ? et vaut-il encore la peine d'agir ?

Hélas ! dans trop de cas, il n'y a plus rien à faire. Même lorsqu'il convient de répondre par l'affirmative aux deux questions, il se peut que la fibrillation se situe déjà au-delà de toute correction possible, que le myocarde ne réagisse plus aux médicaments, que le cœur désormais atone résiste au massage : l'effort de sauvetage s'écroule. Dès que le cerveau est privé d'oxygène pendant une durée supérieure aux deux à quatre minutes décisives, il subit des lésions irréversibles.

Les jeunes hommes et femmes tenaces qui forment l'équipe de réanimation voient les pupilles du patient réagir de moins en moins à la lumière, puis se dilater jusqu'à devenir deux ronds fixes d'un noir impénétrable. Avec réticence, ils abandonnent leurs efforts, et voilà qu'un spectacle vital de sauvetage héroïque et imminent se transforme en scène lugubre d'échec et d'abattement.

Le patient meurt en compagnie d'étrangers : bien intentionnés, pleins de compassion, résolument déterminés à le maintenir en vie, mais des étrangers néanmoins. Là, il n'y a pas de dignité. Quand ces bons Samaritains de la médecine ont enfin renoncé à leur lutte acharnée, la salle est jonchée des débris de la campagne perdue, encore plus que ne l'était celle de James McCarty ce soir lointain de sa mort. Et, au centre de ce champ dévasté gît un cadavre qui n'intéresse plus désormais ceux qui, quelques instants plus tôt, s'échinaient à sauver l'homme encore habité par son esprit.

Il s'agit là de l'aboutissement d'une simple série d'événements biologiques. Qu'on l'explique par les gènes de l'individu, par ses habitudes de vie ou, comme dans la plupart des cas, par un mélange des deux, la conclusion ne fait pas de doute : les artères coronaires ne sont plus en mesure de transporter une quantité suffisante de sang au muscle cardiaque pour le nourrir, le battement du cœur perd de son efficacité, le cerveau passe trop de temps sans oxygène, et c'est la mort. A peu près 350 000 Américains sont victimes chaque année d'un arrêt cardiaque, et l'immense majorité d'entre eux en meurt ; moins du tiers des accidents se produisent à l'hôpital. Souvent, il n'y a pas d'avertissement à ce départ définitif : quelle que soit l'importance de l'ischémie subie, la défection du cœur peut survenir brutalement. Pour quelque 20 % des patients – on l'a vu dans le cas d'Irv Lipsiner –, elle se fait même sans douleur. Quant au mystère éventuel qui s'associe à une telle mort, il est le fait exclusif des survivants. Que la vie passée d'un homme parvienne à triompher des événements horribles qui, dans la plupart des cas, marquent sa disparition ou ses derniers moments d'existence témoigne en effet de la force de l'esprit humain.

L'expérience de la mort n'appartient pas au seul cœur. Il s'agit d'un processus auquel prennent part tous les tissus du corps, chacun à sa façon et à son rythme. Le mot pertinent est dans ce cas *processus,* et non pas *acte, moment* ni tout autre terme qui évoquerait un instant infinitésimal où l'esprit s'en irait. Pour les générations précédentes, l'arrêt du battement défaillant du cœur passait pour le signe de la fin de la vie, l'abrupt silence qui s'instaurait après étant considéré comme le signal de la fin. On y voyait un instant précis qui pouvait s'inscrire sur le registre de la vie et qui plaçait un point final après les mots de conclusion.

De nos jours, en revanche, la loi définit, avec un flou approprié, la mort comme la cessation de toutes les fonctions du cerveau. Le cœur a beau continuer à palpiter et la moelle osseuse à créer inconsciemment de nouvelles cellules, l'histoire d'un être ne peut jamais se maintenir plus longtemps que son cerveau. Celui-ci meurt progressivement, comme dans le cas d'Irv Lipsiner. Peu à peu, toutes les autres cellules du corps en font de même, y compris celles que la moelle osseuse vient de produire. Les phénomènes par lesquels les tissus et organes abandonnent leurs forces vitales dans les heures qui précèdent et qui suivent la déclaration officielle du décès constituent les véritables mécanismes biologiques de la mort. Nous en reparlerons dans un chapitre ultérieur ; en attendant, une description s'impose de cette forme prolongée de mourir qui a nom la vieillesse.

3

« LE TEMPS DE NOS ANNÉES, QUELQUE SOIXANTE-DIX ANS... »

Personne, semble-t-il, ne meurt de vieillesse, ou du moins en serait-il ainsi si les statisticiens gouvernaient le monde. Tous les ans en janvier, lorsque l'implacable tyrannie de l'hiver a resserré sa poigne de glace, l'administration américaine publie son « Rapport préliminaire sur les statistiques définitives de mortalité ». Or ce n'est ni parmi les quinze principales causes de mortalité ni dans aucune autre partie de cette synthèse sans âme que l'on peut trouver un chapitre consacré à ceux d'entre nous qui ne font que s'éteindre. Dans son obsession de classement, le rapport assigne la catégorie clinique spécifique d'une pathologie mortelle à chaque octogénaire ou nonagénaire qui figure dans ses colonnes bien ordonnées. Les quelques individus dont l'âge s'écrit en trois chiffres n'échappent pas davantage à cet inventaire bien ordonnancé en tableaux. Non seulement par ordre du ministère de la Santé, mais également par décret universel de l'Organisation mondiale de la santé, chacun se doit de mourir d'une cause portant un nom. En trente-cinq ans de pratique de la médecine, je n'ai jamais eu la témérité d'inscrire le terme « vieillesse » sur un certificat de décès, sachant pertinemment que le formulaire me serait retourné avec une note laconique de quelque commis aux écritures m'informant que j'avais enfreint la loi. Partout dans le monde, il est illégal de mourir de vieillesse.

Les statisticiens paraissent incapables d'accepter un phénomène naturel à moins qu'il ne soit suffisamment bien défini pour pouvoir se ranger dans une rubrique distincte et facilement repérable. Le rapport annuel des comptables fédéraux de la mort est très méthodique : peu imaginatif, certes, et à mon avis pas tout à fait fidèle à la vraie vie (ni à la vraie mort), mais néanmoins méthodique. Quant à moi, je suis convaincu qu'un grand nombre de gens meurent de vieillesse. Quels que soient les diagnostics scientifiques que j'ai gribouillés sur les certificats de décès officiels pour satisfaire le bureau des statistiques, je n'en suis pas dupe.

Cinq pour cent de la population âgée des États-Unis résident dans des établissements de long séjour pour personnes âgées. La grande majorité d'entre elles ne quitteront plus ces résidences, sauf peut-être pour un bref séjour final à l'hôpital, où quelque jeune médecin finira par rédiger un de ces certificats de décès tellement convenus. De quoi meurent donc toutes ces vieilles personnes ? Bien que leur médecin enregistre soigneusement des causes aussi diverses que l'accident vasculaire cérébral, la crise cardiaque ou la pneumonie, elles meurent parce que, en fait, quelque chose en elles s'est usé. Bien avant l'avènement de la médecine scientifique, tout le monde comprenait cela. Le 5 juillet 1814, âgé alors de soixante et onze ans, Thomas Jefferson écrivait à John Adams, âgé, quant à lui, de soixante-dix-huit ans : « Désormais, nos machines fonctionnent depuis soixante-dix ou quatre-vingts ans, et on peut s'attendre que, usées comme elles le sont, un pivot par ci, une roue par là, aujourd'hui un pignon, demain un ressort, vont lâcher ; et bien qu'on puisse les rafistoler pendant un certain temps, elles abandonneront à la longue tout mouvement. »

Que ses manifestations physiques apparaissent dans le cerveau ou dans la paresse d'un système immunitaire sénile, ce qui s'épuise n'est rien d'autre que la force vitale. Je ne désire pas polémiquer avec ceux qui, étant des hommes de laboratoire, s'obstinent à invoquer une cause pathologique précise pour chaque cas afin de satisfaire les exigences compulsives de leur conception biomédicale de la vie ; je crois tout simplement qu'ils n'ont rien compris.

Au moment même où je prenais conscience de la vie, j'entamais la longue observation d'une personne mourant progressivement de grand âge. Le statisticien qui me convaincra que la « cause de la mort », officiellement certifiée, de ma grand-mère constitue autre chose qu'un faux-fuyant légal devant la loi bien plus puissante de la nature n'est pas encore né. Bien qu'âgée de soixante-dix-huit ans à ma naissance, elle n'en avait que soixante-treize selon ses papiers d'immigration tout jaunis : vingt-cinq ans auparavant à Ellis Island, elle avait choisi de se rajeunir parce qu'on lui avait dit que le chiffre quarante-neuf semblerait plus acceptable que celui de cinquante-quatre à l'employé américain, sévère et martial dans son uniforme boutonné de cuivre, qui posait ces questions brutales dont dépendait l'entrée de ma grand-mère dans le pays. Ainsi donc, on peut voir que je ne suis pas le premier membre de mon clan à qui la crainte de sanctions officielles a fait commettre un petit parjure.

Trois générations partageaient les quatre pièces de l'appartement familial du Bronx, six âmes en tout : ma grand-mère, ma tante Rose, qui n'était pas mariée, mes parents, mon grand frère et moi-même. A cette époque, il était impensable d'envoyer un parent âgé dans une des rares résidences pour personnes âgées qui existaient alors. D'ailleurs, même pour ceux qui l'auraient souhaité, fait rarissime, c'était tout simplement impossible. Il y a cinquante ans, pour des gens comme nous, bannir un parent âgé passait pour un refus de prendre ses responsabilités, un reniement.

Mon lycée se situait à peine à un pâté de maisons de notre logement, et même le trajet menant au collège [1] ne prenait guère plus de vingt minutes à pied. Tous les matins, ma grand-mère enveloppait un petit sandwich et une pomme dans un sac de papier brun que je coinçais ensuite entre mes livres et mon avant-

---

1. Aux États-Unis, nom du cycle d'études intermédiaire entre les études secondaires et universitaires. (NdT)

bras tandis que je me dirigeais vers le campus verdoyant sur la colline. Dès le deuxième cours du matin, les grosses couches de beurre dont ma grand-mère aimante tartinait généreusement mes tranches de pain maculaient de gras le sac de papier brun. Jusqu'à ce jour, je ne peux pas voir de tâche graisseuse sans ressentir une douce nostalgie me serrer le cœur.

Tous les jours de très bonne heure, ma tante Rose et mon père disparaissaient dans la bouche du métro qui les conduisait à leur travail de couture dans la partie de Manhattan où se concentraient les ateliers de confection. Ma mère mourut quand j'avais onze ans ; je fus donc le fils de ma grand-mère. A l'exception d'une hospitalisation pour une appendicectomie et de deux séjours d'une quinzaine de jours en colonie de vacances financés par un parent argenté, j'ai vécu presque chaque jour en sa compagnie intime. Sans m'en rendre compte, j'ai passé les premières dix-huit années de ma vie à observer sa descente vers la mort.

Lorsque six personnes vivent dans un appartement de quatre petites pièces, elles n'ont pas beaucoup de secrets l'une pour l'autre. Les huit dernières années de sa vie, ma grand-mère partagea une chambre avec ma tante et moi. Jusqu'à mon dernier travail écrit pour le collège, j'ai fait mes devoirs sur une table à jouer ouverte au milieu de notre minuscule salon, tandis que les activités de la maisonnée battaient leur plein tout autour de moi. Une fois mon travail terminé, je refermais la table et sa chaise pliante pour les ranger le long du mur derrière la porte ouverte conduisant du petit vestibule au salon. Si j'oubliais derrière moi ne fût-ce qu'un fragment de papier, j'avais droit à une réprimande de ma grand-mère.

Nous ne disions d'ailleurs pas « grand-mère » à cette matriarche de la famille, car elle ne parlait que quelques mots monosyllabiques d'anglais. Mon frère et moi lui donnions le nom équivalent en yiddish, « Bubbeh » ; quant à elle, elle appelait mon frère Harvey « Herschel » et moi-même « Shepsel ». Encore aujourd'hui, tout le monde m'appelle Shep, souvenir de ma Bubbeh.

La vie de Bubbeh n'avait jamais été facile. Comme de nombreux immigrés de l'Europe de l'Est, son mari l'avait précédée sur les rivages dorés de l'Amérique ; il avait emmené leurs deux fils avec lui, laissant pendant plusieurs années dans un petit village de Biélorussie sa femme et leurs quatre jeunes filles. Ce n'est que quelques années plus tard que la cellule familiale fut reconstituée dans un appartement surpeuplé (surpeuplé parce que partagé par d'autres membres de la famille) dans le Lower East Side de New York. Mon grand-père et les deux fils moururent rapidement l'un après l'autre de tuberculose ou de grippe, on ne sait trop.

Déjà, trois des quatre filles travaillaient dans des ateliers de confection, et, en dépit des conditions de surexploitation qu'elles y subissaient, un peu d'argent rentrait à la maison. Profitant d'une subvention d'un fonds philanthropique juif, Bubbeh rassembla les quelques dollars d'économie nécessaires pour acheter une ferme de 80 hectares près de Colchester, dans le Connecticut, et rejoignit un groupe important de compatriotes qui s'engageaient dans la même aventure. Comme les autres, elle travaillait la terre avec l'aide de journaliers qui se succédaient, la plupart étant des immigrés polonais qui ne parlaient pas plus anglais qu'elle. Il est difficile de savoir comment cette dynamo de 147 centimètres à la volonté d'airain survécut, car la ferme n'était pas très rentable. Son véritable revenu, à peine de quoi couvrir les dépenses quotidiennes, provenait des maigres contributions de la famille ou des amis du pays d'origine qui venaient résider à la ferme pour de courts séjours, fuyant la promiscuité du dixième district du bas Manhattan où régnait la tuberculose.

Bubbeh endossa le rôle que je ne peux que décrire comme celui de *mater et magistra* juive pour un large groupe de jeunes immigrés qui tiraient le diable par la queue ; elle était pour eux un refuge et une source de courage qui aidait à affronter le déconcertant tumulte de l'Amérique. Peu versée dans la langue de ce pays, elle n'en comprenait pas moins les règles et les rythmes. Si, dans le Vieux Monde, il y avait des rabbins faisant des miracles, dans le Nouveau Monde, le clan élargi avait trouvé en elle une fontaine de sagesse, presqu'un oracle, et lui avait donné le titre honorifique de « tante ». Sous le nom de tante Peshe, qui peut se traduire d'une façon imparfaite par tante

Pauline, sa force de caractère rassemblait autour d'elle une vaste et nécessiteuse congrégation de neveux et nièces autoproclamés, dont certains étaient à peine plus jeunes qu'elle.

En fin de compte, il fallut abandonner la ferme quand trois des quatre filles furent mariées. Mais longtemps auparavant, Anna, l'aînée, était morte de fièvre puerpérale avant d'atteindre la trentaine, et son jeune mari était parti vivre sa vie sous d'autres cieux. Endeuillée, Bubbeh s'était retrouvée avec le bébé d'Anna et l'avait élevé dans la ferme comme son propre fils. Il n'avait pas vingt ans lors de la revente de la ferme et c'est ainsi que notre famille entama sa vie dans le Bronx.

Quand j'atteignis l'âge de onze ans, ma tante Rose était le seul enfant de ma grand-mère encore en vie. L'un était mort bébé, et les autres plus tard dans ce pays où ils avaient apporté leurs rêves. Bubbeh, âgée alors de quatre-vingt-neuf ans, était cette minuscule silhouette épuisée qui maintenait encore quelques braises du feu de la vie pour ses trois petits-enfants : mon frère, moi-même ainsi que ma cousine de treize ans, Arline. Celle-ci était venue nous rejoindre deux ans auparavant quand sa mère mourut d'une insuffisance rénale ; elle nous quitta pour vivre avec la famille de son père lorsque ma mère succomba à un cancer peu après mon onzième anniversaire. L'histoire de Bubbeh après le décès de son mari n'était qu'une chronique sans fin de luttes, de maladies et de morts. L'un après l'autre, ses espoirs avaient été enterrés avec son mari et ses six enfants. Il ne restait que ma tante Rose et nous trois qui étions nés sur cette terre dont les promesses s'étaient muées en douleurs.

Ce doit être après la mort de ma mère que j'ai commencé à prendre véritablement conscience de l'âge avancé de Bubbeh. D'aussi loin que je m'en souvienne, je m'amusais parfois en jouant avec la peau distendue, sans élasticité, du revers de ses mains et près des coudes, la tirant doucement comme on tire sur un caramel mou, puis, sans jamais m'en lasser, j'observais comment elle reprenait place avec une molle langueur qui me faisait penser à la mélasse. Bubbeh me donnait une tape sur la main lorsque je faisais cela, feignant d'être contrariée par mon effronterie ; je la taquinais alors de mes rires jusqu'à ce que ses yeux trahissent son amusement devant mon manque de respect simulé.

A vrai dire, elle adorait mon contact tout autant que moi le sien. Plus tard, je me rendis compte que je pouvais provoquer une petite dépression dans la chair de ses jambes en appuyant assez fort, du bout du doigt, sur la peau recouverte de fil d'Écosse à l'endroit du tibia. La petite fosse ne se comblait que très lentement avant de disparaître, et nous restions là, assis tous les deux en silence, à la regarder. Avec le temps, les petites dépressions s'approfondirent et le temps qu'elles mettaient à se combler s'allongea.

Chaussée de pantoufles, Bubbeh se déplaçait avec précaution d'une pièce à l'autre. Au fil des ans, son pas se fit traînant pour devenir un patinage lent, son pied ne quittant pas le sol. Si, pour quelque raison, elle devait se déplacer un peu plus vite ou qu'elle était fâchée contre l'un des enfants, son souffle se faisait court et elle semblait respirer plus facilement en ouvrant grand la bouche pour aspirer l'air. Parfois, elle laissait pendre un peu sa langue sur sa lèvre inférieure, comme si elle espérait absorber ainsi un peu d'oxygène supplémentaire. J'ignorais, cela va sans dire, qu'elle entamait le glissement progressif vers l'insuffisance cardiaque. Presque certainement, celle-ci était aggravée par le déclin important de la quantité d'oxygène que le sang du sujet âgé peut extraire des tissus âgés de poumons âgés.

Petit à petit, sa vue aussi commença à faiblir. D'abord, je fus investi de la mission d'enfiler ses aiguilles à coudre puis, lorsqu'elle se trouva incapable de diriger ses doigts, elle arrêta tout à fait le raccommodage ; mes chaussettes et chemises durent attendre les quelques moments libres en soirée de ma tante Rose, éternellement fatiguée, qui riait de mes piteux essais d'apprentissage de la couture. (Nul n'aurait parié à l'époque que j'allais un jour devenir chirurgien, ce dont Bubbeh eût été très fière et très étonnée.) Au bout de quelques années, Bubbeh avait du mal à faire la vaisselle et même à balayer, car elle ne voyait plus les poussières et la saleté. Néanmoins, elle poursuivait ses vaines tentatives pour maintenir cette maigre preuve de son utilité. Ses efforts persistants de nettoyage devinrent une de ces petites sources de frictions quotidiennes qui durent lui faire sentir de plus en plus son isolement parmi nous.

Au début de mon adolescence, j'ai pu voir les dernières traces de son ancienne combativité disparaître, et ma grand-mère devenir presque humble. Elle avait toujours été douce avec nous, ses petits-enfants, mais l'humilité était quelque chose de nouveau ; au fond, peut-être ne s'agissait-il pas tant d'humilité que d'une sorte de retraite, un aquiescement devant l'emprise croissante des handicaps physiques qui, subtilement, creusaient sa séparation d'avec nous, d'avec la vie.

La liste des difficultés s'allongea cependant. Vint le temps où Bubbeh, moins mobile et moins d'aplomb sur ses jambes, ne put plus arriver jusqu'aux toilettes pendant la nuit, si bien qu'elle mettait un bidon de café Maxwell House sous son lit. Presque toutes les nuits, j'étais réveillé par ses efforts maladroits pour le trouver ou par le son du mince filet gouttant sur le fond métallique du récipient. Maintes fois, je restai immobile dans l'obscurité qui précède l'aube, scrutant à travers la pièce Bubbeh, accroupie inconfortablement à côté du lit, qui tenait d'une main incertaine le bidon bien haut sous sa chemise de nuit, tandis qu'elle essayait de l'autre de stabiliser son corps chancelant contre le matelas. Je n'arrivais pas à comprendre pourquoi elle devait se lever si souvent pour ces assauts nocturnes du bidon, jusqu'à ce que j'apprenne, bien des années après, la réduction sensible de la capacité de la vessie qui s'installe avec l'âge. Contrairement à de nombreuses vieilles personnes, Bubbeh ne devint jamais incontinente, encore qu'il y eût certainement des petits accidents dont je n'entendis jamais parler. Ce ne fut pas avant les derniers mois de sa vie qu'une légère odeur d'urine la trahit parfois mais, même alors, c'était seulement quand je me tenais tout près d'elle pour câliner son corps frêle dans mes bras.

Bubbeh perdit sa dernière dent au début de mon adolescence. Elle les avait toutes gardées dans une petite bourse rangée au fond du tiroir supérieur du bureau qu'elle partageait avec la tante Rose. Un des rites secrets de mon enfance consistait à fouiller en douce dans le tiroir et à contempler quelques instants avec respect ces trente-deux choses blanc-jaune, dont il n'y avait pas deux d'identique. Elles représentaient pour moi autant de petits jalons marquant le vieillissement de ma grand-mère et l'histoire de notre famille.

Sans dents, Bubbeh parvenait néanmoins à manger presque de tout. Vers la fin, la force lui manqua même pour cela, ce dont son alimentation souffrit. L'absorption insuffisante de nutriments s'allia à la diminution de la masse musculaire causée par l'âge pour ratatiner la vieille dame bien bâtie et costaude que j'avais connue avant. Elle se rida davantage, son teint se décolora pour prendre une sorte de légère pâleur, la peau de son visage sembla pendre encore plus et la beauté du Vieux Monde qu'elle avait conservée jusqu'à ses quatre-vingt-dix ans disparut finalement.

Il existe de simples explications cliniques aux nombreuses transformations que j'observais pendant les années du déclin de ma grand-mère mais, même aujourd'hui, elles ne me satisfont pas. Certes, il n'est pas illégitime d'évoquer des facteurs de causalité comme une moindre irrigation du cerveau ou la dégénérescence des cellules du cerveau due à l'âge, dégénérescence si subtile qu'il faut recourir au microscope électronique pour la démontrer ; on trouve sans doute un certain détachement intellectuel dans l'austère description biologique de la mort de ces mêmes tissus qui permettaient autrefois à un nonagénaire de garder un esprit délié et même audacieux. Je pourrais, bien sûr, citer ici les travaux des physiologistes, des endocrinologues, des psycho-neuro-immunologues et de ces nouveaux spécialistes que sont les gérontologues, dont le nombre ne cesse d'augmenter, pour expliquer tout ce qui se déroulait sous mon regard d'adolescent. Mais ce qui requiert l'attention, c'est le fait même de voir, de voir un processus au milieu duquel nous vivons tous constamment. Car, pour omniprésent qu'il soit, il y a en chacun de nous ce quelque chose qui détourne la conscience de la réalité de notre propre vieillissement concomitant. Une partie de nous refuse d'admettre dans un sens immédiat que, simultanément, imperceptiblement, alors même que nous l'observons chez les personnes très âgées, notre propre corps subit ce processus inexorable qui le conduira finalement à la vieillesse et à la mort.

Ainsi donc, les cellules du cerveau de ma grand-mère avaient depuis longtemps déjà commencé à mourir, tout comme le font aujourd'hui les miennes et celles du lecteur. Mais, puisqu'elle était bien plus âgée que je ne le suis actuellement, qu'elle se retirait de l'agitation du monde qui l'entourait, la baisse du nombre des cellules de son cerveau et de leur capacité à réagir provoquait des changements très apparents dans son comportement. Comme toutes les vieilles personnes, elle perdait la mémoire et manifestait son agacement lorsqu'on le lui rappelait. Dans ses rapports avec les autres, elle était connue pour ne pas mâcher ses mots : Bubbeh devint ouvertement irritable, voire impatiente avec les rares personnes hors de notre cercle familial qui avaient encore des contacts avec elle, et parfois, en offensant même ceux qui, par le passé, s'étaient tournés vers elle pour trouver de l'aide, elle semblait sortir de sa torpeur. Puis vint le temps où elle commença à s'enfermer dans le silence, même en compagnie, pour finalement ne plus parler qu'en cas de nécessité absolue, et alors avec distance et indifférence.

Le plus frappant pour moi, mais seulement rétrospectivement, je dois l'avouer, était son retrait progressif de la vie. Pendant mon enfance et jusqu'au début de mon adolescence, ma grand-mère allait les jours des fêtes religieuses prier à la synagogue. Malgré les difficultés croissantes que représentait ce pèlerinage pour elle, elle parvenait quand même à l'accomplir, manœuvrant entre les zones défoncées du trottoir ; elle portait son livre de prière bien calé sous son bras de peur de pécher en le laissant tomber. C'est moi qui la conduisais. Comme je regrette de m'en être plaint ! Comme je regrette d'avoir eu parfois honte (non pas parfois mais souvent) d'être vu en compagnie de cette vieille dame couverte d'un fichu noir, résidu de la culture disparue du shtetl mais qu'elle refusait obstinément de suivre dans la tombe ! Les autres grands-parents que je voyais semblaient tous plus jeunes, ils parlaient anglais, ils se montraient autonomes, alors que ma grand-mère, elle, demeurait un rappel non seulement du monde perdu de la communauté juive d'Europe de l'Est, mais aussi de l'ambivalence qui m'agitait au sujet des sédiments affectifs que j'appelle aujourd'hui, par euphémisme, mon héritage.

De sa main libre, Bubbeh se tenait fermement à mon bras, agrippant parfois le tissu de ma manche tandis que je la guidais avec une lenteur angoissante par les rues, puis jusqu'en bas de l'escalier de la synagogue, à travers le vestibule (notre famille priait dans les sièges bon marché, luxe qu'elle pouvait à peine se permettre) et finalement jusqu'à la chaise qui lui était attribuée parmi celles que nous appelions les dames âgées mais dont aucune ne faisait aussi étrangère ni aussi usée qu'elle. Je la laissais là. Peu après, elle tenait déjà la tête penchée au-dessus du vieux livre tâché de pleurs avec lequel elle avait prié depuis l'enfance. Il était imprimé à la fois en hébreux et en yiddish, mais elle lisait la page en yiddish puisque c'était la seule langue qu'elle connût. Pendant le long rituel du service, elle murmurait tranquillement les mots qui, d'année en année, devenaient plus difficiles et, enfin, impossibles à lire. Cinq ans environ avant sa mort, Bubbeh ne parvenait plus à effectuer la longue promenade jusqu'à la synagogue, même soutenue par ses deux petits-fils. Se fiant entièrement à sa mémoire toujours intacte, assise près de la fenêtre ouverte, elle récitait la liturgie à la maison, comme elle l'avait fait chaque samedi matin pendant toute sa vie. Après quelques années, même cela devint trop difficile. Elle ne pouvait plus déchiffrer les phrases, et le souvenir des prières apprises dans sa jeunesse l'abandonnait. Elle finit par cesser de prier.

Mais, à ce stade, Bubbeh avait aussi pratiquement arrêté toute autre activité. Elle ne mangeait plus que le minimum et elle passait le plus clair de son temps assise tranquillement à la fenêtre, parlant parfois de la mort. Et pourtant, elle n'était pas malade. Je suis convaincu qu'un médecin zélé aurait pu détecter son insuffisance cardiaque, y ajouter la probabilité d'un début d'athérosclérose ; peut-être aurait-il prescrit un peu de digitaline. A mon avis cependant, cela n'aurait pas eu plus de sens que de donner des lettres de noblesse à la dégénerescence des articulations de ma grand-mère en la nommant arthrose. Bien sûr, elle souffrait de ces affections, mais uniquement parce que ses pignons et ses ressorts lâchaient sous le poids des ans. Elle n'avait pas été malade un seul jour dans sa vie.

Statisticiens officiels et cliniciens insistent sur l'attribution des noms adéquats à une circulation paresseuse ou à un vieux cœur. Je n'ai rien à y redire, mais à une seule condition : que cette manière de désigner un état biologique naturel ne signifie pas *a priori* qu'il s'agisse d'une maladie. A l'instar de la cellule nerveuse, la cellule musculaire du cœur ne se reproduit pas ; en vieillissant, elle s'use tout simplement et meurt. Les processus biologiques qui, au cours de la vie, ont produit des pièces de rechange pour des structures mourantes à l'intérieur de chaque cellule ne parviennent plus à faire leur travail. Le mécanisme par lequel un morceau de membrane cellulaire ou de structure intracellulaire nouvellement générés peuvent prendre la place d'une section morte d'usure cesse de fonctionner. Après toute une vie de régénération de pièces de rechange, cette capacité des cellules nerveuses et musculaires finit par s'épuiser. La tactique de renouvellement permanent à l'intérieur de chaque cellule du cœur est vaincue par la formidable stratégie par laquelle le vieillissement atteint son objectif ultime de destruction. L'une après l'autre, comme les dents de ma grand-mère, les cellules du muscle cardiaque cessent de vivre et le cœur perd ses forces. Le même processus prend place dans le cerveau ainsi que dans le reste du système nerveux central. Même le système immunitaire n'est pas immunisé contre le vieillissement.

Les changements qui, au départ, sont de nature uniquement biochimiques et intracellulaires, finissent par se manifester au niveau des fonctions remplies par des organes entiers. Le débit cardiaque baisse progressivement au repos et, lorsque le cœur subit un stress dû à l'émotion ou à l'exercice, sa capacité d'irrigation reste inférieure à celle que requièrent les bras, les poumons ou toute autre structure du corps. La vitesse maximale de contraction d'un cœur en parfaite santé décroît d'une pulsation par an, chiffre tellement fiable qu'on peut le déterminer en soustrayant l'âge d'un individu de 220. A cinquante ans, il est peu probable que le cœur puisse dépasser 170 battements par minute, même dans des conditions de stress ou d'exercice physique violent. Et nous n'avons là que quelques-unes des façons par lesquelles le myocarde, vieillissant et se raidissant, perd sa capacité d'adaptation aux défis que lui soumet la vie de tous les jours.

La circulation ralentit. Le ventricule gauche met plus de temps à se remplir et à se détendre après chaque contraction ; tous les ans, chaque battement du cœur expulse moins de sang que l'année précédente, sang de moins en moins riche. Peut-être dans une tentative de compensation, la pression artérielle a tendance à augmenter quelque peu ; chez le sujet qui a entre soixante et quatre-vingts ans, elle augmente de 20 millimètres de mercure. Si bien que, au-delà de soixante-cinq ans, un tiers des individus ont de l'hypertension.

A mesure que passent les décennies, c'est non seulement le muscle du cœur qui faiblit mais aussi son système de conduction. Quand on atteint soixante-quinze ans, le nœud auriculo-ventriculaire peut avoir perdu jusqu'à 90 % de ses cellules, tandis que le faisceau de His contient moins de la moitié de ses fibres d'origine. Toutes ces pertes en tissus musculaires et nerveux s'accompagnent de changements identifiables sur le tracé de l'électrocardiogramme.

Plus la pompe vieillit et plus ses parois internes et ses valves s'épaississent. Des calcifications apparaissent dans celles-ci et dans le muscle ; le myocarde se décolore également à cause d'un pigment brun-jaune, la lipofuchsine, qui se dépose dans ses tissus. Comme le visage boucané d'un vieil homme, le cœur trahit son âge, et en a les capacités. Point n'est besoin d'invoquer une maladie pour expliquer ses défaillances. La crise cardiaque est dix fois plus courante chez les personnes de plus de soixante-quinze ans que chez celles qui ont dix ans de moins. Voilà la raison précise pour laquelle la peau de ma grand-mère se marquait si facilement d'une petit renfoncement, et c'était, sans doute possible, la source de son essoufflement facile. Cela explique probablement aussi pourquoi le symptôme le plus courant de la crise cardiaque chez les personnes âgées est l'insuffisance grave plutôt que la douleur classique qui étreint sans relâche la cage thoracique.

Si le cœur porte la trace du passage des ans, les vaisseaux sanguins ne sont pas en reste. Les parois des artères s'épaississent. Tout comme la personne qui en est l'hôte, les vaisseaux sanguins perdent leur élasticité : ils ne peuvent plus se contracter ou se dilater avec l'enthousiasme de la jeunesse. De là les difficultés qu'éprouvent les mécanismes régulateurs du corps pour maîtriser la quantité de sang qui irrigue les muscles et les organes afin d'en satisfaire les besoins toujours changeants. Même sans le concours du cholestérol attribuable à l'obésité ou celui du tabagisme ou du diabète, qui font apparaître plus tôt l'athérosclérose, le sang, à force d'y passer année après année, dépose de l'athérome le long des artères, les rétrécissant progressivement.

Assez rapidement, les organes sont insuffisamment alimentés pour accomplir la tâche que leur a assignée la nature. A partir de l'âge de quarante ans, par exemple, le rein voit son afflux de sang réduit de 10 % tous les dix ans. En fait, une partie seulement du déclin de cet organe peut s'expliquer par la diminution du débit cardiaque et le rétrécissement des vaisseaux mais, indiscutablement, ces facteurs aggravent au niveau du rein l'effet des changements dus à l'âge. Pour illustrer ce phénomène, on peut dire que, entre l'âge de quarante et quatre-vingts ans, un rein normal perd quelque 20 % de son poids ; d'autre part, des zones cicatricielles apparaissent au sein même de ses tissus. L'épaississement des minuscules vaisseaux sanguins à l'intérieur du rein diminue encore le flux sanguin et a pour résultat la destruction des unités de filtrage de l'organe qui constituent les centres où les urines sont nettoyées de leurs impuretés. Au fil du temps, environ 50 % des unités de filtrage vont disparaître.

Ces modifications structurelles du rein entraînent la baisse de son efficacité. L'âge venant, il perd sa capacité non seulement d'évacuer l'excès de sodium mais aussi de le retenir dans l'organisme quand il le faut. Chez le sujet âgé, il en découle un déséquilibre entre le volume d'eau et le sodium qui tend à augmenter d'une part les risques de crise cardiaque et d'autre part la déshydratation. C'est l'une des principales raisons pour lesquelles le cardiologue qui traite les personnes âgées a tant de mal à se faufiler dans l'étroit passage entre le Scylla de l'excès de sodium et de la crise cardiaque et le Charybde des vieux tissus parcheminés.

Le résultat de toutes ses faiblesses est une tendance accrue du rein à faillir à ses responsabilités. Même s'il n'y a pas insuffisance à proprement parler, qu'il y a juste affaiblissement, il récupère plus lentement qu'un organe jeune et est plus disposé à soumettre le corps qu'il habite à un stress important : la mort par insuffisance rénale constitue une voie de sortie très courante chez la personne âgée affaiblie par quelque autre pathologie, comme un cancer à un stade avancé ou une maladie du foie. Les impuretés du sang s'accumulent, les autres organes, en particulier le

cerveau, sont intoxiqués et la mort dite par urémie, souvent précédée par une période de coma de durée variable, devient inévitable. L'événement final chez le patient atteint d'urémie consiste,
dans bien des cas, en une irrégularité du rythme cardiaque (arythmie) causée par l'incapacité du rein à débarrasser le sang de
l'excès de potassium. En général, la victime d'une insuffisance
rénale glisse imperceptiblement dans cet état, puis meurt soudain d'une défaillance cardiaque. Il est rare que la personne
puisse prononcer ses dernières paroles ou sceller des réconci-
liations de dernier moment sur son lit de mort.

Le rein est la partie la plus importante de l'appareil urinaire
à changer avec l'âge, mais ces mutations touchent également la
vessie. Celle-ci ressemble essentiellement à un ballon épais dont
les parois sont formées de muscle souple. En vieillissant, elle
perd de son élasticité et ne peut plus retenir autant d'urine
qu'auparavant. Les vieilles personnes doivent uriner de plus en
plus souvent ; c'est la raison pour laquelle ma grand-mère se
levait une ou deux fois la nuit pour se colleter avec son bidon.

L'âge affecte également la coordination délicatement orches-
trée entre le muscle de la vessie et le mécanisme obturateur dont
la fonction est d'empêcher l'urine de couler. Il en résulte une
incontinence intermittente chez les personnes âgées qui peut
devenir un problème important s'il se voit compliqué d'une
infection, de troubles de la prostate, de confusion mentale ou de
prise de médicaments. Les difficultés qu'éprouve la vessie pour
se vider constituent le facteur le plus important d'infection des
voies urinaires, ennemi dangereux des personnes âgées affaiblies.

Pas plus que le muscle du cœur, les cellules du cerveau ne
peuvent se reproduire. Elles survivent au temps parce que leurs
composantes structurelles, autant de carburateurs et de bougies
ultra-microscopiques, se remplacent à mesure qu'elles s'usent.
Le biologiste a beau utiliser une terminologie plus absconse que
celle du mécanicien (des mots comme *organite, enzyme* ou *mito-
chondrie),* ces éléments nécessitent un mécanisme de remplacement tout aussi efficace que celui dont bénéficient les automo-
biles. De même que le corps et chacun de ses organes, chaque
cellule comporte son équivalent de pignons, roues et ressorts.

Quand le mécanisme de remplacement des pièces usées tombe
en panne, les cellules nerveuses et musculaires ne tiennent plus
face à la destruction permanente dont leurs composantes sont
l'objet.

Ce mécanisme de remplacement repose sur la participation de
certaines structures moléculaires à l'intérieur de la cellule. Mais
les molécules du système biologique ont une durée de vie limitée. Au-delà de celle-ci, leur collision constante les unes contre
les autres les transforme au point de les rendre inaptes à générer de nouvelles pièces de rechange. A force d'usure, elles atteignent les limites de leur longévité et déterminent en cela la longévité des cellules du cerveau qu'elles servent. Il s'agit là du
processus biochimique que les scientifiques appellent le vieillissement cellulaire. Progressivement, la cellule meurt, puis celles
qui l'entourent en font de même. Quand un certain nombre
d'entre elles ont disparu, le cerveau commence à montrer son
âge.

A partir de la cinquantaine, le cerveau perd 2 % de son poids
tous les dix ans. Quand ma Bubbeh mourut à quatre-vingt-dix-
sept ans, son cerveau pesait quelque 10 % de moins qu'à son
arrivée dans son pays d'adoption. Les gyri, ces circonvolutions
renflées et noueuses du cortex qui sont le siège de cette perception et de cette pensée qui nous distinguent des autres créatures de Dieu, subissent le plus d'atrophie et de perte de leur
importance. Parallèlement, les sillons qui les séparent s'élargis-
sent, tout comme les cavités remplies de fluide au plus profond
de la matière même du cerveau, qui sont connues sous le nom
de ventricules, tels ceux du cœur. La lipofuchsine, sorte de marqueur biologique de la sénescence approchante, colore indiffé-
remment les cellules de matière grise et blanche, donnant au cerveau rétréci une nuance d'un jaune crémeux qui fonce avec le
temps. Même la sénescence se voit attribuer un code couleur.

Pour patents que soient les grossiers changements intervenant
dans un cerveau qui s'étiole, c'est au niveau microscopique que
ces transformations apparaissent le plus clairement. Signe particulièrement frappant, la diminution du nombre des cellules nerveuses, ou neurones, résulte de la fatale incapacité décrite plus
haut à produire des pièces de rechange. Les événements ponc-

tuels qui surviennent dans le cortex sont représentatifs de ce qui se passe à un niveau plus général. La zone de la motricité du cortex frontal perd entre 20 et 50 % de ses neurones, celle de la vue en perd 50 %, tout comme celles consacrées au système sensoriel. Heureusement, la disparition cellulaire est moindre dans les zones de l'activité intellectuelle supérieure du cortex cérébral. Il se peut que la diminution du nombre de neurones soit compensée par une augmentation de leur activité mais, quelle qu'en soit la raison, les capacités intellectuelles telles que le raisonnement et le discernement demeurent souvent intactes jusqu'à un âge avancé.

Il est intéressant de noter que, d'après des recherches récentes, certains neurones du cortex semblent effectivement plus abondants à la maturité, et ces cellules résident précisément dans les zones où se déroulent les processus de la pensée supérieure. Découverte d'autant plus intrigante qu'elle s'ajoute à celle de la poursuite de la croissance, chez les personnes âgées saines qui ne sont pas atteintes de la maladie d'Alzheimer, des arborisations des neurones appelées *dendrites* : les neurologues ont peut-être trouvé là la source de la sagesse dont nous aimerions penser que nous l'accumulons avec l'âge.

Donc, à l'exception de zones très localisées, non seulement les neurones du cortex diminuent, mais ceux qui subsistent montrent des signes de vieillissement à mesure que le remplacement des pièces de rechange intracellulaires devient moins efficace. Résultat : le cerveau est plus petit que dans sa jeunesse et ne fonctionne plus aussi bien qu'avant. Dans la vie de tous les jours, cela se manifeste par une multitude de petits ralentissements qu'on observe chez ses aînés, et bien trop tôt chez soi-même. Le fonctionnement du cerveau se ralentit au même titre que sa capacité à rebondir à la suite d'accidents biologiques ; il récupère de moins en moins efficacement après les événements qui menacent sa survie.

Un des plus dangereux de ceux-ci est la mauvaise alimentation sanguine. Lorsque l'irrigation de certaines zones précises du cerveau s'interrompt (catastrophe qui survient le plus souvent brusquement), il y a immédiatement dysfonctionnement ou nécrose des tissus nerveux irrigués par l'artère obstruée. C'est

exactement ce qu'on appelle communément une attaque cérébrale. Si elle peut avoir un grand nombre de causes, celle qui
concerne le plus couramment les sujets âgés est une athérosclérose qui bloque les ramifications des gros vaisseaux nourrissant
le cerveau : les artères carotides internes droite et gauche. A peu
près 20 % des victimes d'attaque cérébrale hospitalisées meurent rapidement après l'accident et 30 % d'entre elles nécessi-
teront des soins à long terme ou en milieu hospitalier jusqu'à la
mort.

Si le certificat de décès de la victime d'une attaque cérébrale
se trouve souvent orné de termes ronflants comme « accident
cérébrovasculaire » ou « thrombose cérébrale » (de nos jours, le
mot juste est celui, plus simple et plus général, d'attaque cérébrale), cette nomenclature est moins pertinente que le chiffre
figurant sur le document légal dans l'espace réservé à « âge » :
il est presque toujours élevé. Au-delà de l'âge de soixante-quinze
ans, hommes et femmes courent dix fois plus de risques de subir
une attaque qu'entre cinquante-cinq et cinquante-neuf ans.

C'est effectivement la dénomination d'« accident cérébrovasculaire » qui figurait sur le certificat de décès de ma grand-mère.
Mais il ne faut pas s'en laisser conter et, même alors, je n'étais
pas dupe. Le médecin avait beau expliquer le sens des mots gribouillés par lui, son diagnostic ne voulait pas dire grand-chose
pour moi, aujourd'hui encore moins. S'il avait choisi d'intituler
l'attaque de ma Bubbeh « événement final » ou quelque autre
trouvaille du même type, j'en aurais compris à peu près la signification, mais qu'il m'annonce que tout le processus que j'avais
observé pendant dix-huit ans avait abouti à une affection aiguë
portant un nom précis, voilà le comble de l'absurde.

Il ne s'agit pas simplement d'un problème de sémantique.
Dans ce cas, la différence entre voir l'accident cérébrovasculaire
en tant qu'événement final et le considérer comme cause de la
mort coïncide avec celle existant entre une conception de la vie
qui admet le flot naturel, inexorable de l'histoire et celle qui
investit la science d'une mission de lutte contre ces forces qui
assurent la stabilité à la fois de notre environnement et de notre
civilisation même. Je ne suis pas passéiste et je rends gloire aux
bienfaits des réalisations scientifiques modernes. J'aimerais seu-

lement que l'on utilise ces connaissances croissantes avec plus de sagesse. Aux dix-septième et dix-huitième siècles, les premiers tenants de la méthode expérimentale et, donc, de la science évoquaient souvent ce qu'ils appelaient l'« économie animale » et l'« économie de la nature » en général. Si j'ai bien compris le sens de ce choix terminologique, il s'agissait de cette sorte de loi naturelle par laquelle l'environnement et les formes vivantes sont protégés. Cette loi naturelle, me semble-t-il, évolua selon les simples principes du darwinisme de survie de la planète, tout comme chaque espèce animale ou végétale. Pour que cela continue, l'humanité ne peut se permettre d'en détruire l'équilibre – si l'on préfère, l'économie – en manipulant l'un de ses éléments fondamentaux, en l'occurrence le renouvellement constant de chaque espèce, moyen de son renforcement. Dans le monde animal et végétal, ce renouvellement doit être précédé par la mort afin que les éléments les plus vigoureux puissent remplacer ceux qui sont épuisés. C'est là le sens de ce qu'on appelle les cycles naturels. Cette succession n'a rien de pathologique ni d'anormal ; en fait, c'en est l'antithèse. Donner le nom d'une maladie à un processus naturel, c'est faire le premier pas vers la volonté de le soigner et, par là même, d'y résister. Contrecarrer cette évolution naturelle, c'est entreprendre de contrarier la perpétuation précisément de ce que l'on cherche à protéger, qui est, après tout, l'ordre et le système de l'univers.

Ainsi donc, Bubbeh devait mourir, tout comme vous et moi devrons le faire un jour. De même que j'avais été le témoin du déclin des forces vitales de ma grand-mère, de même j'étais présent lorsqu'il donna les premiers signes de son caractère définitif. Un matin comme tous les autres, de bonne heure, Bubbeh et moi vaquions à nos petites occupations habituelles. Je venais juste de terminer mon petit déjeuner et j'étais toujours penché sur la rubrique des sports du *Daily News* quand je me rendis compte qu'il y avait quelque chose d'étrange dans la manière dont Bubbeh essayait de nettoyer la table de la cuisine. Depuis longtemps déjà, nous avions compris que les tâches ménagères de ce genre étaient au-delà de ses forces, mais elle n'y avait jamais complètement renoncé, et elle semblait ne pas se rendre compte que l'un d'entre nous devait toujours refaire le travail dès qu'elle avait péniblement quitté la pièce en traînant les pieds. Toutefois, lorsque je levai les yeux de mon journal, je vis que les mouvements circulaires de la lavette sur la table étaient encore plus inefficaces que d'habitude. Sa main bougeait sans but, comme si elle agissait par sa propre volonté, sans objectif ni direction. Les cercles cessèrent d'être des cercles ; bientôt, ils devinrent des mouvements traînants exécutés de sa main molle, qui tenait à peine la lavette humide, étalée désormais sur la table sans but ni volonté. Elle semblait regarder quelque chose par la fenêtre derrière moi, au lieu de regarder la table en face d'elle. Ses yeux qui ne voyaient plus affichaient l'aspect terne de l'oubli et son visage avait perdu toute expression. Même le visage le plus impassible trahit quelque chose mais, à ce moment de vide absolu, je sus que j'avais perdu ma grand-mère. Je criai « Bubbeh, Bubbeh » : en vain. Elle ne m'entendait plus. La lavette tomba de sa main et elle s'affaissa sans bruit par terre.

Je me précipitai vers elle en l'appelant à nouveau, mais mes cris étaient aussi inutiles que mes efforts pour comprendre ce qui se passait. Je réussis – il ne m'en reste plus aucune trace de souvenir aujourd'hui – à la soulever pour la porter en titubant dans la chambre que nous partagions. Là, je l'allongeai sur mon lit. Son souffle était rauque et bruyant. Du coin de la bouche, elle respirait en longs ronflements puissants qui faisaient claquer sa joue comme une voile mouillée giflée par le vent chaque fois que la bruyante soufflerie du plus profond de sa gorge expirait l'air. Je ne me souviens plus du côté dont il s'agissait, mais une moitié complète de son visage semblait sans tonus et flasque. Je me ruai vers le téléphone pour appeler un médecin dont le cabinet était situé dans le voisinage. Ensuite, je contactai ma tante Rose à l'atelier de confection où elle travaillait. Elle arriva avant que le médecin pût se libérer des patients matinaux qui remplissaient sa salle d'attente, mais nous savions de toute manière qu'il n'y avait plus rien à faire. Lorsqu'il fut là, il nous annonça que Bubbeh avait eu une attaque et qu'il ne lui restait plus que quelques jours à vivre.

Elle apporta un démenti au pronostic du médecin : elle tint bon. Nous en fîmes de même, refusant de la laisser partir ; il ne serait venu à l'esprit d'aucun d'entre nous de se comporter autrement. Bubbeh resta dans mon lit, tante Rose occupa le lit double qu'elle avait partagé avec sa mère et Harvey transporta de la chambre où il dormait avec mon père son lit de camp pour me le prêter. Il se retrouvait ainsi sans lit et dut passer les quatorze nuits suivantes sur le canapé du salon.

Dans les quarante-huit heures qui suivirent, nous devînmes les témoins des raffinements de cruauté avec lesquels la vie commence à déserter ses plus vieux amis ; le système immunitaire de Bubbeh et ses vieux poumons rouillés n'arrivaient pas à soutenir la guerre éclair déclarée par les microbes qui se lançaient à son assaut. Le système immunitaire est la force invisible qui nous permet de répondre aux attaques d'ennemis potentiellement mortels, eux-mêmes invisibles à l'œil nu. Sans que nous le sachions ou que nous y participions consciemment, les cellules et molécules silencieuses de notre système immunitaire s'adaptent sans cesse aux conditions changeantes de la vie quotidienne et de ses dangers invisibles. La nature, notre bouclier et forcément notre ennemi le plus puissant, nous a revêtus et pétris de ces périls pour que nous puissions survivre à ces rencontres perpétuelles avec l'environnement qu'elle a créé (et essaie de protéger), défiant en même temps tout organisme vivant de surmonter les risques dont elle émaille ses mises à l'épreuve constantes. En vieillissant, le vêtement protecteur s'élime, la pâte se dessèche ; notre système immunitaire, comme tout le reste, nous trahit chaque jour un peu plus.

Les gérontologues ont concentré l'essentiel de leurs recherches sur son déclin. Ils ont identifié des défaillances non seulement dans les réponses du corps aux assauts dont il est l'objet, mais aussi dans les mécanismes de surveillance par lesquels il reconnaît son assaillant. Le plus facile pour l'ennemi est d'investir la forteresse en trompant la vigilance des vieux gardiens du système immunitaire : une fois à l'intérieur, il terrasse les défenseurs affaiblis. Dans le cas de ma Bubbeh, il en résulta une pneumonie.

William Osler était partagé au sujet de la pneumonie des personnes âgées. Dans la première des quatorze éditions de son ouvrage *The Principles and Practice of Medicine,* il l'appelait leur « ennemi de prédilection », mais il y fait référence ailleurs d'une façon entièrement différente : « On peut bien appeler la pneumonie l'amie des personnes âgées. Ainsi emportées dans un accès bref, aigu et rarement douloureux, celles-ci échappent à cette froide descente graduelle vers la décrépitude qui fait de l'étape finale une si terrible épreuve. »

Je ne me souviens pas si le médecin avait prescrit la pénicilline pour combattre l'« amie des personnes âgées », mais j'en doute. Égoïstement sans doute, je ne voulais pas que Bubbeh meure, attitude partagée par le reste de la famille. Le médecin aurait été bien plus réaliste et bien plus sage que nous qui refusions de la laisser partir.

L'état d'immobilité comateuse dans lequel Bubbeh était plongée et la perte de la toux réflexe mettaient son corps dans l'incapacité d'expectorer les sécrétions visqueuses qui crachotaient dans sa trachée à chaque respiration. A la pharmacie du coin, Harvey trouva un appareil pouvant servir à aspirer les mucosités purulentes qui remontaient des poumons de Bubbeh dans un murmure annonçant sa mort prochaine. Composé de deux tubes de caoutchouc séparés par une chambre de verre, l'instrument permettait à mon frère d'aspirer les glaires à chaque fois qu'elles s'accumulaient de nouveau. Pour ce faire, il devait introduire un des bouts de caoutchouc dans la trachée de Bubbeh et l'autre dans sa propre bouche. La tante Rose ne pouvait se résoudre à effectuer cette horrible opération et moi-même je n'y arrivais que de temps à autre, si bien que Harvey en fit une offrande personnelle à sa Bubbeh ; au moins, la considérions-nous comme telle.

Par ce moyen, et sans aucun doute parce que l'ange de la mort avait changé d'avis (personnage imaginaire pour moi, mais réalité ô combien tangible pour les croyants venus de la vieille Europe), Bubbeh survécut à la pneumonie tout comme elle survécut à l'attaque. Nos pleurs et nos prières avaient-ils joué un rôle plus important que le dispositif de succion mis en place par Harvey et les lambeaux de force qui restaient encore dans le système immunitaire poussif de la malade ? Quoi qu'il en soit, elle finit par sortir du coma, retrouva en bonne partie l'usage de la parole et vécut plus ou moins comme avant pendant quelques mois encore, à vrai dire, bien plus pour nous que pour elle.

Finalement, elle arriva au bout de ses jours et succomba à une deuxième attaque aux premières heures d'un vendredi glacé de février. En accord avec la loi juive, son corps fut inhumé avant la fin de l'après-midi du jour même.

J'ai ce qu'on appelle une mémoire photographique. Bien qu'elle me fasse parfois défaut au moment où j'ai le plus besoin de ses archives, elle a essentiellement constitué un allié fiable dans l'enregistrement des événements de ma vie. Mais, dans cette vaste collection d'images, il y en a certaines que je préférerais oublier. L'une d'elles représente un garçon de dix-huit ans, debout, seul à côté d'un simple cercueil de pin où repose une très vieille dame qu'il peut à peine reconnaître, et ce malgré les baisers humides dont il a couvert ses joues inertes moins de douze heures auparavant. La chose dans le cercueil ressemble si peu à la femme qu'elle est censée être. Elle est contractée, aussi blanche que la cire des bougies. Déserté par la vie, le cadavre avait rétréci.

De nos jours, les médecins sont formés pour réfléchir exclusivement à la vie et aux maladies qui la mettent en danger. Même les anatomopathologistes qui pratiquent des autopsies cherchent dans les cadavres qu'ils dissèquent des pistes de traitement dont les vivants profiteront en définitive ; leur pratique consiste en substance à remonter le temps jusqu'au moment où le cœur battait encore afin de reconstruire le crime qui a privé leur patient de la vie. C'est ainsi que ceux qui se penchent le plus sérieusement sur le sens de la mort sont en général des philosophes ou des poètes. Néanmoins, il y a bien eu quelques médecins qui ont compris que la mort et ses conséquences ne se situent pas au-delà des limites de la condition humaine et, de ce fait, méritent l'attention du praticien.

Tel était le cas de Thomas Browne, qui vécut au dix-septième siècle, siècle extraordinaire au cours duquel la méthode scientifique et le raisonnement par induction commencèrent d'influencer la pensée des gens instruits, les poussant à remettre en question les vérités chéries par leurs pères. En 1643, Browne publia un petit joyau littéraire de la contemplation, *Religio Medici*, qu'il présentait comme « un exercice personnel pratiqué à mon intention propre ». Les éditions de ce chef-d'œuvre comprennent généralement un texte supplémentaire de réflexions sur la lente agonie d'un mourant, intitulé « A letter to a friend » et dans lequel l'auteur dit : « Il en vint presque à être réduit à la moitié de lui-même et laissa derrière lui une bonne partie qu'il ne put emmener dans la tombe. » Combien de fois n'ai-je pas accompagné des familles auprès d'un mourant, combien de fois ne suis-je pas témoin de leur incrédulité face à ce processus qui les soumet à un spectacle trop souvent insupportable ! Ils se demandent pourquoi c'est tellement différent de ce à quoi ils s'attendaient et pourquoi il semble qu'eux seuls doivent endurer ce qu'ils considèrent comme une souffrance hors du commun. C'est cette souffrance unique au monde que je pensais avoir été obligé de vivre avec la mort de Bubbeh, puis, plus tard, avec l'image de ce corps étranger.

La puissance de la vie remplit nos tissus de sa vibrante pulsation et les gonfle de la fierté d'être vivants. Qu'elle s'éteigne brusquement, comme dans le cas de Irv Lipsiner, ou dans un effacement progressif, comme dans le cas de Bubbeh, elle laisse souvent derrière elle un objet irréel et rabougri. Après avoir vu le corps du célèbre acteur anglais R. W. Elliston, Charles Lamb, encore sous le coup de l'émotion écrivit : « Mon Dieu, que vous avez l'air petit ! C'est ainsi que nous paraîtrons tous − rois et empereurs compris −, dépouillés pour l'ultime voyage. » Browne dit pour sa part : « J'éprouve moins de peur en face de la mort que de honte ; c'est bien la honte et l'ignominie de notre nature qui, en l'espace d'un instant, peut nous défigurer, à telle enseigne que nos amis les plus proches, notre femme, nos enfants s'épouvantent et tressaillent en nous voyant. »

Les paroles de Thomas Browne ou de Lamb m'auraient peut-être rassuré au pied du cercueil de ma grand-mère. Ce jour aurait sûrement été plus facile pour moi et son souvenir moins pénible si au moins j'avais su que ma grand-mère, comme tout un chacun, allait devenir plus petite avec la mort : lorsque l'esprit humain s'en va, il emmène avec lui son rembourrage. Il ne reste plus alors que le corps inanimé, la moins importante de toutes ces choses qui font de nous des êtres humains.

Si je passe en revue les années qui viennent de s'écouler, j'aurais pu aussi reconnaître la banalité de l'expérience de la mort dans une phrase tirée du début du livre de Browne : « Avec quels efforts et quelles douleurs nous venons au monde, nous l'ignorons ; mais ce n'est assurément pas une affaire aisée que d'en sortir. »

4

LES CHEMINS DE LA MORT
DES PERSONNES ÂGÉES

Je dirais, pour utiliser l'expression de Thomas Browne, que ma grand-mère avait choisi une façon « d'en sortir » qui n'est pas exceptionnelle, loin s'en faut. D'après l'Organisation mondiale de la santé, l'attaque cérébrale constitue la troisième cause de mortalité dans les pays développés. Plus de 150 000 Américains en meurent chaque année, ce qui représente à peu près un tiers de ceux qui ont eu une attaque. Un autre tiers d'entre eux restera gravement handicapé pour le reste de leur vie. Seules les maladies cardiaques et le cancer dépassent ce pourcentage. Faisant suite à une longue période de recul, l'attaque cérébrale a atteint un plateau au cours des dernières années : chaque année aux États-Unis, entre 0,5 et 1 habitant sur mille en est victime. Il faut toutefois noter que ce taux se réfère à l'ensemble de la population. A mesure qu'on vieillit, on est naturellement plus sujet à une attaque. S'il n'existe pas d'études de probabilité sur les vieilles dames juives qui ont vécu presque un siècle en suivant un régime *casher* riche en cholestérol, on sait en revanche que, chaque année, dans un groupe quelconque de mille hommes et femmes de plus de soixante-quinze ans habitant l'Amérique ou l'Europe occidentale, entre vingt et trente seront victimes d'une attaque : pour les personnes âgées, le risque est donc trente fois plus élevé que pour le reste de la population.

Le terme *attaque cérébrale* sert à tellement de choses qu'il plane parfois un doute sur son utilisation. Pour le médecin, il s'agit de la défaillance d'une fonction neurologique provenant d'une baisse du flux sanguin dans une des artères irriguant le cerveau. De plus, la défaillance doit durer plus de vingt-quatre heures pour recevoir le nom d'attaque cérébrale. Tout autre phénomène du même type est qualifié d'accident ischémique transitoire. Bien que la plupart de celles-ci se dissipent en une heure, certaines peuvent durer plus longtemps avant que leurs symptômes ne disparaissent.

Ce n'est pas un hasard si le lecteur a l'impression de connaître déjà le sujet. On a ici en effet fondamentalement affaire au même mécanisme par lequel la défaillance du cœur survient lorsque l'une de ses artères n'arrive pas à fournir la quantité de sang nécessaire. C'est ce phénomène universel d'ischémie, de tarissement du flux sanguin et de dessèchement des tissus qui représente le dénominateur commun des destructions de cellules dans de si nombreuses parties du corps. Voilà l'assassin de James McCarty, ainsi que celui de ma Bubbeh, comme, sous une forme ou une autre, il sera l'assassin de la plupart des individus actuellement en vie. Il tue en suffoquant les tissus de ses victimes. L'arrêt du flux sanguin a essentiellement les mêmes causes que lorsqu'il intervient au niveau des artères coronaires. C'est que l'accumulation d'athérome a atteint le point critique où l'une des ramifications de l'artère carotide interne se trouve complètement obstruée. L'occlusion peut se produire par achèvement du processus d'athérosclérose dans cette ramification elle-même, ou du fait qu'une portion de plaque s'est détachée de la paroi d'une artère plus importante et, propulsée comme embole, ou corps étranger, jusqu'au cerveau, obstruant un vaisseau déjà endommagé.

Autre possibilité : l'attaque et l'ischémie qui l'accompagne découlent d'une manifestation toute différente de ce vaste syndrome qu'est la maladie cérébrovasculaire, à savoir l'hémorragie cérébrale, qui, chez les personnes âgées, est presque toujours due à une hypertension de longue date. Le fragile vaisseau athéroscléreux, dont de longues années de pression anormalement élevée ont affaibli les parois, cède finalement à un endroit précis, libérant un flot de sang dans les tissus du cerveau qui l'entourent. Une hémorragie de ce type entraîne un taux de mortalité deux fois plus élevé que les 20 % généralement attribués aux attaques par occlusion. L'hémorragie est responsable du quart environ des attaques, l'occlusion vasculaire du reste.

Il faut beaucoup d'énergie pour bien faire marcher le moteur du cerveau. Presque toute cette énergie vient de la capacité de ses tissus à décomposer le glucose en ses éléments de base que sont l'oxyde de carbone et l'eau, processus biochimique qui requiert une grande quantité d'oxygène. Car le cerveau n'a aucun moyen de stockage du glucose : il est dépendant d'un approvisionnement constant que lui assure le sang artériel. Bien entendu, il en va de même pour l'oxygène. Il suffit de quelques minutes pour que le cerveau ischémique épuise les ressources de ces deux aliments et suffoque. Les neurones sont tellement sensibles à l'ischémie que des changements irréversibles s'installent entre quinze et trente minutes après le début d'une carence en approvisionnement. Une heure après le début de l'ischémie, l'infarcissement d'importantes parties de tissus du cerveau devient inévitable.

Les symptômes dus à la destruction des cellules varient en fonction du vaisseau qui est bouché. Bien qu'une bonne demi-douzaine de ramifications de la carotide interne puissent être occluses, c'est l'une des deux artères sylviennes qui est le plus souvent touchée. Celles-ci irriguent la plus grande partie latérale de l'hémisphère cérébral et quelques-uns des centres situés sous le cortex ; elles approvisionnent les zones sensori-motrices les plus importantes du cortex, zones affectées aux mouvements de la main et de l'œil, ainsi que les tissus spécialisés dans l'audition. Elles nourrissent aussi la région impliquée dans ce qu'on appelle les « fonctions mentales supérieures » telles que la perception, la pensée organisée, le mouvement volontaire et la coordination intégrée de ces capacités. Du côté dominant du cerveau (le côté droit pour les gauchers et le côté gauche pour les autres), l'artère sylvienne irrigue les zones sensori-motrices consacrées au langage. C'est cet élément de la localisation cérébrale des fonctions mentales qui explique pourquoi tant de victimes d'attaque cérébrale perdent leurs capacités d'expression et de compréhension de la parole et de l'écrit.

Nombre des attaques de ce type n'ont pas pour cause l'occlusion effective de l'artère sylvienne à l'endroit concerné, mais la présence de débris provenant des plaques d'athérome dans l'artère carotide interne principale ou du cœur lui-même sous la forme de petites particules détachées d'un caillot formé antérieurement et qui devient une embole. Nous rencontrons ici l'un des termes créés par Rudolf Virchow à partir du grec *embolos* (« tampon » ou « bouchon »), composé à son tour de deux mots signifiant « jeter dans ». Littéralement, donc, un bouchon lancé dans l'artère sera véhiculé dans le flot sanguin jusqu'à ce qu'il se coince dans une des parties rétrécies du vaisseau, qu'il bloquera complètement. Dans les cas les plus courants où un bouchon de ce type n'est pas en cause, l'obstruction s'explique par une accumulation d'athérome parvenue à son stade final. Dans tous les cas, les tissus irrigués par le vaisseau perdent instantanément leur source d'oxygène et de glucose et, en quelques minutes, se trouvent suffisamment lésés pour entraîner des symptômes. A moins que le blocage ne soit rapidement levé, la zone du cerveau concerné dépérit par infarcissement.

Si l'on devait nommer la cause universelle de tout décès, aussi bien au niveau de la cellule qu'au niveau de la planète, ce serait sans aucun doute le manque d'oxygène. On dit que le docteur Milton Helpern, qui pendant vingt ans fut le médecin légiste en chef auprès de la ville de New York, aurait résumé la question en une seule phrase : « La mort peut provenir d'un vaste éventail de maladies et de dérèglements mais, dans tous les cas, la cause physiologique sous-jacente est la rupture du cycle d'oxygénation du corps. » Si simpliste qu'elle puisse paraître à tout biochimiste à la pointe des connaissances, cette déclaration a une valeur universelle.

Nombreuses sont les attaques si imperceptibles que, dans l'immédiat, elles n'entraînent pas ou peu de symptômes importants qui puissent signaler leur présence. Mais, avec le temps, ces petites attaques s'accumulent et la preuve d'une détérioration progressive saute aux yeux même de l'observateur peu attentif. Walter Alvarez, grand clinicien qui exerça il y a une génération à Chicago, raconta un jour ce qu'une « sage vieille dame » lui avait dit : « La mort ne cesse de grignoter des petits bouts de moi-même ». Voilà la description clinique très claire qu'il en a établie :

> Elle comprenait qu'à chaque étourdissement, à chaque syncope ou à chaque accès de confusion elle devenait un peu plus vieille, un peu plus faible et un peu plus fatiguée, sa démarche se fit plus hésitante, sa mémoire moins fiable, son écriture moins lisible ; puis son intérêt pour la vie déclina. Elle savait que, depuis dix ans ou plus, elle progressait pas à pas vers la mort.

On rapporte que William Osler déclara de ceux qui sont trahis par leur circulation cérébrale : « Ces gens mettent autant de temps à mourir qu'ils en ont mis à grandir. »

Près de 10 % des personnes âgées atteintes de démence doivent leur état à ces petites attaques, idée vulgarisée par Alvarez en 1946 après qu'il eut observé le phénomène chez son propre père. Désormais appelé démence par infarctus multiples, le processus se caractérise par une suite irrégulière de petites aggravations qui surviennent brutalement. Fait intéressant, cette forme d'artériosclérose cérébrale fut décrite pour la première fois par Alois Alzheimer en 1899, huit ans avant qu'il n'introduise la notion d'un type tout à fait différent de déclin des capacités intellectuelles que l'on désigne désormais par son nom.

Le processus subtil d'infarcissement du cerveau peut traîner en longueur, accumulant en dix ans ou plus, de façon irrégulière mais progressive, la détérioration des fonctions cérébrales jusqu'au jour où une attaque grave ou quelque autre événement fatal intervient pour permettre à la lente progression d'atteindre son but ultime.

Les attaques dues à l'occlusion des artères sylviennes entraînent de graves infarcissements qui aboutissent à des pertes sensorielles et à des faiblesses motrices qui se manifestent surtout au visage et aux extrémités du côté opposé au côté du cerveau où l'attaque a eu lieu ; ce type d'infarcissement provoque une aphasie – perte des capacités d'expression –, alors que la compréhension en tant que telle demeure relativement intacte. L'occlusion d'autres vaisseaux sanguins produit tout un éventail de symptômes déterminés non seulement par la zone desservie par le vaisseau en question, mais aussi par l'approvisionnement sanguin secondaire qu'assurent éventuellement les vaisseaux avoisinants qui n'ont pas subi d'agression. Des troubles du langage et de la vue ainsi qu'une paralysie, des pertes de sensibilité, des problèmes d'équilibre sont les traductions les plus courantes de l'attaque.

Une attaque importante débouche souvent sur le coma. Si elle est assez étendue ou qu'il s'ensuit des complications comme une chute de la pression artérielle ou du débit cardiaque provoquée par l'attaque elle-même ou une arythmie, la guérison se trouve entravée et la zone touchée par l'ischémie peut même s'élargir. Si cet élargissement dépasse un certain degré, les tissus du cerveau commencent à enfler. Ainsi comprimé entre les murs sans élasticité du crâne, le cerveau subit encore des dégâts en raison de la pression exercée sur les membranes qui le recouvrent et la cage osseuse qui le contient ; il arrive parfois que l'une de ses régions s'enfonce dans un des plis des membranes qui séparent le cerveau « supérieur » du cerveau « inférieur », ou tronc cérébral, c'est-à-dire la zone consacrée à la pensée de celle responsable des mécanismes plus automatiques tels que le contrôle des mouvements cardiaques et respiratoires, les fonctions digestive et urinaire ainsi que quelques autres. Dans ce cas, les centres du tronc cérébral qui font marcher le cœur et la respiration sont tellement endommagés que la mort s'ensuit très rapidement, soit à la suite d'une arythmie, soit comme conséquence d'une insuffisance respiratoire et cardiaque.

L'effondrement des fonctions vitales constitue seulement une partie des mécanismes par lesquels l'attaque tue environ 20 % de ses victimes, voire plus lorsqu'elle a pour point de départ une hémorragie due à l'hypertension. Dès lors que les lésions du cerveau atteignent une certaine ampleur, on constate que toutes sortes de dispositifs de contrôle vont de travers. Parmi les complications fatales les plus courantes qu'une attaque importante peut occasionner, on citera le dérèglement d'un diabète préexistant, qui fait augmenter l'acidité du sang au point de mettre en danger la vie de la personne ; la détérioration du fonctionnement des poumons par la paralysie des muscles de la paroi thoracique; enfin, l'élévation de la pression artérielle à un niveau alarmant.

Et puis, il y a la voie qu'emprunta ma Bubbeh : la pneumonie. Plus que tout autre système d'organes hormis la peau, les poumons des personnes âgées sont sensibles aux agressions que notre environnement pollué peut infliger. Que l'élasticité soit perdue pour cette raison ou tout simplement à cause de la progression normale du vieillissement, l'âge a pour conséquence une diminution de la capacité du poumon à se gonfler et à se dégonfler complètement. Les mécanismes responsables de l'évacuation du mucus s'affaiblissent et les conduits pulmonaires ont de plus en plus tendance à s'encombrer de matières résiduelles. L'état s'aggrave du fait de l'incapacité des plus petites ramifications pulmonaires de maintenir le niveau requis d'humidité et de température. Enfin, ces défaillances strictement physiques s'aggravent par la diminution de la production d'anticorps locaux, phénomène dicté par l'affaiblissement courant du système immunitaire des personnes âgées.

Les microbes responsables de la pneumonie guettent toute manifestation supplémentaire pouvant porter atteinte aux défenses déjà entamées des vieilles personnes. Ils trouvent pour allié parfait le coma. Ce dernier annihile tout moyen conscient de résister aux attaques microbiennes ; il va même jusqu'à détruire ce dispositif de sécurité, tellement essentiel, que constitue le réflexe tussigène. Les alvéoles, microscopiques sacs d'air, enflent et sont détruits par l'inflammation. Résultat : les échanges gazeux sont perturbés, la teneur en oxygène du sang diminue tandis que l'oxyde de carbone s'accumule jusqu'à ce que les fonctions vitales ne puissent plus être assurées. Quand le niveau d'oxygène baisse au-dessous d'un point critique, le cerveau manifeste cette défaillance par la mort de nouvelles cellules et le cœur, de son côté, par la fibrillation ou l'arrêt. C'est ainsi que triomphe la pneumonie.

La guerre éclair menée par cette dernière dispose d'une autre stratégie pour tuer : ses quartiers généraux infectés, installés dans le poumon, forment la faille par laquelle les organismes meurtriers peuvent pénétrer dans le flux sanguin et se propager dans tous les organes. Ce processus, appelé bactériémie ou septicémie par les médecins et empoisonnement du sang par le commun des mortels, déclenche une série de manifestations physiologiques qui aboutissent à l'effondrement de l'intégrité du cœur, des poumons, des vaisseaux sanguins, des reins ainsi que du foie, effondrement accompagné d'une chute ultime et radicale de la tension qui entraîne un collapsus, suivi de la mort. En cas de septicémie, même les antibiotiques les plus puissants ne constituent pas toujours des adversaires de taille à lutter contre l'assaut massif des microbes.

Que ce soit la pneumonie, l'insuffisance cardiaque ou l'acidose d'un diabète impossible à freiner qui en constitue la cause immédiate, une attaque a ceci de particulier qu'elle se trouve invariablement en compagnie de ses camarades, ce détachement omniprésent de tueurs des personnes âgées. Car elle fait partie du large éventail d'affections vasculaires cérébrales qui, si elles sont parfois accélérées par les mauvais traitements que s'inflige l'individu, ne se laissent jamais arrêter une fois lancées. Henry Gardiner, qui publia l'édition de 1845 que je possède des écrits de Thomas Browne, a inséré dans l'annexe du livre une longue citation de Francis Quarles, homme de lettres du dix-septième siècle, qui dit très justement : « Il est dans le pouvoir de l'homme soit de hâter, en laissant faire, soit d'abréger activement les limites de sa vie naturelle, mais non de les allonger ni de les repousser. » Et d'ajouter, avec une sagesse sublime : « Le seul qui ait l'art d'étirer sa chandelle (si toutefois c'est possible) est celui qui sait en tirer le meilleur avantage. » Il est impossible d'empêcher la vieillesse d'accomplir son sinistre devoir, mais une vie épanouie compense cet inévitable déficit de quantité par la qualité.

Tout comme les statisticiens, bien des médecins, surtout ceux qui passent le plus clair de leur temps en laboratoire, nient que l'on meure de vieillesse. S'ils ont lu mon récit des derniers jours de Bubbeh, ils auront tôt fait de signaler que, chez les personnes parvenues à l'âge auguste de quatre-vingt-cinq ans, la pneumonie et d'autres infections deviennent après tout la deuxième cause de décès identifiable, l'athérosclérose étant la première. Et, puisque ma grand-mère souffrait des deux, ils retireront de la manière dont elle mourut une justification de plus de leur conception du monde et de leur insistance sur la nécessité d'agir énergiquement pour traiter les pathologies cataloguées et prolonger ainsi la vie. Pour ma part, je vois dans leur position davantage la marque du sophisme que celle de la science.

Le point de vue de ces médecins n'est certes pas dénué de fondement, mais il y a néanmoins tout lieu de croire que la vie a bel et bien des limites naturelles et inévitables. Qu'on les atteigne et la chandelle de la vie crépite et s'éteint, y compris en l'absence de toute maladie ou accident déterminé.

Heureusement, la plupart des médecins de terrain qui traitent surtout des personnes âgées ont fini par comprendre cette réalité. On doit en effet reconnaître aux gérontologues le mérite d'avoir déjà beaucoup contribué à la compréhension des pathologies dont souffrent ceux qui se voient, jour après jour, submergés par les défaillances de leurs capacités de plus en plus faibles mais, plus important encore, il faut les saluer pour la grande chaleur humaine qu'ils manifestent dans leur travail. J'en parlais récemment avec le professeur de gériatrie de ma faculté, Leo Cooney, qui résuma peu après sa vision en deux paragraphes concis d'une lettre :

La plupart des gérontologues se trouvent en première ligne de ceux qui préconisent de s'abstenir de toute intervention vigoureuse visant exclusivement à prolonger la vie. Ce sont eux qui s'opposent régulièrement aux néphrologues qui pratiquent la dialyse de personnes très âgées, aux pneumologues qui ont recours à l'intubation de personnes dont la qualité de vie est déjà au plus bas et même aux chirurgiens qui semblent incapables de lâcher leur scalpel face à des patients pour qui la mort par péritonite serait une délivrance.

Nous cherchons à améliorer la qualité de la vie des personnes âgées et non pas à la prolonger. C'est ainsi que nous aspirons à les voir mener une vie digne et autonome aussi longtemps que possible. Nous nous efforçons de réduire l'incontinence, de diminuer la confusion et d'aider les familles à faire face à des affections terribles comme la maladie d'Alzheimer.

Au fond, on pourrait considérer le gérontologue comme le médecin qui, plus que tout autre, a pour mission de soigner les personnes âgées, comme la réponse qu'apporte notre époque à la disparition du bon vieux médecin de famille qui connaissait ses patients ainsi que les affections dont ils souffraient. Si le gérontologue est un spécialiste, sa spécialité concerne la personne âgée dans sa totalité. Or, à la fin de 1992, on ne dénombrait que 4 084 gérontologues diplômés aux États-Unis, chiffre à rapprocher de celui des quelque 17 000 cardiologues que compte le pays.

Il serait certes possible de mettre en cause une partie de mon argumentation pour autant que j'affirme que les frontières naturelles de la vie ne se laissent guère redessiner. On dispose en effet d'un certain nombre d'études très poussées concernant des personnes âgées qui restent en bonne santé ; les chercheurs ont identifié des changements de fonction attribuables à l'âge avancé chez des hommes et des femmes qui n'avaient aucune pathologie susceptible d'affecter la fonction en question. Les résultats correspondent au schéma que j'ai présenté dans ces pages : quoi qu'il arrive par ailleurs, le processus du vieillissement se poursuit. Il convient d'y voir un phénomène à la fois autonome et dépendant, dans ce sens qu'il contribue assurément à la morbidité tout en étant parfois accéléré par elle. Mais, malade ou pas, le corps continue à vieillir.

Mon désaccord avec le point de vue de nombreux chercheurs qui se penchent sur la physiologie du vieillissement concerne la philosophie du traitement. A partir du moment où une maladie devient identifiable au point de recevoir un nom, ses ravages font l'objet d'une thérapeutique visant en théorie la guérison. Nous avons là finalement la raison pour laquelle le médecin scientifique moderne se spécialise. Indépendamment de son désir affiché de soulager la souffrance humaine ou de la sincérité de ses efforts, qu'il soit chercheur ou clinicien, il procède de la sorte parce qu'il a l'esprit tout entier occupé par l'énigme d'une maladie et qu'il désire ardemment la conquérir en résolvant chaque nouveau mystère qu'elle lui pose. Aux deux extrémités de la vie, quand il s'agit de pédiatrie ou de gérontologie, les patients ont la chance d'être guidés par l'un des avatars contemporains du médecin de famille.

Le diagnostic de la maladie et le souci de la vaincre par l'intelligence : voilà le double défi qui motive tout spécialiste digne de ce nom. La pathologie le fascine. Mis devant son incapacité à la traiter, le soi-disant guérisseur baisse généralement les bras. En effet, toute énigme qui s'annonce insoluble par définition ne peut retenir longtemps l'attention que d'une infime proportion des médecins qui s'occupent d'un système d'organes déterminé ou d'une affection précise. Or la vieillesse est aussi insoluble qu'inéluctable. Les spécialistes auxquels s'adressent les personnes âgées cherchent bien trop souvent à attribuer un nom scientifique aux maladies traitables et à leurs manifestations afin d'entretenir l'énigme et la fascination qui les habitent. Ils croient également donner aux patients un certain espoir, espoir qui, pourtant, se révélera forcément injustifié un jour. Que le lecteur me permette d'emprunter une expression qui bénéficie actuellement d'une grande faveur : on dirait qu'il n'est pas « politiquement correct » de reconnaître que certains meurent de vieillesse.

Mais peut-on vraiment hésiter à penser que les processus intimement liés au vieillissement rendent l'individu de plus en plus vulnérable à la mort ? Peut-on vraiment douter de la diminution progressive de sa capacité à mobiliser les forces requises pour faire reculer les dangers mortels qui le guettent en permanence ? Peut-on hésiter à voir l'origine de cette incapacité dans l'affaiblissement graduel des tissus et des organes du corps ? Peut-on douter du rôle que joue l'usure générale des structures et des fonctions de celui-ci dans l'affaiblissement en question ? de l'arrêt du fonctionnement que produit à terme cette usure générale, qu'il s'agisse d'un moteur ou d'un homme ? Enfin, peut-on douter de la pertinence des propos de Thomas Jefferson [1] ?

La compréhension dont fit preuve ce dernier n'était pas l'invention du dix-huitième siècle. Dans le livre médical le plus ancien que l'on possède, le *Huang-Ti Nei-King Su Wen* (« Livre classique de médecine interne de l'empereur jaune »), écrit il y

---

1. *Cf.* p. 62.

a 3 500 ans, l'éminent médecin Chi Po donne son enseignement en matière de vieillesse à l'empereur mythique. Il lui dit :

> Lorsqu'un homme vieillit, ses os deviennent aussi secs et cassants que la paille [ostéoporose], sa chair s'affaisse, son thorax se remplit d'air [emphysème] et il a des douleurs d'estomac [indigestion chronique] ; il a une sensation de malaise au cœur [angine de poitrine ou palpitations par arythmie chronique], sa nuque et ses épaules se contractent, son corps brûle de fièvre [infections fréquentes des voies urinaires], ses os sont comme dénudés de chair [perte de masse musculaire maigre] et ses yeux s'exorbitent et s'affaissent. Quand, par la suite, le pouls du foie [insuffisance du cœur droit] se voit mais l'œil ne reconnaît plus une couture [cataracte], la mort frappera. On perçoit la limite de la vie d'un homme lorsqu'il ne peut plus vaincre ses maladies ; c'est que le moment de sa mort est venu.

Il ne s'agit donc pas de savoir si, oui ou non, le vieillissement conduit à l'affaiblissement général de l'individu, à son incapacité à se remettre des maladies et, finalement, à sa mort, mais de déterminer la raison profonde de ce vieillissement. Le *Livre de l'Ecclésiaste* compte parmi les premiers textes de la tradition occidentale à rappeler : « Il y a un moment pour tout et un temps pour chaque chose sous le ciel : un temps pour enfanter et un temps pour mourir. » Bien avant, Homère avait écrit : « La race des hommes est comme la race des feuilles. Alors qu'une génération fleurit, une autre se fane. » Cette obligation de céder la place à la génératon suivante n'est pas sans justification, comme le montre assez clairement une autre lettre qu'écrivit au soir de sa vie Thomas Jefferson au non moins vénérable John Adams : « Il vient un moment où, pour soi-même et les autres, la mort arrive à maturation, où il est juste de tomber de l'arbre et de faire place à un autre bourgeon. Quand on a vécu jusqu'au terme de sa génération, on ne doit pas désirer empiéter sur une autre. »

Si la nature interdit en effet que les uns « empiètent » sur les autres, interdiction que l'observation même la plus superficielle confirme du reste, il s'ensuit logiquement qu'elle a dû se doter des moyens nécessaires pour que les hommes atteignent progressivement, à l'instar des feuilles d'Homère, le stade « de tomber de l'arbre et de faire place à un autre bourgeon », comme l'exprima le *gentleman farmer* Jefferson. Or les scientifiques de tous les horizons ont essayé d'identifier le mécanisme par lequel le vivant accomplit ce passage, mais on ne le connaît toujours pas avec certitude.

Fondamentalement, on peut distinguer deux façons d'aborder l'explication du vieillissement. La première met l'accent sur les dégâts continus et progressifs que subissent cellules et organes pendant qu'ils exercent leurs fonctions normales dans l'environnement habituel de la vie quotidienne : on parle à cet égard de la théorie de l'« usure ». L'autre attribue pour sa part le vieillissement à la prédétermination génétique de la durée de la vie, qui programmerait la longévité non seulement des cellules individuelles mais encore des organes et de l'organisme tout entier. L'exposition de cette thèse évoque souvent l'image d'une « bande d'enregistrement génétique » qui, se mettant en marche à l'instant même de la conception, fait dérouler un programme séquentiel qui fixe d'avance non seulement l'heure de la mort (à tout le moins dans le sens métaphorique), mais même l'heure à laquelle les notes mortelles commencent à résonner. Portée concrètement à sa conclusion extrême, cette théorie signifierait par exemple que le jour ou la semaine de la première division de la cellule d'un cancer ont déjà été déterminés au moment où ce même événement se produit dans l'ovule nouvellement fertilisé.

Le mot *environnement,* tel que l'utilisent les tenants de la théorie de l'usure, se réfère tantôt à l'environnement de notre planète, tantôt à celui qui se trouve à l'intérieur et autour de la cellule. Il se peut certes que des facteurs comme l'irradiation générale (d'origine solaire ainsi qu'industrielle), les polluants, les microbes et les toxines que contient l'atmosphère finissent par avoir des effets qui modifient la nature de l'information génétique transmises par les cellules à leurs rejetons. Il est également possible que l'environnement ne joue aucun rôle, la mauvaise information découlant éventuellement d'erreurs fortuites de transmission. Mais, dans un cas comme dans l'autre, les modifications accumulées de l'ADN pourraient occasionner des erreurs de fonctionnement de la cellule qui provoquent à la fin sa mort et les changements apparents de tout l'organisme qui revêtent la forme du vieillissement. D'aucuns désignent ce franc processus de mort cellulaire sous le nom de « catastrophe d'erreurs ».

Certains des dangers environnementaux ont leur origine dans les tissus et la cellule. J'ai déjà décrit le bombardement constant qui transforme la nature fondamentale des molécules, mais il existe aussi d'autres mécanismes. Pour garder une santé resplendissante, une cellule doit réussir à décomposer les produits toxiques de son propre métabolisme. Que ce processus vienne un tant soit peu à défaillir et les sous-produits nocifs risquent de s'accumuler et de porter atteinte non seulement à la fonction en question mais à l'ADN lui-même ; l'insinuation d'erreurs dans l'ADN, qu'on l'attribue à l'environnement, à des erreurs fortuites de transmission ou à la présence de produits toxiques du métabolisme, est souvent considérée comme l'un des facteurs essentiels du vieillissement.

S'il ne faut pas prendre trop au sérieux les prophéties catastrophistes des auteurs *New Age,* certaines de leurs bêtes noires tels que les aldéhydes ou les radicaux libres d'oxygène méritent indiscutablement plus ample examen, puisque ces derniers peuvent contribuer à la détérioration et au vieillissement du protoplasme s'ils ne sont pas dégradés en substances moins dangereuses. Un radical libre est une molécule ayant sur sa couche externe un nombre impair d'électrons. Étant donné qu'il ne peut atteindre la stabilité qu'en acquérant un électron supplémentaire ou en se débarrassant de son électron célibataire, il se montre fortement réactif. Selon le point de vue adopté, cette caractéristique fait du radical libre soit le grand coupable, soit le héros de nombreuses théories biologiques consacrées aux domaines les plus divers, depuis les origines mêmes de la vie sur terre jusqu'aux mécanismes du vieillissement. C'est ainsi que certains de nos défenseurs les plus acharnés de la cause de la prolongation de la vie sont convaincus qu'un apport supplémentaire en carotène bêta ou en vitamines E ou C à l'organisme mettra les tissus à l'abri de l'effet oxydant des radicaux libres. Las ! aucune étude rigoureuse ne vient jusqu'ici étayer cette hypothèse.

L'autre des deux principales théories du vieillissement postule que des facteurs génétiques prédéterminent l'ensemble du processus en question. De l'avis de ses partisans, il existe dans chaque entité vivante un programme génétique qui a pour fonction d'arrêter les processus physiologiques de la vie normale et, finalement, de la vie tout court. Chez les êtres humains, cette programmation – ou, en tout cas, ses traits les plus marquants – varierait d'un individu à l'autre. D'où les différents phénomènes observés : baisse des défenses immunitaires, peau ridée, développement de tumeurs malignes, apparition d'une démence, perte de l'élasticité des artères et de nombreuses autres manifestations de la sénescence.

Cette explication génétique reçut, voici une trentaine d'années, un puissant coup de fouet lorsque le docteur Leonard Hayflick montra que, au bout d'un certain temps, des cellules humaines d'une culture de laboratoire commencent à se diviser de moins en moins et finissent par mourir. Le nombre maximal de divisions se révéla limité pour toute cellule, soit une cinquantaine. Les recherches furent menées sur un type de cellule universel, appelée fibroblaste, qui constitue la charpente structurelle de tous les tissus du corps ; les résultats valent également pour les autres cellules. La capacité apparemment illimitée d'une cellule cancéreuse à se reproduire échappe, il est vrai, à la belle finitude de l'existence normale.

Des études comme celle de Hayflick aident à comprendre pourquoi d'une part chaque espèce manifeste une espérance de vie qui lui est propre et d'autre part pourquoi l'espérance de vie des individus qui en font partie est le plus souvent proche de celle de leurs parents : la meilleure garantie de longévité réside, bien évidemment, dans le bon choix de son père et de sa mère.

Une pléthore de facteurs précis de vieillissement ont ainsi obtenu droit de cité dans le monde de la science et, selon mon intuition, ils ont à peu près tous une certaine validité. Autrement dit, le vieillissement découle vraisemblablement d'une conjonction de l'ensemble de ces facteurs, dont l'importance de chacun varie selon l'individu. Certains, tels que les changements qui se produisent dans les molécules et les organites, se retrouvent dans tout être vivant. Les modifications que l'on observe dans les cellules, les tissus ou les organes peuvent, elles, être propres à une seule espèce, tout comme celles qui concernent une plante ou un animal dans sa totalité. Il y a, comme l'a exprimé Leonard Hayflick, « tout lieu de croire que ces attributs de l'instabilité biologique communément désignés comme des changements dus au vieillissement ont en fait une multiplicité de causes ».

Nous avons déjà évoqué certains des phénomènes biologiques concernés : le programme génétique lui-même, la production de radicaux libres, l'instabilité des molécules, l'arrêt de la vie des cellules, l'accumulation d'erreurs génétiques et métaboliques. Mais d'autres éléments ont aussi trouvé dans les milieux scientifiques de vigoureux champions. A titre d'exemple, certains chercheurs, loin de considérer la lipofuchsine comme un simple produit mou de la décomposition intercellulaire qui décolorerait de façon anodine des organes vieillissants, estiment mortelle son accumulation. D'autres portent leur attention sur des modifications hormonales pour lesquelles le système nerveux sert de médiateur : selon leur théorie, l'un des changements les plus fondamentaux que subit le système immunitaire est la diminution de sa capacité à reconnaître les tissus de l'organisme dont il fait partie. C'est ainsi que les maladies dégénératives qui frappent les personnes âgées s'expliqueraient par un rejet, de la part du corps, des tissus mêmes dont il est constitué.

Il existe encore une théorie selon laquelle il y aurait des liaisons croisées des molécules du tissu structurel, le collagène. L'agrégation de ces liens entraverait donc le flux de substances nutritives et de déchets tout en réduisant la place nécessaire au déroulement de processus vitaux. Parmi les multiples effets de ces liaisons intermoléculaires, on compterait l'endommagement éventuel de l'ADN, qui provoque à son tour des mutations ou la mort des cellules. Citons d'autre part une théorie récente selon laquelle les systèmes physiologiques et peut-être également les transformations anatomiques qui s'y associent parfois deviennent moins complexes avec l'âge et, de ce fait, moins efficaces ; cette perte de complexité découlerait éventuellement d'autres processus plus fondamentaux, dont ceux déjà décrits.

Par ailleurs, on constate ces derniers temps un intérêt croissant pour un phénomène très répandu parmi les espèces et qui ressemble à une forme de programmation de la mort des cellules. Celui-ci, qui a reçu le nom d'*apoptose* (du mot grec qui signifie « tomber de quelque chose »), débute par l'activité d'une protéine qui s'appelle le gène *myc* et qui déclenche une série puissante de réactions génétiques sous certaines conditions anormales. Par exemple, lorsque, dans une culture de laboratoire, on prive de substances nutritives certaines cellules, le gène *myc* entraîne un processus par lequel la cellule subit une sorte d'implosion qui la détruit en l'espace de vingt-cinq minutes environ : elle « sort » littéralement de la vie. Cette mort programmée a une grande importance pour la maturation de l'organisme dans la mesure où elle permet de remplacer des cellules qui ne sont plus utiles au processus de développement par celles qui appartiennent au stade suivant. On a également découvert, chez des individus en pleine maturité, des cas d'apoptose attribuables à des événements survenus dans l'environnement des cellules concernées.

Puisqu'il s'agit d'une situation où l'on peut attribuer la mort des cellules directement à une cause génétique, la tentation est grande de se demander si la protéine *myc* ou un élément chimique apparenté pourrait fonctionner comme « gène de la mort ». En effet, une mort de ce type peut remonter à une variété de facteurs environnementaux et physiologiques, si bien qu'elle suggère la possibilité d'établir une concordance entre les différentes théories évoquées dans les paragraphes précédents. Cette piste de recherche paraît d'autant plus prometteuse que l'on a mis au jour l'existence d'un lien entre la protéine *myc* et une autre structure désignée sous le nom de protéine *max*. Au moment de leur liaison, la cellule reçoit, d'une façon que l'on cerne encore mal, l'ordre soit de mûrir, soit de se diviser, soit de s'autodétruire par apoptose. Suivant la manière dont il s'exprime, le gène *myc* joue donc un rôle fondamental et incontestable dans le développement, la régulation de la croissance et, finalement, une sorte de mort programmée. A l'heure actuelle, ces découvertes ont de toute évidence des conséquences incalculables pour la compréhension de processus normaux ainsi que pathologiques, dont notamment le cancer.

Les partisans du compromis au sein de la communauté des chercheurs s'appliquent pour leur part à débroussailler encore d'autres chemins susceptibles d'éclairer d'une lumière nouvelle des positions en apparence hétéroclites. Exemple : les transformations immunitaires qui accompagnent la sénescence seraient peut-être dues à des influences hormonales déterminées à leur tour par des événements neurologiques d'origine génétique... à moins que ce ne soit l'inverse. On le voit : il ne manque ni théories, ni adeptes, ni points de convergence entre les concepts. Mais ce qui ressort de toute la masse de données expérimentales et des spéculations qu'elles font naître, c'est le caractère inéluctable du vieillissement et, donc, la finitude de la vie.

Et que dire de ces énumérations, financées du reste par les deniers publics, de pathologies dûment nommées dont les personnes âgées sont censées mourir ? Dans chacune des catégories de ces maladies mortelles, on découvre pour l'essentiel les suspects habituels. En effet, parmi les quelques centaines d'affections connues et les caractéristiques qui y prédisposent, sept maladies seulement emportent environ 85 % de la population âgée : l'athérosclérose, l'hypertension, le diabète débutant à l'âge adulte, l'obésité, les états de pathologie mentale comme la maladie d'Alzheimer ainsi que les autres formes de démence, le cancer et la perte de résistance aux infections. Beaucoup des victimes auront d'ailleurs été atteintes de plusieurs d'entre elles. Pis, le personnel du service de réanimation de tout grand hôpital peut confirmer que bon nombre de ceux qui n'ont plus d'espoir de guérison manifestent des symptômes des sept maladies à la fois. Celles-ci constituent en quelque sorte le détachement qui traque et qui abat ceux qui atteignent le troisième âge ; ce sont, pour les vieillards, les cavaliers de la mort.

L'autopsie semble moins prisée actuellement qu'il y a quelques dizaines d'années. Compte tenu de la précision méticuleuse des diagnostics qui se font de nos jours avant la mort, elle a fini par représenter, aux yeux de nombreux praticiens, un simple exercice superflu et quasi scolaire d'anatomopathologie. Il est vrai que l'on compte beaucoup moins de morts par erreur diagnostique qu'à des époques antérieures ; l'immense majorité des victimes succombent aujourd'hui du fait de l'incapacité de la médecine à modifier le cours d'une maladie bien identifiée. C'est ainsi que, dans les dix dernières années, le taux d'autopsies à l'hôpital où j'exerce a diminué pour se situer autour de 20 %, alors qu'autrefois il atteignait régulièrement au moins le double de ce chiffre. Pour le pays tout entier, le taux est à peu près de 13 %.

A l'âge d'or de l'autopsie, rares étaient les familles d'un patient décédé qui me refusaient l'autorisation d'en examiner le cadavre. Je ne m'évertue plus autant qu'à l'époque à l'obtenir mais, quand je le fais, je m'arrange toujours pour être présent au moment où l'anatomopathologiste révèle ses conclusions afin que je puisse les analyser à mon tour. Six années d'internat et trente années d'expérience professionnelle m'ont donc permis d'assister à un très grand nombre d'autopsies. De prime abord, l'état avancé d'athérosclérose ou d'atrophie que l'on découvre dans le corps d'un veillard semble banal, presque trop prévisible pour mériter que l'on s'y attarde quand il s'agit de localiser les différents endroits atteints par un cancer ou touchés par une infection. Au moment d'examiner de près les tissus et les organes, tant le chirurgien que le médecin pratiquant l'autopsie font souvent peu de cas du panorama bien connu du vieillissement qui se révèle au fur et à mesure des mouvements du bistouri. En prendre note serait aussi étrange que de fixer son attention sur les arbres nus du paysage hivernal que l'on traverse en automobile alors que l'on cherche surtout l'adresse d'une maison précise. C'est présent, voilà tout.

Et pourtant, lorsque, quelques semaines plus tard, le chirurgien – en l'occurrence, moi-même – trouve les résultats de l'autopsie dans sa boîte aux lettres, il est souvent étonné par l'état avancé de la détérioration biologique sur laquelle il avait travaillé peu de temps avant avec l'anatomopathologiste. L'analyse détaillée qu'a faite ce dernier signale rigoureusement tous les écarts par rapport à un état de santé normal. Quand je parcours le rapport, ils me reviennent tous en mémoire et prennent leur place à côté des indices principaux que nous avions recherchés avec tant de ténacité. C'est alors seulement que je commence à me rendre compte de tout le contexte dans lequel mon patient est mort.

Certaines conclusions d'autopsie n'ont rien à voir avec les circonstances de la mort. Il s'agit tout simplement des résultats du même processus de vieillissement dans lequel un ou deux types de pathologie ont pu se développer et emporter le patient. Mais, s'ils n'ont pas forcément contribué directement à la mort, ils n'en constituent pas moins la toile de fond sur laquelle elle s'est produite.

Je fis appel récemment au concours d'un confrère de l'hôpital de Yale-New Haven. Le professeur G. J. Walker Smith, directeur du service des autopsies, est un vétéran de cette salle marbrée dans laquelle les médecins des trépassés s'efforcent de répondre à la question posée, il y a plus de deux cents ans, par le fondateur de leur sombre spécialité, l'anatomiste padouan Giambattista Morgagni : *Ubi est morbus ?* « Où est la maladie ? » Dans les salles d'autopsie du monde entier, l'anatomo-pathologiste et le patient décédé assument de concert l'obligation affichée sur la plaque qui orne le mur : *Hic est locus ubi mors gaudet succurso vitae,* ou « Voici le lieu où la mort se réjouit de venir en aide à la vie ».

Cette salle est le domaine privilégié de Walker Smith, tout comme le bloc opératoire est le mien. Quand je lui exprimai mon souci de confirmer, par la consultation des rapports finals de plusieurs patients décédés à un âge avancé, les intuitions que j'avais de longue date, il réagit d'une manière qui dépassa mon attente puisqu'il s'intéressa lui aussi au problème, si bien que, peu de temps après, il y travaillait avec autant d'ardeur que moi. Il retrouva la fiche de vingt-trois patients examinés avant le déclin de la pratique de l'autopsie. Nous étudiâmes ensemble les conclusions concernant douze hommes et onze femmes âgés d'au moins quatre-vingt-quatre ans et dont la mort était intervenue au cours de la période allant de décembre 1970 à avril 1972. La moyenne d'âge était de quatre-vingt-huit ans, le plus vieux avait atteint quatre-vingt-quinze ans.

En dépit des variations observables de distribution de pathologies telles que l'athérosclérose ou la détérioration microscopique du système nerveux central, il se dégagea de l'ensemble des cas une constance dans les conclusions qui nous fit une impression saisissante.

Il semble que la façon précise dont meurt l'individu dépend de l'ordre dans lequel ses tissus sont entraînés dans le processus de dégradation. Le seul dénominateur commun des vingt-trois patients examinés, à tout le moins tel qu'il apparaît à travers la succession de mots qui caractérise la rédaction du rapport d'autopsie de l'anatomopathologiste, fut la perte de vitalité que provoquent l'inanition et l'asphyxie : à mesure que les artères se rétrécissent, la marge entre la vie et la mort se réduit aussi. Il y a moins de substances nutritives, moins d'oxygène, moins de ressort à la suite d'un coup dur. Tout rouille, tout s'encroûte jusqu'à l'extinction de la vie. Ce que l'on appelle communément une attaque fatale, un infarctus du myocarde ou une septicémie n'est qu'un choix exercé par des facteurs physiochimiques que l'on comprend encore mal et qui ont pour fonction de faire tomber le rideau sur une représentation plus proche de son dénouement que l'on n'imaginait, y compris chez une personne âgée qui semblait jusque-là respirer la santé.

L'octogénaire qui meurt d'un infarctus du myocarde n'est pas simplement un vieillard cardiaque éprouvé par les années ; il est victime d'une progression insidieuse qui touche la totalité de son être, progression qui a pour nom le vieillissement. L'infarctus n'en constitue qu'une manifestation possible qui, dans ce cas précis, a devancé les autres, celles-ci restant pourtant prêtes à tout moment à happer le patient si jamais un jeune médecin talentueux réussit à le sauver dans le service de réanimation. Du point de vue officiel, sept des décédés de Walker Smith avaient succombé à un infarctus du myocarde, quatre autres avaient subi une attaque cérébrale, huit étaient morts d'une infection, dont trois qui étaient partis en compagnie de sa vieille amie, la pneumonie, trois avaient souffert d'un cancer très avancé, bien que ce fût dans un cas une pneumonie et dans un autre une attaque qui avaient provoqué la mort. La découverte la plus frappante fut aussi la plus attendue : chez chacune des vingt-trois personnes, on avait trouvé des signes d'athéromatose avancée dans les vaisseaux du cœur ou du cerveau, et presque toujours dans les deux organes à la fois, même en l'absence de symptômes ayant motivé un traitement spécifique avant l'événement fatal. Enfin, dans tous les cas sans exception, l'un ou l'autre de ces moteurs vitaux était sur le point de « rendre l'âme ».

Autre conclusion qui ne nous surprit guère : la présence fréquente, dans d'autres organes de l'individu, de maladies identifiables qui n'avaient joué aucun rôle dans sa mort. Dans le rapport de l'anatomopathologiste, elles passent pour des affections « accessoires ». Ainsi, outre les trois patients emportés par le cancer, on en comptait encore trois qui s'étaient révélés avoir un cancer « accessoire » jusqu'alors insoupçonné, qui du poumon, qui de la prostate, qui du sein. Par ailleurs, deux femmes et un homme avaient un ballonnement de l'aorte ou d'un autre gros vaisseau abdominal qui s'appelle un anévrysme, produit d'une atteinte athérosclérotique ; onze des vingt cerveaux étudiés au microscope portaient des traces d'infarctus antérieurs, même si l'un d'eux seulement avait cliniquement subi des attaques ; on releva chez quatorze des personnes examinées de profondes lésions athérosclérotiques dans les artères des reins ; plusieurs d'entre elles souffraient d'une infection des voies urinaires ; enfin, une victime de cancer de l'estomac avait également une jambe gangrenée.

Les personnes âgées, c'est bien connu, meurent de maladies dont elles se seraient peut-être remises quelques années plus tôt, mais l'importance de ces maladies banales a tout de même de quoi étonner : l'un des patients pris en compte dans notre étude était mort d'une appendicite, deux avaient succombé à la suite d'une opération de la vésicule biliaire ou du canal cholédoque, un autre était mort des complications dues à un ulcère de l'estomac perforé et un autre encore d'une diverticulite. Il s'agit dans tous les cas d'une infection, cause de décès la plus courante après l'athérosclérose chez les sujets de plus de quatre-vingt-cinq ans. Deux autres patients examinés étaient morts d'une hémorragie, soit d'un ulcère du duodénum, soit à la suite d'une fracture du bassin. M'étant trouvé en pleine activité chirurgicale à l'époque où furent effectuées ces autopsies, je peux affirmer que, en toute probabilité, aucun des sept individus traités dans cet hôpital universitaire n'aurait succombé à sa maladie si elle l'avait frappé à cinquante ans.

Seuls deux des vingt-trois patients de Walker Smith avaient échappé à une atteinte importante des tissus du cerveau. L'un d'eux se montra en fait remarquablement résistant à l'athérosclérose en général ou, à tout le moins, à celle du cerveau et du cœur. On trouva dans les artères coronaires de cet homme de quatre-vingt-neuf ans un degré de calcification limité ; le patient avait subi « moins d'atrophie cérébrale que l'on pourrait attendre d'un cerveau de cet âge », comme l'exprima le rapport d'autopsie. Il en alla tout autrement de ses reins, qui, en plus d'être le siège d'une infection chronique (appelée pyélonéphrite) qui ensemençait constamment ses voies urinaires de bactéries microbiennes, présentaient une destruction de leurs minuscules ramifications artérielles et de leurs appareils de filtration ainsi qu'une cicatrisation prononcée. Toutefois, le patient avait succombé non pas à sa néphropathie chronique, mais à une affection maligne appelée myélome multiple, compliquée d'une pneumonie. C'est ainsi que, à l'instar de tous les autres hommes et femmes très âgés du groupe étudié, il fut emporté par plusieurs des sept cavaliers.

L'autre rescapé des ravages de la sénescence cérébrale était un ancien professeur de latin et administrateur de Yale âgé de quatre-vingt-sept ans. Apparemment en bonne santé et d'une grande vivacité (ne manifestant aucun signe clinique de troubles cardiaques), il s'était révélé lors de l'autopsie se trouver en fait à deux doigts d'un infarctus du myocarde dans lequel, curieusement, « une athérosclérose des artères coronaires avait une importance primordiale alors que les vaisseaux cérébraux ne jouaient qu'un rôle mineur ». Le rapport comparait les artères coronaires à des « tuyaux de pipe », dont l'un était entièrement bouché. Le cœur avait subi une décoloration brunâtre en raison de l'atrophie ; quant aux reins, on leur donnait bien leur âge. Par une froide nuit de décembre, une douleur abdominale subite et aiguë avait réveillé le vieux professeur. Le diagnostic de perforation d'ulcère de l'estomac, envisagé dans le service des urgences, reçut confirmation quatre jours plus tard, au moment de l'autopsie, après que le système immunitaire désormais fatigué du patient et son cœur à peine encore alimenté se furent montrés incapables de le protéger contre la péritonite qui se déclara. Ainsi donc, son cerveau relativement indemne ne lui avait été d'aucun secours lorsque sa vie fut attaquée sur d'autres fronts.

La leçon à tirer des vingt-trois cas étudiés ne représente en fait que la confirmation de celle que livre l'expérience quotidienne : qu'il s'agisse de l'anarchie d'un dérèglement biochimique ou du résultat direct de son contraire – un voyage génétique minutieusement préparé vers la mort –, on meurt de vieillesse parce que l'on est usé, miné, programmé pour s'effondrer. Les personnes très âgées ne succombent pas à la maladie ; elles entrent par implosion dans l'éternité.

Compte tenu du nombre réduit des chemins qui mènent un vieillard à la tombe ainsi que du chevauchement fréquent des pavés qui les revêtent, on est fondé à se demander pourquoi une maladie, dès lors qu'elle se développe, entraîne si souvent les autres dans son sillage. Serait-ce que toutes ces pathologies ont une cause unique qui devient de plus en plus active avec l'âge ? Cette hypothèse figure évidemment dans les différentes théories du vieillissement. Selon l'une d'elles, par exemple, le processus de croissance correspond à une logique métabolique dictée par une région intérieure du cerveau qui s'appelle l'hypothalamus et qui a les moyens de régler l'activité hormonale. Ce mécanisme, déclenché au commencement même de la vie, permettrait au corps de s'adapter à son environnement extérieur. La progression de ces adaptations conduirait nécessairement, comme dans l'exécution d'un programme, au développement, à la maturité, puis au vieillissement. Si cette thèse neuro-endocrinologique s'avérait d'une quelconque validité, il faudrait voir dans les maladies qui frappent les personnes âgées la rançon que doit payer l'organisme pour sa capacité, toute une vie durant, à bien fonctionner dans le monde qui l'entoure et à supporter les changements que subissent ses propres tissus.

Le processus tout entier se déroule comme l'application d'un schéma directeur, d'une grande stratégie qui préside au développement de l'organisme, depuis le stade embryonnaire jusqu'à l'instant de la mort ou, du moins, jusqu'à la phase d'anarchie qui la précède. Sur ce point, les théoriciens physiologistes rejoignent tout à fait les cliniciens thérapeutes qui accompagnent les personnes jusqu'à la mort en soulignant la valeur de la maxime : vie et mort sont inséparables.

Pareilles conceptions font écho, quoique sur un ton moins sombre, à quelques phrases de l'annexe du livre de Thomas Browne déjà cité. Dans un ouvrage intitulé *Merchant and Friar,* Sir A. Palgrave, historien du siècle dernier, écrivait : « Simultanément à la toute première pulsation, lorsque les fibres palpitent et que les organes acquièrent vitalité, se développe le germe de la mort. Avant même que les membres prennent forme, la tombe étroite dans laquelle ils seront enterrés est creusée. » On commence à mourir dès que la vie commence.

Nous avons là des éléments qui donnent lieu à des spéculations d'une importance incalculable pour les décisions que doit prendre l'individu en ce qui concerne sa vie. Quand un vieillard se voit proposer l'option d'un traitement palliatif d'un cancer, alors qu'il est prêt à subir l'épreuve de la chimiothérapie ou d'une chirurgie radicale, comment doit-il répondre ? S'agira-t-il de souffrir tout au long du traitement, puis de mourir néanmoins, un an plus tard, d'une athérosclérose cérébrale qui ne désarme pas ? Après tout, celle-ci traduit très probablement le même processus qui avait diminué son immunité au point de laisser se développer le cancer qui cherche à le tuer. D'un autre côté, puisque les différentes manifestations du vieillissement n'avancent pas forcément au même rythme, il peut s'écouler plus de temps qu'il n'imagine avant que se produise l'attaque redoutée. On ne peut évaluer de telles éventualités qu'au vu de l'état général du patient, dont notamment son degré d'hypertension et son état cardiaque. Voilà des considérations qui doivent avoir leur place dans toute décision clinique à l'égard d'une personne âgée, et les médecins avertis s'en sont depuis toujours servis avec discernement. Les patients avertis devraient en faire de même.

Résultat de l'usure et de l'épuisement des ressources ou génétiquement programmée, toute vie connaît une durée limitée et toute espèce a sa propre longévité. Pour l'homme, elle semblerait se situer entre cent et cent dix ans. Même si l'on pouvait prévenir ou guérir toutes les maladies qui emportent l'individu avant que ne le fassent les ravages de la sénescence, personne ou presque ne vivrait beaucoup au-delà de cette limite d'un siècle. Le psalmiste chante certes « le temps de nos années, quelque soixante-dix ans », mais on oublie apparemment qu'Isaïe était meilleur prophète ou, en tout cas, meilleur observateur puisqu'il proclamait à qui voulait l'entendre que « le plus jeune mourra à cent ans ». Ici, il parle de la Nouvelle Jérusalem, supposée libre de toute mortalité infantile et de toute maladie : « Là, plus de nouveau-né qui ne vive que quelques jours, ni de vieillard qui n'accomplisse son temps... » Si l'on prenait à cœur l'avertissement d'Isaïe, évitant tout comportement à la James McCarty, résolvant les problèmes de la misère et aimant son prochain, pourrait-on réaliser la prophétie du prophète ? La science médicale et l'amélioration des conditions de vie ont déjà certainement fait avancer l'humanité sur ce chemin. En moins de cent ans, la société occidentale a plus que doublé l'espérance de vie du nouveau-né ; le visage de la mort a radicalement changé. Dans l'évolution démographique moderne, l'immense majorité des personnes atteignent désormais la première décennie au moins de la vieillesse et elles sont vouées à mourir de l'un de ses fléaux.

En effet, si la science biomédicale a énormément augmenté l'espérance de vie *moyenne,* on constate néanmoins que le *maximum* n'a pas bougé tout au long de l'histoire connue. Dans les pays développés, seule une personne sur dix mille vit au-delà de cent ans. A chaque fois que l'on a pu soumettre à un examen critique les affirmations de populations qui semblent battre tous les records, elles n'y ont pas résisté. L'âge le plus élevé que l'on ait pu jusqu'ici confirmer de façon sérieuse est de cent quatorze ans. Fait intéressant, ce chiffre nous vient du Japon, pays dont les habitants vivent plus longtemps que ceux de tout autre pays, l'espérance de vie moyenne se situant à 82,5 ans pour les femmes et 76,2 ans pour les hommes. Les chiffres comparables pour les Américains blancs sont respectivement de 78,6 et de 71,6. Même le yaourt fait maison du Caucase ne parvient pas à vaincre la nature !

Bien d'autres éléments viennent d'ailleurs étayer la thèse d'une durée de vie propre à chaque espèce. Parmi les plus évidents, citons la grande variabilité de l'âge maximal que peuvent atteindre des groupes d'animaux différents, facteur qui cohabite avec la forte spécificité de la longévité de chaque espèce considérée. Autre fait biologique qui donne à réfléchir : le nombre moyen d'êtres engendrés pour toute espèce animale se révèle inversement proportionnel à la durée de vie maximale de celle-ci. Un animal comme l'homme, qui nécessite non seulement un temps de gestation considérable mais aussi une période exceptionnellement longue avant que ses petits acquièrent leur indépendance biologique, a besoin d'une durée de vie reproductive prolongée pour assurer la survie de l'espèce, et c'est exactement ce que nous avons reçu. L'homme est le mammifère qui vit le plus longtemps.

Mais, étant donné que les processus du vieillissement se montrent, dans des limites assez circonscrites, réfractaires à la plupart des tentatives de l'individu pour modifier ses habitudes, comment se fait-il que l'on s'obstine dans des efforts jusqu'ici infructueux pour vivre au-delà du possible ? Pourquoi l'être humain n'arrive-t-il pas à se résigner aux impératifs immuables de la nature ? Ces dernières décennies ont certes vu le souci du corps et de la longévité atteindre une intensité inconnue des générations précédentes, mais il ne faut pas oublier que la même aspiration a de tout temps motivé au moins certains membres des sociétés ayant laissé des traces écrites de leur existence. Déjà à l'époque de l'Egypte ancienne, on le sait, les aînés cherchaient à prolonger leur vie : le papyrus d'Ebers, vieux de plus de 3 500 ans, contient une recette pour ramener un vieillard à la jeunesse.

Au dix-septième siècle, alors même que la science posait les jalons d'une médecine de type nouveau, Hermann Boerhaave, le médecin le plus illustre de l'époque, conseilla à un vieux patient de se coucher entre deux jeunes vierges afin de retrouver sa santé, comme avait déjà essayé de le faire le roi David, avec le succès que l'on sait. L'histoire nous a donné d'abord la période pastorale du lait maternel, puis la pseudo-science des glandes de singe, moyen supposé revigorer un organisme en perte de vitesse, pour nous faire enfin entrer dans l'époque contemporaine, celle que l'on pourrait appeler l'ère des vitamines, tant C que E. Or, pour l'heure, nul n'a réussi à obtenir un sursis. Récemment, des chercheurs ont vanté les mérites de l'hormone de croissance, capable, selon eux, d'augmenter la masse maigre du corps et la densité osseuse, d'où, selon certains, la promesse du rajeunissement. D'autres voix se font entendre pour proposer la prétendue thérapie génétique comme solution-miracle qui rajouterait des décennies à la durée de vie maximale grâce à un savant bricolage de l'ADN. Des scientifiques sensés s'efforcent de convaincre les partisans enthousiastes de cette voie qu'il n'en est tout simplement pas ainsi, qu'il ne devrait même pas l'être : en vain. La leçon n'a toujours pas été apprise : il existera toujours des individus qui s'entêtent à chercher la fontaine de Jouvence ou, à défaut, à retarder l'exécution du jugement irrévocable.

Il y a dans tout cela une grande vanité ; elle avilit les hommes ou, du moins, ne les honore point. Loin d'être irremplaçables, ceux-ci doivent être remplacés. Car les fantasmes qui consistent à retenir la main de la mort sont incompatibles avec les véritables intérêts du genre humain et la poursuite de son progrès. Plus directement, ils sont incompatibles avec les intérêts de nos propres enfants. Tennyson l'a exprimé on ne peut plus clairement : « Les vieux doivent mourir, ou le monde moisirait et ne ferait que reproduire le passé. »

Ce sont les yeux de la jeunesse qui peuvent porter sur toutes choses un regard nouveau, les redécouvrir avec l'avantage de la connaissance de ce qui a précédé ; seuls les jeunes ne sont pas embourbés dans les façons traditionnelles de relever les défis de ce monde imparfait. Chaque nouvelle génération aspire à faire ses preuves et ainsi à écrire un glorieux chapitre dans l'histoire de l'humanité. Pour les êtres vivants, mourir, quitter la scène, relève de l'inévitable ; la vieillesse est une préparation pour le départ, le moyen de le faciliter, de l'adoucir, de le rendre plus acceptable, non seulement pour les vieux eux-mêmes, mais pour ceux aux soins desquels ils laissent le monde.

Ce n'est pas mon propos dans ces pages d'écarter d'un revers de la main l'idée d'une vieillesse active et satisfaisante, ni de préconiser que les personnes âgées se résignent sans mot dire à cette nuit enveloppante qu'est la sénilité précoce. En effet, l'exercice vigoureux du corps et de l'esprit permet, jusqu'au jour où cela devient impossible, d'intensifier chaque instant de la vie et d'éviter cette séparation qui rend trop de vieillards plus vieux qu'ils ne sont. Ce contre quoi je m'insurge est simplement la vanité des tentatives pour fuir des réalités tout aussi inéluctables qu'inséparables de la condition humaine. Obstination qui ne peut que briser le cœur de l'individu et de ceux qu'il aime, sans parler de grever les réserves économiques de la société, qui seraient mieux dépensées pour le soin de ceux qui n'ont pas encore vécu leur temps.

Dès lors que l'on admet que la vie a des limites bien définies, on y découvre une certaine symétrie. Il s'agit d'un cadre du vivant dans lequel s'inscrivent plaisirs, réussites... et douleurs. Ceux qui tiennent à se préserver au-delà de la durée accordée par la nature quittent ce cadre et, de ce fait, perdent le sens de la relation qu'ils entretiennent avec les êtres plus jeunes qu'eux : ils ne récoltent ainsi que l'agacement et l'animosité de ces derniers en leur enlevant ressources et perspectives professionnelles. Que l'on ne dispose que d'un temps précis et circonscrit pour faire ce qu'il y a de plus enrichissant dans la vie, voilà qui rend urgente l'action. Autrement, on risque de stagner dans l'ajournement. Le fait même que, derrière soi, « on entend toujours se rapprocher à vive allure le char ailé du temps », comme le rappelle le poète à sa maîtresse qui fait la coquette, donne de l'éclat au monde et rend le temps précieux.

Montaigne, initiateur au seizième siècle de l'essai littéraire, portait sur l'humanité et ses aveuglements un regard dur, sceptique, impitoyable. Au cours de ses cinquante-neuf années d'existence, il réfléchit beaucoup à la mort, sur laquelle il écrivit qu'il fallait en accepter toutes les formes comme étant également naturelles : « Votre mort est une des pièces de l'ordre de l'univers ; c'est une pièce de la vie du monde... C'est la condition de votre création... » Et, dans le même essai intitulé « Que philosopher c'est apprendre à mourir », il dit : « Faites la place aux autres comme d'autres vous l'ont faite. »

Montaigne estimait, à cette époque instable et violente, que la mort est plus facile pour ceux qui, pendant leur vie, y ont le plus réfléchi, et qui, en quelque sorte, attendent à tout moment son imminence. C'est uniquement de cette façon, affirmait-il, que l'on peut mourir résigné et réconcilié, « patiemment et tranquillement », ayant vécu d'autant plus pleinement que l'on a en permanence conscience de la possibilité que la vie se termine.

De cette philosophie naquit le conseil que voici : « L'utilité du vivre n'est pas dans l'espace [du temps], elle est dans l'usage : tel a vécu longtemps qui a peu vécu... »

5

LA MALADIE D'ALZHEIMER

On peut considérer toute maladie ou presque sous l'angle de la cause et de l'effet. Les symptômes que présente le patient au médecin et les résultats physiologiques que donnent les examens traduisent directement soit des modifications pathologiques bien précises qui touchent des cellules, des tissus ou des organes, soit le dérèglement de processus biochimiques. Dès lors que l'on a identifié ces changements intervenus en profondeur, on peut démontrer en quoi ils ont conduit inévitablement aux manifestations cliniquement observées. C'est l'objet de tout effort diagnostique que de trouver une cause à partir des indices qui en sont les effets.

Considérons quelques exemples : l'obstruction par athérosclérose d'une artère qui alimente une partie du muscle cardiaque provoque une angine de poitrine ou un infarctus ainsi que les symptômes qui accompagnent ces affections ; une tumeur qui produit une hypersécrétion d'insuline réduit sévèrement le niveau de glucose dans le sang, ce qui entrave l'alimentation du cerveau et aboutit au coma ; un virus qui attaque les cellules motrices de la moelle épinière finit par paralyser le muscle auquel ces dernières transmettent des messages ; une boucle d'intestin s'enroule autour d'une petite saillie de tissu cicatriciel

interne, suite d'une opération, si bien que l'obstruction intestinale qui en résulte provoque une distension abdominale, des
vomissements, une déshydratation avec des déséquilibres chimiques dans le sang qui peuvent à leur tour conduire à une arythmie cardiaque ; une appendicite emplit de pus la cavité abdominale et la péritonite qui en est la conséquence inonde le
système sanguin de bactéries qui entraînent fièvre, septicémie et
choc. On l'aura compris, la liste est sans fin et constitue la substance des livres qui garnissent la bibliothèque de toute faculté
de médecine.

Le patient qui s'adresse au praticien manifeste un ou plusieurs
symptômes – angine de poitrine, coma, paralysie des jambes,
vomissements persistants et gonflement abdominal, fièvre
accompagnée de douleurs abdominales – et voilà que le détec-
tive lance son enquête. C'est à la série d'événements ayant produit les symptômes observables ou tout autre signe cliniquement
identifié que l'on se réfère lorsqu'on emploie le terme de *physiopathologie.*

Il s'agit de la clé de la maladie. Pour le médecin, ce mot a
des connotations à la fois philosophiques et poétiques, ce qui
n'a rien d'étonnant puisque le sens de l'une de ses racines
grecques, *physiologia,* se rapporte à l'un et à l'autre domaine :
« étude de la nature des choses ». Quand on y accole la notion
de *pathos* – « souffrance » –, on obtient un terme qui résume
assez littéralement l'essence même de la quête du médecin, celle
d'étudier la nature de la souffrance et de la maladie.

Tâche qui consiste à mettre au jour l'origine de la maladie
concernée en remontant la chaîne causale jusqu'au coupable
effectif, qu'il soit microbien ou hormonal, chimique ou mécanique, génétique ou environnemental, malin ou bénin, congéni-
tal ou fraîchement acquis. Pour mener l'enquête, on suit les
pistes ouvertes par les dégâts décelables dans l'organisme. De
cette manière, on arrive à reconstruire le délit et, ensuite, à élaborer un plan de traitement qui libère le patient de l'influence
du fauteur de troubles.

On peut donc affirmer que, dans un certain sens, tout médecin est physiopathologiste, enquêteur qui recherche l'origine des
symptômes afin d'identifier la maladie. Son enquête accomplie,

il peut choisir la thérapeutique idoine. Qu'il s'agisse d'enlever la lésion pathologique, de la détruire par chimiothérapie ou radiothérapie, de la neutraliser à l'aide d'antidotes, de renforcer les organes qu'elle attaque, de tuer les microbes qui la produisent ou simplement d'en freiner la progression en attendant que les défenses du corps parviennent à la vaincre, il faut absolument arrêter un plan d'action, seul moyen de donner au malade une chance de guérison. Le médecin qui se lance dans un combat dont l'enjeu est la survie du patient doit choisir ses armes dans l'arsenal que sont ses connaissances en matière de cause et d'effet.

Grâce aux recherches biomédicales effectuées depuis un siècle, on connaît désormais la physiopathologie de l'immense majorité des maladies ou, à tout le moins, suffisamment bien pour pouvoir appliquer des traitements efficaces. Toutefois, il en reste certaines pour lesquelles on cerne encore mal le rapport de cause à effet ; parmi elles, on dénombre justement quelques-uns des pires fléaux de notre époque. Celle que l'on désigne à l'heure actuelle sous le nom de démence sénile de type Alzheimer non seulement fait partie de cette catégorie, mais, circonstance aggravante, sa cause première demeure mystérieuse pour les chercheurs, et ce alors que son identification remonte à 1907.

La pathologie fondamentale de la maladie d'Alzheimer consiste en la dégénérescence et la perte progressives d'une vaste quantité de cellules nerveuses situées dans les parties du cerveau qui assurent les fonctions mentales dites supérieures telles que la mémoire, l'apprentissage ou le jugement. La gravité et la nature précise de la démence du patient varient en fonction du nombre et de la position des cellules affectées. La réduction de la population des cellules suffit déjà à expliquer les troubles de mémoire et d'autres désordres cognitifs, mais il existe un facteur supplémentaire qui semble aussi jouer un rôle, à savoir l'augmentation sensible de l'acétylcholine, corps chimique dont se servent ces cellules pour transmettre des messages.

Voilà donc l'essentiel de nos connaissances sur la maladie d'Alzheimer, mais c'est trop peu pour permettre d'établir un lien direct entre les résultats des analyses structurelles et chimiques d'une part et les symptômes précis que l'on observe à un moment déterminé chez le patient d'autre part. Bien des détails de la physiopathologie de la maladie résistent même aux efforts les plus acharnés de la science médicale pour les définir. L'enchaînement clair des causes, des effets et des traitements dont il a été question dans les paragraphes précédents ne vaut malheureusement pas pour l'état actuel des connaissances (ou plutôt le manque de connaissances) concernant cette maladie. Tant en matière de remèdes qu'au sujet des causes possibles, l'ignorance règne.

Il sera donc impossible, dans la description de la glissade fatale sur la pente de la maladie d'Alzheimer, de s'arrêter périodiquement afin de mettre en évidence le rapport entre tel symptôme et tel stade de la physiopathologie dont il témoigne. En effet, des digressions de ce type laisseraient le lecteur sur sa faim et ne feraient finalement qu'augmenter sa confusion. Mais cela ne signifie pas pour autant qu'il n'y aurait rien de pertinent à dire sur le sujet, au contraire. Car on est bien en mesure de détailler les changements pathologiques fondamentaux qui se produisent dans le cerveau et de parler de certains des champs de recherche à partir desquels on essaie de les élucider ; d'utiliser le lent développement historique des connaissances en la matière de façon à rendre compréhensibles de nombreux aspects plutôt obscurs du fonctionnement déréglé du cerveau ; de raconter le calvaire affectif de la famille du malade ; enfin, on peut décrire ce que vit la victime, et la façon dont elle meurt.

« Tout s'est précipité à peine dix jours avant le cinquantième anniversaire de notre mariage. » C'est ainsi que Janet Whiting évoquait les six années de martyre au cours desquelles son mari descendit jusqu'au stade final de la maladie d'Alzheimer. Je connaissais Janet et son mari Phil depuis mon enfance. Vers la fin des années trente, lors de la première visite que leur rendit ma famille, ils formaient un beau couple de nouveaux mariés, lui âgé de vingt-deux ans, elle de vingt. En comparaison avec mes parents, ternes immigrés qui avaient la quarantaine passée, les Whiting faisaient l'effet de deux vedettes du cinéma, d'un couple si proche encore de l'adolescence que l'on imaginait dif-

ficilement qu'ils puissent faire autre chose dans leur appartement nouvellement meublé que de jouer à la dînette.

Non pas que je mettais en doute la passion que Janet et Phil
éprouvaient l'un pour l'autre, tant elle sautait aux yeux ; ce que
je trouvais invraisemblable était que deux personnes dont la vie
commune semblait tellement joyeuse puissent effectivement être
mariées. J'avais l'intime conviction qu'ils ne s'y étaient engagés qu'à titre d'essai, puisque des années d'observation
m'avaient appris que les couples mariés ne se comportaient pas
de cette façon. Et j'en conclus que, si les Whiting tenaient vraiment à réussir leur mariage, ils n'auraient pas d'autre recours
que d'arrêter de jouer les amoureux fous.

Or, dans une large mesure, ils ne devaient jamais arrêter. Leur
mariage garda toujours la marque d'une douce attention réciproque que j'appréciais de plus en plus à mesure que j'appro-
chais de l'âge où l'on commence à comprendre ce qui se passe
entre un homme et une femme. Même les démonstrations
ouvertes et spontanées d'affection ne disparurent pas. Au fil des
ans, Phil prospéra comme agent immobilier et à l'appartement
du Bronx succéda une magnifique maison à Westport, dans le
Connecticut, où le couple éleva ses trois enfants. Une fois que
ces derniers furent grands, Janet et Phil s'installèrent dans un
appartement luxueux. Lorsque Phil cessa de travailler à temps
complet à l'âge de soixante-quatre ans, ses enfants volaient déjà
depuis longtemps de leurs propres ailes, l'argent ne manquait
pas et l'avenir paraissait assuré.

Après une bonne vingtaine d'années pendant lesquelles j'avais
perdu les Whiting de vue, nos chemins se croisèrent de nouveau
en 1978, époque où ils vivaient dans leur appartement, qui se
trouvait assez près de ma maison dans les environs de New
Haven. Toute soirée passée en compagnie de ces deux êtres chaleureux donnait l'occasion d'admirer la sérénité de leur relation
et le tendre respect qui colorait jusqu'aux mots les plus insi-
gnifiants qu'ils prononçaient l'un à l'égard de l'autre. Leur union
avait largement réalisé les promesses des tout premiers mois.
Quand Phil prit enfin sa retraite définitive et qu'ils optèrent pour
Delray Beach, en Floride, comme lieu de résidence, ma femme
et moi-même eûmes la sensation d'une séparation douloureuse,

tant leur amitié nous était chère. Ce que nous ignorions toutefois était que de petites bizarreries avaient déjà commencé à se manifester.

Même avant leur déménagement, cet homme à l'esprit vif qui avait depuis toujours dévoré des livres dans ses moments perdus avait arrêté complètement de lire. Ce n'est que rétrospectivement que ce changement parut étrange à Janet ; de longues années devaient s'écouler avant qu'elle comprenne pourquoi son mari commença à la pousser à prévoir ses activités de la journée de manière à éviter qu'il se retrouve un seul instant sans elle. « Je n'ai pas pris ma retraite pour être seul », se lamentait-il à chaque fois qu'elle s'apprêtait à se rendre en ville. Dans sa jeunesse, il avait rarement eu des moments de colère tandis que maintenant ceux-ci devenaient de plus en plus fréquents, au point de se convertir en véritables crises pendant les dernières années qu'ils avaient passées dans le Connecticut. De plus en plus, Phil semblait trouver régulièrement à redire à sa fille Nancy, qui, lors de ses visites à l'appartement des parents, finissait le plus souvent par fondre en larmes avant de repartir pour la gare. Puis, après l'installation du couple en Floride, des incidents inexplicables de confusion mentale se succédèrent à des intervalles sans cesse rapprochés, incidents auxquels Phil réagit avec incrédulité et rage, comme s'il fallait les reprocher à quelqu'un d'autre. Par exemple, il y eut plus d'une occasion où il se rendit à la mauvaise adresse pour sa coupe de cheveux habituelle ; il réprimanda le pauvre coiffeur pour n'avoir pas, prétendait-il, tenu compte du rendez-vous qu'il avait en fait pris ailleurs. Une autre fois, cet homme qui n'avait jamais de sa vie levé la main contre quiconque menaça de frapper un automobiliste interloqué qui, à la station service, avait eu le tort de vouloir prendre la pompe située juste à côté de celle qu'il utilisait.

Un signe apparut enfin qui indiquait clairement que l'on ne pouvait attribuer ces écarts de conduite aux petites manies auxquelles on s'attendrait chez un ancien cadre supérieur qui supportait mal l'inactivité de la retraite. Un soir, les Whiting invitèrent à dîner chez eux un couple qu'ils n'avaient pas vu depuis des années, Ruth et Henry Warner. Phil avait toujours reçu avec plaisir, fier comme il était de la table de sa femme et de ses propres connaissances en matière de vins. La bedaine qu'il avait prise dès sa jeunesse, loin de le gêner, contribuait, ainsi que son visage rond et souriant, à projeter un air de prospérité joyeuse qui semblait traduire une belle générosité intérieure. De caractère fort avenant, il savait créer cette atmosphère de bonhomie aimable qui émanait de lui. Chez lui ou chez quiconque, Phil faisait l'effet d'un aubergiste accueillant qui avait pour unique souci le bien-être de tous les convives.

Réputation qu'il ne devait pas démentir ce soir-là. Les plats cuisinés par Janet furent exquis, les vins choisis par Phil parfaits, la conversation devint alternativement intense et légère et la soirée tout entière baigna dans cette convivialité douillette si typique d'une visite chez les Whiting. Les Warner repartirent comme enveloppés dans la chaleur de cette ambiance qu'ils avaient si souvent connue par le passé.

Le lendemain matin, Phil avait tout oublié de la soirée. Il ne se rappelait même pas avoir vu les Warner et tous les efforts de Janet pour l'en convaincre furent peine perdue. « Voilà ce qui m'a fait vraiment peur », disait Janet, qui, jusque-là, avait cherché à expliquer rationnellement les modifications indiscutables du comportement de son mari. Et pourtant, alors même qu'ils avaient apparemment atteint ce matin-là le point de non-retour, elle essaya de minimiser la portée de cet incident, qui n'était que le plus récent d'une série bien inquiétante. « Je me suis dit, racontait-elle, que, après tout, il m'arrive aussi de temps en temps d'oublier quelque chose, et qu'il en parlerait peut-être par la suite. » Telle était son envie désespérée de détourner le regard de la lumière crue et terrible que projetaient ses propres soupçons chaque jour avec plus de force qu'elle faillit se persuader de la banalité de ce dernier signal d'alarme.

Mais, quelques semaines plus tard, les fragiles remparts psychologiques ainsi érigés cédèrent devant une démonstration incontestable qui les attaqua de front et que l'arsenal de justifications, désormais épuisé, dont disposait Janet ne pouvait plus repousser. Un jour, en rentrant à la maison après quelques heures d'absence, elle se trouva face à un Phil, outré, qui l'accusa d'avoir été chez son amant. Fait encore plus bouleversant que l'accusation en elle-même, il prétendait que son « rival » était son propre cousin Walter, mort pourtant depuis des années. « A cette époque, disait Janet, j'ignorais totalement ce qu'était la maladie d'Alzheimer ; en revanche, je savais que j'étais bien secouée. Phil était en train de subir quelque chose d'horrible que je n'arrivais plus à expliquer ; je ne pouvais plus fermer les yeux. »

Il n'empêche que, de peur sans doute de voir confirmer le pire, elle hésita encore à recourir à un médecin. Peut-être s'accrochait-elle à l'espoir ténu que Phil se trouvait tout simplement en proie à une sorte de crise affective ou que ses écarts de conduite ne s'aggraveraient pas et, éventuellement, disparaîtraient avec le temps, ce grand guérisseur. Les incidents n'étaient-ils pas brefs et vite oubliés ? Quelques instants après, Phil ne semblait-il pas n'avoir plus aucune connaissance de ses paroles et de ses actes ? Encore aujourd'hui, quand elle repense à cette période, Janet ne se souvient pas des innombrables petits mensonges qu'elle a dû se raconter afin de calmer l'angoisse qui, de jour en jour, montait en elle et pour retarder l'échéance du constat officiel d'une situation désespérée.

Mais, finalement, il lui devint impossible de continuer à refuser de penser à la désintégration intellectuelle de Phil. De plus en plus souvent, il se réveillait au milieu de la nuit et ordonnait à Janet de sortir de leur lit. Il lui criait : « Qu'est-ce que tu fais ici ? Depuis quand une sœur partage-t-elle le lit de son frère ? » Chaque fois, elle obtempérait patiemment et le laissait se débattre rageusement tandis qu'elle allait s'allonger sur le canapé du salon, où elle passait le reste de la nuit sans fermer l'œil. Phil mettait peu de temps à retomber dans un sommeil profond et tranquille, puis, lorsqu'il se levait le matin, il avait tout oublié de sa crise.

Le temps des atermoiements était révolu. Un jour, deux ans environ après le dîner avec les Warner, Janet eut recours à un subterfuge, dont elle ne se souvient plus aujourd'hui, pour persuader Phil de se rendre chez leur médecin, s'étant enfin convaincue elle-même de la nécessité de cette démarche. Le médecin, après avoir établi un dossier très détaillé et fait l'examen, s'enferma en tête à tête avec Janet et lui annonça le nom de la maladie dont Phil était atteint. Janet avait certes fini par connaître depuis un moment un certain nombre des caractéristiques de la maladie d'Alzheimer, mais même cette connaissance anticipée ne put diminuer ni le choc ni l'impression de catastrophe qu'elle eut en entendant cette désignation. Il fut décidé de ne pas en informer Phil. En effet, cette information n'aurait rien changé puisque ce dernier était désormais incapable de saisir de façon durable les conséquences de ce diagnostic ou de retenir les éléments d'une quelconque description. A peine quelques minutes après l'avoir écoutée, il se serait retrouvé aussi peu au courant de son état qu'auparavant.

Or, quelques mois plus tard, Janet finit néanmoins par le lui apprendre. A mesure que les crises se rapprochaient dans le temps et que les trous de mémoire se prolongeaient, elle avait de plus en plus de mal à contenir son impatience ; elle était alors submergée par des sentiments de culpabilité pour avoir cédé à la colère ou parlé sur un ton acerbe. Un jour, à la suite d'un échange particulièrement agaçant, elle dit avec brusquerie : « Mais tu ne vois pas ce qui ne va pas ? Tu ne sais pas que tu as la maladie d'Alzheimer ? » Elle me raconta au sujet de cette explosion : « Je me suis sentie horriblement mal dès que je l'ai dit. » Remords superflus : ce fut comme si elle avait fait une réflexion sur la météorologie. Phil n'avait pas davantage conscience de son sort qu'avant d'avoir entendu les mots de sa femme. De son point de vue, il n'était rien arrivé de fâcheux ces derniers temps ; il ne se souvenait même pas de ses propres pertes de mémoire. D'ailleurs, toute personne le connaissant superficiellement aurait sans doute eu, en le rencontrant par hasard, l'impression de le trouver en aussi bonne forme que d'habitude, et c'était exactement l'avis de Phil.

Janet agit comme l'auraient fait la plupart des gens dans cette situation déchirante. Elle décida de s'occuper elle-même de Phil aussi longtemps que possible et elle se mit à la recherche de livres qui lui permettraient de comprendre l'état d'esprit d'une victime de la maladie d'Alzheimer. Parmi les quelques bons ouvrages qu'elle trouva, le meilleur était celui qui portait le titre approprié de *The 36-Hour Day* (« La Journée de trente-six heures »). Elle y découvrit des explications qui confirmaient ce que le médecin lui avait dit quelques jours auparavant.

Exemples : « Habituellement, la maladie progresse lentement mais implacablement », ou : « Dans la plupart des cas, la maladie d'Alzheimer provoque la mort au bout de sept à dix ans environ, mais elle peut avancer plus rapidement (trois à quatre ans) ou plus lentement (jusqu'à quinze ans). » Et, pendant qu'elle se demandait si elle n'assistait peut-être pas tout simplement aux ravages de la sénilité ordinaire, Janet tomba sur cette phrase : « La démence n'est pas le résultat naturel du vieillissement. »

C'est ainsi que Janet prit rapidement conscience de se trouver face à une authentique maladie qui aboutirait, avec une certitude inexorable, à la détérioration et à la mort. *The 36-Hour Day* et d'autres ouvrages spécialisés la renseignèrent sur les transformations physiques et affectives auxquelles elle devait s'attendre chez Phil et lui donnèrent de précieuses indications quant à la manière de prendre soin non seulement de lui mais d'elle-même pendant les années d'épreuves douloureuses qui s'annonçaient. Mais, en fin de compte, Janet se dit : « Ce ne sont là que des paroles…, c'est ce qu'on a dans son cœur qui permet d'agir. » Car, en dépit de toutes ses lectures et des efforts qu'elle avait fournis pour se préparer à l'éventualité évoquée dans *The 36-Hour Day* – « Il arrive quelquefois que l'individu atteint d'une forme ou d'une autre de démence… se livre à des violences à l'égard des objets ou de ses proches… » –, elle n'aurait jamais pu prévoir les événements qui, un soir de mars 1987, lui ôta toute maîtrise de la situation après un an de soins dévoués. Il s'agit en fait du soir, « à peine dix jours avant le cinquantième anniversaire de notre mariage », où « tout s'est précipité ». Voici la description que Janet m'en fit cinq ans plus tard :

Il ne me connaissait plus, il me prenait pour un cambrioleur qui était en train de voler les affaires de Janet. Il a commencé à me bousculer et à me lancer différents objets à la tête. Il a cassé plusieurs de mes antiquités parce qu'il ne savait plus ce que c'était. Puis il a déclaré qu'il allait téléphoner à Nancy pour lui raconter ce qui se passait. Il l'a effectivement fait, et elle a tout de suite compris le problème. Elle lui a dit : « Tu n'as qu'à me passer cette femme. » Il m'a tendu le combiné en me disant : « Tenez, ma fille veut vous parler, elle va vous ordonner de partir ! » Nancy m'a dit alors : « Maman, va-t-en tout de suite … j'appelle la police. » Quand j'ai raccroché, Phil a saisi le téléphone pour téléphoner lui aussi au commissariat.

Par bêtise, je suis pourtant restée dans la maison, et il a commencé à me donner des coups. J'ai donc appelé la police à mon tour. Imagine comme j'étais gênée de voir débarquer trois véhicules de police différents ! Les policiers sont entrés et j'ai essayé de leur expliquer la situation, mais Phil leur a dit : « Ce n'est pas ma femme. Allez, venez, je vais vous montrer une photo de ma femme. » Sur ce, il a emmené l'un des agents dans notre chambre à coucher pour lui montrer notre photo de mariage. Bien évidemment, le policier, voyant la photo, a répondu : « Pourtant, la mariée ressemble parfaitement à votre femme qui se trouve ici. » Mais Phil a insisté : « Ah non, ce n'est pas elle ! »

Entre-temps, une voisine est entrée et il l'a reconnue. Quand elle a vu le tableau, elle lui a parlé avec douceur : « Phil, tu sais que je t'aime beaucoup et que je ne te mentirais pas. Cette femme est bien Janet ; retourne-toi et regarde-la. » C'est ce qu'il a fait : il s'est retourné et m'a regardée comme s'il me voyait pour la première fois. Il s'est exclamé : « Janet ! Heureusement que tu es là ! Il y a quelqu'un qui a tenté de voler tes affaires. » Et voilà.

L'un des policiers trouva une astuce pour amener Phil à monter dans la voiture. Lorsque celui-ci objecta : « Ils penseront que vous m'avez arrêté », il eut pour réponse : « Mais non, ils se diront que nous faisons sans doute une petite promenade avec un ami. » Phil parut se satisfaire de cette explication simple. Il fut donc conduit à l'hôpital, où il resta jusqu'à ce que l'on puisse lui trouver une place dans une maison de repos.

Nancy vint de New York pour être près de sa mère et elles lui rendirent visite à l'hôpital tous les jours. Étonnées dans un premier temps par la facilité avec laquelle Phil semblait s'insérer dans son nouvel environnement, elles se rendirent vite compte que, en fait, il ne savait pas où il se trouvait. Selon Janet : « Il nous présentait parfois le personnel de l'accueil en expliquant que c'étaient ses secrétaires, qu'elles travaillaient dans cet hôtel dont lui était le gérant. » En général, il reconnaissait Janet, mais il fallait lui rappeler à chaque fois que la jeune femme qui l'accompagnait était sa fille. Avec le temps, il devait en venir à considérer Janet comme sa petite amie et, finalement, à ne plus savoir du tout qui elle était.

Au bout d'une semaine, on put transférer Phil dans une maison de repos. Quelques jours plus tard, Janet y passa le cinquantième anniversaire de leur mariage aux côtés d'un mari qui ne la reconnaissait qu'une fois sur deux. Quant à la réalité de sa propre démence et à la tragédie que vivait sa famille, elles échappaient totalement à Phil.

Au cours des deux années qui suivirent, Janet passa presque quotidiennement une bonne partie de la journée en sa compagnie, à l'exception des quelques périodes de répit auxquelles ses enfants la contraignaient. Ceux-ci sentaient bien sa fatigue chronique et ils se rendaient compte quand il convenait d'interrompre son calvaire. Ils remarquaient même ses moments d'amertume, mais ils les comprenaient et les lui pardonnaient alors que leur mère s'en voulait fréquemment. Car, malgré tout le dévouement qu'elle montrait, le fait était que son amoureux et meilleur ami l'avait abandonnée pour sombrer dans un abîme d'inconscience.

Janet prit cependant un travail de bénévole dans le service de kinésithérapie et participa pendant un court laps de temps aux activités d'un groupe de soutien aux familles des victimes de la maladie d'Alzheimer. Mais des structures de ce genre ne peuvent porter qu'une part limitée du fardeau de l'individu. Il ne fallut pas longtemps à Janet pour découvrir que chaque victime de la démence inflige à ses proches une forme de souffrance qui lui est propre et que ceux qui la subissent ont donc besoin de rechercher la manière de réagir qui leur convient. Les trois enfants trouvaient insupportable de devoir assister à la destruction de leur père adoré, et c'était là une réaction positive. De cette façon, ils purent prendre soin de leur mère en lui donnant le soutien affectif qu'il lui fallait pour assumer les tâches qu'ils savaient indispensables.

Joey, le cadet des trois, réussit quand même à rassembler suffisamment de courage pour rendre deux visites à son père au cours de son long enfermement, mais celui-ci ne le reconnut pas.

Ces visites, qui n'apportèrent évidemment rien à Phil, furent terriblement douloureuses pour Joey. Ce qui aida sa mère – et ce fut l'aide dont elle avait le plus besoin – était la certitude qu'elle avait de pouvoir compter non pas sur des groupes ni des livres, mais sur le dévouement inébranlable de sa famille et de ces quelques amis dont l'attachement reposait sur l'amour.

« C'est ce qu'on a dans son cœur qui permet d'agir dans ce cas. » Ce que Janet avait dans son cœur était de faire pour Phil ce qu'elle seule pouvait faire et dont tous les médecins, infirmières et assistantes sociales du monde auraient été incapables. Qu'il la reconnaisse ou non – avec le temps, il n'y parvenait plus –, quelque chose enfoui au plus profond de lui a dû lui rappeler, fût-ce de façon vague, que Janet représentait la sécurité, la certitude et la prévisibilité dans un environnement par ailleurs impossible à maîtriser ou même à comprendre. « Quand il me voyait arriver, raconta-t-elle, il faisait signe de la main, mais il ignorait qui j'étais. Il savait uniquement que j'étais celle qui lui rendait visite, qui s'asseyait à côté de lui. »

Au début, la vue de la détérioration constante de Phil apportait chaque jour de nouvelles horreurs. Janet réussit tant bien que mal à garder son calme au cours de ses visites, sauf à quelques occasions… « Il y a eu des fois pendant la première année à la maison de repos où je me suis effondrée. On m'emmenait alors dans une pièce et on me parlait, on me parlait jusqu'à ce que je me sente à peu près en mesure d'y faire face. Mais, dès que je me retrouvais chez moi le soir, j'avais une crise de larmes. » Peu à peu, elle parvint à se blinder face à l'aggravation du cas, mais elle se rendait compte des difficultés que d'autres qui l'aimaient pouvaient avoir à le trouver dans cet état. En outre, elle souhaitait le protéger, faire en sorte que l'on se souvienne de lui tel qu'il avait été, en homme d'une immense bienveillance qui avait non seulement une certaine dignité mais une allure personnelle qui ne ressemblait à aucune autre. Et Janet d'expliquer : « J'ai refusé de laisser nos amis se rendre à la maison de repos. Je ne voulais pas qu'ils le voient comme ça. »

Dans l'établissement, la maladie de Phil progressa exactement comme l'avaient prévu les livres, c'est-à-dire « lentement mais implacablement ». Au départ, il conservait quelque chose de son bon caractère et de sa sociabilité ; il semblait convaincu de se trouver à la tête d'un hospice rempli de malades dont il devait assurer le bien-être. Il allait en tenue de ville de patient en patient et demandait à chacun, avec une bienveillance de propriétaire : « Comment ça va aujourd'hui ? J'espère que vous vous sentez mieux. » Parfois, quand Janet ou les infirmières avaient momentanément le dos tourné, il conduisait tel vieillard en fauteuil roulant jusqu'à la sortie et au-delà afin de le promener dehors. Il fallait alors le récupérer quelque part dans les rues de la ville, où il faisait allègrement avancer la vieille personne ravie et inconsciente à travers des foules de piétons et une circulation automobile intense.

Au stade intermédiaire de sa maladie, on notait chez Phil une forte inadaptation entre les pensées qu'il paraissait vouloir exprimer et les mots qui sortaient effectivement. Les victimes d'attaque cérébrale peuvent certes vivre des difficultés semblables, mais elles s'en rendent généralement compte. Or Phil n'avait pas la moindre idée de son incapacité à dire ce qu'il voulait. Janet se rappelle une occasion où, pendant qu'ils se promenaient ensemble, Phil lui cria tout d'un coup : « Les trains ont du retard, fais donc quelque chose ! » Quand elle lui dit ignorer où se trouvaient les trains en question, il lui rétorqua avec emportement : « Tu es aveugle ou quoi ? » Et d'indiquer du geste ses chaussures délacées. C'est alors qu'elle comprit. « Il voulait, raconta-t-elle, que je renoue ses lacets, et c'est comme ça qu'il l'avait exprimé. Il savait ce qu'il entendait par là mais, sans s'en rendre compte, il n'avait pas trouvé la phrase juste. »

Après un certain temps passé à la maison de repos, Phil commença à grossir, si bien qu'à ses rondeurs déjà considérables s'ajoutèrent vingt kilogrammes supplémentaires. Mais il cessa ensuite de manger ; il avait en réalité désappris la mastication. Janet se voyait obligée d'introduire un doigt dans sa bouche pour extraire les bouts de nourriture qui risquaient autrement de l'étouffer. A ce stade, il ne se souvenait plus de son propre nom et, quoiqu'il retrouvât par la suite sa capacité à mâcher, il n'allait plus jamais savoir qui il était. Jusqu'au jour où il arrêta entièrement de parler, il regardait Janet de temps à autre, pendant un instant fugace, avec la même douceur de toujours, puis, choisissant avec précision les mots prononcés à d'innombrables reprises au cours du demi-siècle qu'ils avaient passé ensemble, il murmurait, avec toute la tendresse dévouée d'une époque lointaine : « Je t'aime, tu es belle et je t'aime. » A peine avait-il dit cette phrase qu'il franchissait de nouveau la frontière et regagnait le pays de l'oubli.

Vint enfin le jour où il perdit tout contact et toute maîtrise de lui-même. Phil était devenu totalement incontinent, mais sans le remarquer. Parfaitement alerte, il ne comprenait toutefois pas ce qui se passait. Ses vêtements trempés d'urine, son corps barbouillé parfois d'excréments, il fallait le déshabiller pour le nettoyer de la saleté qui profanait le peu d'humanité qui lui restait. « Et penser, disait Janet, que c'était un homme qui avait toujours tellement soigné son apparence, qui paraissait si digne ! On aurait presque pu le qualifier de prude. Alors, le voir débout, tout nu, pendant que les aides-soignants le lavaient et que lui n'enregistrait rien... » Puis elle dit, ses yeux brillant des premières larmes : « Quelle maladie avilissante ! Si jamais il avait pu savoir ce qui l'attendait, il n'aurait pas voulu vivre. Il avait trop de fierté pour pouvoir l'accepter, et je suis très heureuse qu'il ne l'ait pas su. Personne ne devrait avoir à supporter cela. »

Et pourtant, elle-même le supporta, sans vaciller un seul instant dans son rôle. Elle voyait souvent ses enfants et elle se réunissait avec les proches d'autres patients qui avaient le même chagrin qu'elle. Elle s'en souvient ainsi : « On s'asseyait tous et on pleurait. Quand je commençais à me sentir un peu plus forte, j'essayais de les aider. Tu en arrives à refouler et à ne plus voir certaines choses, et c'est cette faculté que j'avais acquise. » Elle apprit que la maladie d'Alzheimer, bien que typique du troisième âge, peut également frapper des personnes plus jeunes. A la maison de repos, Janet avait vu un homme d'une quarantaine d'années ; seuls ses yeux bougeaient.

Vers la fin, Phil commença à maigrir rapidement. Au cours de la dernière année de sa vie, la peau semblait pendre de son visage ; Janet dut lui acheter de nouvelles chaussures parce que ses pieds mesuraient désormais deux pointures de moins qu'auparavant ; il avait l'air ratatiné, plus petit et surtout beaucoup plus vieux. Cet homme autrefois d'une santé robuste, qui avait toujours porté des vêtements aux tailles les plus larges, était retombé à un poids de soixante-trois kilos.

Et, pendant tout ce temps, il n'arrêta pas de marcher. Il le faisait constamment, de façon obsessionnelle, à chaque fois que le personnel le lui autorisait. Janet avait beau s'efforcer de suivre son pas vigoureux, elle se fatiguait vite, se trouvant même parfois au bord de l'écroulement, mais Phil continuait néanmoins. Même lorsqu'il était tellement affaibli qu'il tenait à peine debout, il trouvait pourtant en lui la force de parcourir de long en large le service. Quand enfin l'épuisement le gagnait, il avançait en chancelant jusqu'à ce que Janet et l'infirmière le prennent par les épaules et le fassent asseoir doucement sur une chaise : il était trop essoufflé et trop faible pour aller plus loin.

Une fois assis, son corps frêle penchait sur le côté parce que Phil n'avait plus la force de se tenir droit. Il fallait dans ce cas l'attacher à sa chaise sous peine de le voir s'affaisser par terre. Mais, même ainsi, ses pieds ne cessaient jamais de remuer. Fermé au monde extérieur, attaché par une ceinture à mi-hauteur du corps, à bout de souffle après un si grand effort, il s'obstinait encore à maintenir le mouvement de ses pieds dans une pitoyable imitation de la marche. Une force mystérieuse le poussait à le faire ; c'était comme s'il poursuivait un objet qu'il avait perdu à jamais. Ou peut-être s'agissait-il d'autre chose qui, au fond de lui, connaissait le sort qui attend ceux qui se trouvent en phase terminale de la maladie d'Alzheimer, sort qu'il tentait ainsi de fuir.

Pendant son dernier mois de vie, il fallait attacher Phil au lit chaque nuit pour l'empêcher de se lever et de se remettre à sa déambulation incessante. Le soir du 29 janvier 1990, dans la sixième année de sa maladie, haletant désespérément à la suite de l'une de ses promenades menées au pas de charge, il tituba jusqu'à sa chaise et s'effondra par terre, sans pouls. Lorsque, quelques minutes plus tard, les auxiliaires médicaux arrivèrent, ils tentèrent en vain une réanimation cardiopulmonaire ; ils le transportèrent tout de suite à l'hôpital situé juste à côté. Le médecin du service des urgences le déclara mort d'une fibrillation ventriculaire ayant provoqué l'arrêt du cœur. Puis il téléphona à

Janet. Elle était rentrée chez elle à peine dix minutes avant le début de la promenade fatale. Elle se souvient :

> J'étais contente de l'apprendre. Je sais que cela paraît affreux, mais j'étais heureuse de le savoir soulagé enfin de cette maladie humiliante. Je sais qu'il n'avait pas souffert, qu'il ne s'était rendu compte de rien, et je m'en suis félicitée. C'était une vraie bénédiction, la seule chose qui m'ait permis de tenir bon pendant tous ces mois et toutes ces années. Mais quelle horreur de voir quelqu'un que j'aimais tant subir un sort pareil ! Tu sais, quand je suis allée à l'hôpital après sa mort, ils m'ont demandé si je souhaitais voir le corps ; j'ai dit non. Mon amie, une catholique croyante, qui m'avait accompagnée n'arrivait pas à comprendre mon refus. Mais je n'ai tout simplement pas voulu avoir le souvenir de ce visage mort. Il faut le comprendre : ce n'était pas pour moi que j'ai eu cette réaction, mais pour lui.

C'est ainsi que prit fin la destruction de Phil Whiting. Même aux pires moments de sa chute déchirante dans l'atrophie cérébrale, la scène finale de déchéance qui se joue si souvent sur le corps de la victime inconsciente fut épargnée à la famille. En effet, il n'est pas rare que le patient, déjà à peine capable de communiquer, devienne immobile à ce stade, son corps assumant des postures grotesques cependant qu'il se raidit ou qu'il s'affaisse sur le chemin de la mort. Mais, bien avant, les problèmes de la surveillance permanente qui s'impose dépassent les capacités de l'immense majorité des familles. Compte tenu du caractère imprévisible du comportement du patient, il importe de prévenir ses errements et ses gestes de destruction ou, du moins, d'y réagir dans les cas où il parvient à tromper la vigilance, si grande soit-elle, du personnel. Les auteurs du livre *The 36-Hour Day* ont bien choisi leur titre : pendant un moment d'inattention, le malade peut infliger des blessures physiques à lui-même ou à autrui, ou alors il peut provoquer un conflit avec les voisins, ce qui contraint la famille à l'action à un moment où elle n'y est pas encore préparée. Résultat : des énergies se dissipent, la bonne volonté s'épuise et même le mari ou la femme le plus déterminé se trouve bientôt éprouvé au-delà du supportable. Il n'est pas jusqu'aux aspects les plus élémentaires des soins à apporter qui ne prennent dans ce cas l'allure d'un travail de Sisyphe qui défie les efforts acharnés du professionnel même le plus compétent et dévoué.

Il n'est pas simple de trouver l'établissement auquel on peut confier en toute sécurité un être auquel on se sent si lié. S'il existe sûrement beaucoup de raisons expliquant l'insuffisance du nombre de ces établissements, la plus importante est peut-être celle qui se dégage d'une statistique qui fait froid dans le dos : aux Etats-Unis, la maladie d'Alzheimer touche plus de 11 % de la population âgée de plus de soixante-cinq ans. Le total des individus concernés, y compris les patients au-dessous de cet âge, se chiffre à quelque 4 millions. La saignée financière ne peut donc que s'aggraver. Selon certaines prévisions, la population ayant dépassé les soixante-cinq ans sera en l'an 2030 de 60 millions de personnes au bas mot. Quand on considère que le coût direct et indirect de la démence, dont la maladie d'Alzheimer constitue l'essentiel, atteint déjà la somme annuelle de 40 milliards de dollars, on mesure toute l'ampleur effrayante du problème. Doit-on dès lors s'étonner de découvrir qu'une famille préoccupée qui cherche à faire de son mieux se trouve malgré tout dépassée par les événements et qu'elle ait un besoin urgent de secours ?

Fort heureusement, ce pays dispose, quoiqu'en nombre trop faible, de bons établissements de long séjour, tel celui qui avait accueilli Phil Whiting. Certains ont même ce qui s'appelle un *programme de répit* qui prévoit un séjour bref pour le patient afin de permettre à celui qui s'en occupe en famille de prendre quelques jours ou semaines de repos. On dénombre également un certain nombre d'unités de soins palliatifs destinées aux malades incurables. Mais, en dépit des réticences que peut éprouver la famille, un placement de long séjour représente souvent le seul moyen de rétablir un minimum de tranquillité.

Petit à petit en effet, le patient s'enfonce dans la dépendance totale. S'il ne succombe pas à un phénomène intercurrent tel qu'une attaque cérébrale ou un infarctus du myocarde, il tombera selon toute probabilité dans ce qui a reçu le nom inhumain mais combien évocateur d'*état végétatif.* Celui qui a atteint ce stade a déjà perdu toutes les fonctions supérieures de son cerveau. Même avant, certains patients ne parviennent plus à mastiquer, à marcher ni même à avaler leur propre salive, tant et si bien que toute tentative pour les nourrir risque de finir dans des accès de toux ou d'étouffement qui ne manqueront pas d'effrayer l'observateur, surtout s'il s'en estime responsable. C'est au cours de cette période que la famille se trouve face à des décisions difficiles telles que le gavage ou le choix des mesures médicales à prendre pour endiguer ces processus naturels qui s'abattent comme des chacals – ou peut-être des amis – sur les personnes débilitées.

Si l'on refuse de faire gaver le patient, la mort par inanition peut représenter une délivrance pour l'individu inconscient ou autrement privé de sensations. On n'aurait pas tort d'y voir une fin préférable à celles qui se dessinent telles qu'une paralysie et une malnutrition qui, inévitablement ou presque, frappent même les patients bénéficiant d'efforts extrêmement consciencieux d'alimentation. L'incontinence, l'immobilité et le faible niveau de protéines dans le sang se conjuguent pour rendre inévitable l'apparition d'escarres qui font un effet épouvantable à mesure qu'elles s'approfondissent au point de découvrir des muscles, des tendons et même des os, recouverts désormais de couches de pus et de tissu fétide et nécrosé. Quand on en arrive là, l'idée que la victime n'en a pas conscience n'offre qu'un faible réconfort à la famille, qui vit un cauchemar.

L'incontinence, l'immobilité et la nécessité de recourir à une perfusion favorisent l'apparition d'infections des voies urinaires. Par ailleurs, l'incapacité de reconnaître ou de ravaler des sécrétions a pour résultat l'aspiration des glaires, augmentant le risque de pneumonie. Là encore, il faut prendre des décisions en matière de traitement qui s'annoncent d'autant plus délicates qu'elles mettent en jeu non seulement la conscience individuelle, mais aussi les croyances religieuses, les normes sociales et la déontologie médicale. Parfois, il peut sembler préférable de suivre la voie de l'abstention, de ne rien décider, de laisser s'imposer la sinistre nature.

Une fois que l'on s'engage dans cette voie, il y a fort à parier que le trajet se révèle assez court. L'immense majorité de ceux qui se trouvent dans l'état végétatif caractéristique de la maladie d'Alzheimer meurent d'une infection, qu'elle ait ses origines dans les voies urinaires, les poumons ou le marigot infesté qu'est une escarre. Au cours du processus fébrile qui s'ensuit – la septicémie –, les bactéries se déchargent dans le sang, où elles provoquent un collapsus, une arythmie cardiaque, des anomalies de coagulation, une insuffisance rénale ou hépatique, puis la mort.

Tout le long de l'évolution, les membres de la famille éprouvent des sentiments d'ambivalence et d'impuissance et ils vivent dans un état de crise permanente. Ils redoutent ce qu'ils voient ainsi que ce qu'ils n'ont pas encore vu. On a beau leur répéter qu'ils n'y sont pour rien, beaucoup d'entre eux s'obstinent à se reprocher de faire souffrir un être conscient. Et pourtant, il est toujours terriblement difficile de laisser aller les choses. Des recours légaux tels que la donation entre vifs ou la procuration permanente peuvent certes offrir des dispositions préventives, mais trop souvent elles n'ont pas été prévues : une femme, un mari ou des enfants qui se débattent déjà dans leurs propres problèmes familiaux se trouvent largués dans un océan de sentiments contradictoires. A la difficulté qu'ils ont à décider vient s'ajouter celle de devoir assumer les conséquences de leurs décisions.

On dirait que la maladie d'Alzheimer fait partie de ces cataclysmes conçus expressément pour mettre à l'épreuve l'esprit humain. La noblesse et le dévouement d'une Janet Whiting n'ont rien d'exceptionnel ; ils constituent peut-être même une sorte de norme en la matière. Pour s'en convaincre, il suffit de considérer l'attitude des professionnels de santé, qui arrivent même à attendre des familles dont ils s'occupent qu'elles acceptent sans un moment d'hésitation le rôle de soignants qui leur échoit. Le prix à payer est, bien entendu, particulièrement élevé : troubles affectifs, responsabilités et objectifs personnels laissés pour compte, relations durement éprouvées et, évidemment, finances grevées. En effet, rares sont les tragédies qui coûtent aussi cher.

Tout se passe comme si les proches de celui qui a la maladie d'Alzheimer avaient été détournés des boulevards ensoleillés de la vie normale et qu'ils étaient restés bloqués des années durant au fond d'un épouvantable cul-de-sac. La seule délivrance possible vient de la mort d'un être aimé, et même alors, souvenirs et souffrances refusent de s'estomper. On ne s'en libère que partiellement. Car l'image d'une vie heureuse, faite de joies et de réussites partagées, filtrera désormais à travers la vitre ternie de ses dernières années. Pour les survivants, la route de l'existence ne sera plus jamais aussi claire et directe qu'avant.

Attribuer un nom à un démon pour le rendre moins effrayant : n'est-ce pas là une leçon que donnent toutes les cultures du monde ? Je me demande quelquefois si la motivation véritable, peut-être enfouie dans le subconscient culturel, qui a de tout temps poussé les pionniers de la médecine à vouloir identifier et classifier les différentes maladies relève moins du désir de les comprendre que du souci de les habiller. Étrangement, on se sent plus en sécurité dès lors que l'on a placé un panneau d'explication devant le fauve qui menace, moyen imaginaire de le calmer pour un moment, de se convaincre qu'il se laissera éventuellement dompter, bref, d'affirmer un miminum de maîtrise de ce qui faisait jusqu'alors figure de force déchaînée, terrifante. Quand on désigne une maladie par un nom, on la civilise, on la contraint à jouer selon les règles que l'on a établies.

C'est par cet acte de désignation que l'on jette les bases d'une stratégie de guerre. L'équivalent actuel des cercles et des carrés militaires est à chercher non seulement dans la communauté des chercheurs, mais aussi dans celle des patients, des familles et des bénévoles. Dans le cas de la maladie d'Alzheimer, c'est rarement le patient qui reconnaît son besoin d'être accompagné au cours de son douloureux voyage. Or, à notre époque, il n'existe probablement pas d'autre infirmité pour laquelle la présence de groupes de soutien peut autant contribuer à la survie psychique des témoins les plus proches de la désagrégation qui a lieu. Outre la solidarité directe que fournissent les associations des familles des victimes de la maladie d'Alzheimer, elles militent pour obtenir un meilleur financement de la recherche et des établissements d'accueil des malades. L'union fait la force, même lorsqu'il ne s'agit que de deux ou trois personnes sensibles qui, par leur simple capacité d'écoute, atténuent le martyre de ceux qui doivent affronter le problème.

Désespoir aux facettes multiples dont certaines ne se laissent aborder que grâce à une âme compatissante et informée. Peut-on du reste imaginer que cette maladie si contraignante ne finisse pas par se convertir en source d'amertume, voire de répugnance, pour tous ceux qu'elle entraîne dans son détestable sillage ? Peut-on réellement mutiler tout un pan de sa vie sans bouillir de colère ? Y a-t-il un seul individu qui puisse regarder avec sérénité l'objet de son affection la plus puissante s'enliser chaque jour davantage dans l'inconscience et la décrépitude ?

Chaque famille a besoin d'assistance pour comprendre la virulence de l'attaque subie non seulement par le malade mais par ceux qui restent à ses côtés. Toutefois, il ne faut pas s'attendre dans ce cas à une quelconque délivrance ; l'aide prodiguée ne peut que rendre intelligible le tourment et donner un petit répit à ceux qui souffrent. Apprendre que sa rage et sa frustration sont universelles et inéluctables, avoir l'assurance que des oreilles attentives écouteront et que des cœurs chaleureux seront là pour partager, voilà les découvertes qui permettent de combattre la solitude et les sentiments injustifiés de culpabilité et de remords qui transforment le courant du désespoir en un véritable déluge moral par lequel la maladie d'Alzheimer punit chaque participant.

La fin de l'isolement débute par les mots qui confèrent un nom aux alarmants symptômes qui se présentent. C'est ainsi que se déclenche le processus qui permet aux parents du malade de mettre leurs défenses en commun avec des millions d'autres qui doivent parcourir ce même chemin. Cette maladie n'avait pas encore de nom il y a cent ans, même si, depuis des siècles, plusieurs aspects du phénomène avaient été observés et grossièrement décrits dans le cadre du vaste panorama qui s'appelle sénilité.

La « démence de type Alzheimer », tel est le titre officiel de la maladie que l'on diagnostique de nos jours chez plusieurs centaines de milliers d'Américains chaque année. Maladie responsable de 50 à 60 % de toutes les formes de démence repérées dans la population âgée de plus de soixante-cinq ans et qui frappe également beaucoup d'individus ayant dix ou vingt ans de moins. Selon l'Association américaine de psychiatrie, elle commence de façon insidieuse et suit en général « un cours progressif de détérioration pour lequel les antécédents du patient, l'examen médical et les analyses de laboratoire amènent à écarter toute autre cause précise. La démence se traduit par une perte multiforme de facultés intellectuelles telles que la mémoire, le jugement, la capacité d'abstraction et d'autres fonctions corticales supérieures ainsi que par des modifications du comportement et de la personnalité ».

Aux États-Unis, la maladie elle-même se définit comme suit : « Une perte des facultés intellectuelles suffisamment grande pour entraver le fonctionnement social et professionnel de l'individu. » Phrase d'une simplicité trompeuse qui cache en fait des siècles d'incertitude, de catégories et de définitions aux contours flous.

Depuis des milliers d'années en Occident, des documents littéraires et historiques, voire des décisions de justice font référence à ce qui s'appelle aujourd'hui la démence sénile. Depuis l'Antiquité, des auteurs traitant de sujets médicaux se mettent à la décrire et les médecins arriveront peu à peu à reconnaître que les personnes âgées et, à l'occasion, des individus plus jeunes peuvent manifester un affaiblissement du jugement et des pertes de mémoire ainsi que, sur le plan général, des défaillances intellectuelles de caractère progressif. Le mot *démence* ne fera toutefois son apparition en tant que terme médical qu'en 1801, sous la plume de Philippe Pinel, alors médecin chef de l'hôpital Pitié-Salpêtrière à Paris, où cohabitaient plusieurs milliers de femmes chroniquement et incurablement malades et des centaines d'aliénés. On a qualifié Pinel de père du traitement moderne des maladies mentales, essentiellement en raison de la précision de ses descriptions et de sa classification des syndromes psychiatriques, mais aussi pour avoir introduit un élément jusque-là inconnu : la gentillesse dans les soins apportés aux résidents des asiles, dont bon nombre étaient auparavant enchaînés. Il désigna son principe novateur sous le nom de « traitement moral de la folie ».

Pinel systématisa sa conception de la maladie mentale dans son ouvrage de 1800 qui deviendra l'un des textes classiques de la littérature psychologique, le *Traité médico-philosophique sur l'aliénation mentale ou la manie*. Il y analyse un syndrome psychiatrique distinct auquel il donne le nom de *démence* et qu'il définit comme une sorte d'« incohérence » des facultés mentales. Dans un bref paragraphe intitulé « Caractère spécifique de la démence », Pinel esquisse un ensemble de symptômes immédiatement reconnaissables pour tous ceux qui se sont occupés d'un patient atteint de la forme de démence qui s'appelle aujourd'hui maladie d'Alzheimer :

> Succession rapide, ou plutôt alternative non interrompue d'idées isolées et d'émotions légères et disparates, mouvemens désordonnés et actes continuels d'extravagance, oubli complet de tout état antérieur, abolition de la faculté d'appercevoir les objets par des impressions faites sur les sens, oblitération du jugement, activité continuelle... [1]

On pourrait presque croire que Pinel décrivait Phil Whiting. Les mots incohérence et disparates ont une pertinence toute particulière puisqu'ils rendent bien compte de la désorganisation des réseaux des cellules, des liaisons et des médiateurs chimiques du cerveau que l'on considère aujourd'hui comme les éléments fondamentaux de la maladie. Pinel put distinguer la démence ainsi mise au jour de la sénilité couramment observée chez les personnes âgées.

Pour beaucoup de cliniciens, le mot *incohérence* va devenir le synonyme idéal de démence. Dans un texte de 1835 intitulé *A Treatise on Insanity,* James Prichard, médecin en chef à la Bristol Infirmary en Angleterre, signale que, à mesure que progresse la maladie, le patient passe par toute une série d'étapes que l'auteur appelle « les différents degrés de l'incohérence ». Il en décèle quatre : trous de mémoire, irrationalité et perte des facultés de raisonnement, incompréhension et, en fin de parcours, arrêt de l'action instinctive et volontaire. Cette analyse est encore aujourd'hui d'une grande utilité pour celui qui veut suivre de près la détérioration progressive d'un patient. En effet, les auteurs modernes identifient plusieurs stades de la maladie qui correspondent dans une large mesure à ceux de Prichard.

---

1. Philippe Pinel, *Traité médico-philosophique sur l'aliénation mentale ou la manie,* Paris, Richard, Caille et Ravier, An IX (1800), p. 156-157. [Nous avons respecté l'orthographe d'origine. NdT.]

Élève et héritier intellectuel de Philippe Pinel, Jean Étienne Dominique Esquirol sortit de l'école de médecine millénaire de Montpellier. Les descriptions présentées dans son ouvrage de 1838, *Des maladies mentales,* gardent aujourd'hui toute leur validité, si bien que celui qui cherche à connaître le déroulement clinique des symptômes de la démence, tels qu'on les observe actuellement, pourrait presque se contenter de les lire. Voici ce que dit Esquirol de ses patients :

Les aliénés en démence n'ont ni désirs, ni aversions, ni haine ni tendresse ; ils sont dans la plus grande indifférence pour les objets qui leur étaient les plus chers ; ils voient leurs parens et leurs amis sans plaisirs et s'en séparent sans regrets ; ils ne s'inquiètent pas des privations qu'on leur impose, et se réjouissent peu des plaisirs qu'on leur procure ; ce qui se passe autour d'eux ne les affecte point ; les événemens de la vie ne sont presque rien pour eux, parce qu'ils ne peuvent les rattacher à aucun souvenir, ni à aucune espérance ; indifférents à tout, rien ne les touche...

Cependant ils sont irascibles comme tous les êtres débiles dont les facultés intellectuelles sont faibles ou bornées ; mais leur colère n'a que la durée du moment...

Presque tous les hommes tombés dans la démence ont un tic ou manie ; les uns marchent sans cesse comme s'ils cherchaient quelque chose qu'ils ne retrouvent plus, les autres ont des mouvements lents, marchant avec peine ; quelques-uns même passent des jours, des mois, des années, assis à la même place, accroupis dans un lit, ou étendus par terre ; celui-ci écrit perpétuellement, mais ce qu'il écrit est sans liaison, sans suite, ce sont des mots après des mots...

A ce désordre de la sensibilité de l'entendement, ils joignent les symptômes suivants : la face est pâle, les yeux sont ternes, mouillés de larmes, les pupilles dilatées, le regard incertain, la physionomie est sans expression ; tantôt le corps est maigre et grêle, tantôt il est chargé d'embonpoint...

Lorsque la paralysie complique la démence, tous les symptômes paralytiques se manifestent successivement ; d'abord l'articulation des sons est gênée, bientôt après la locomotion s'exécute avec difficulté, les bras se meuvent péniblement...

Celui qui est en démence n'imagine pas, ne suppose rien ; il a peu

ou presque pas d'idées ; il ne veut pas, il ne se détermine pas, il
cède ; le cerveau est dans l'affaissement. [2]

A l'instar de tous les grands professeurs français de médecine
de son époque, Esquirol effectuait lui-même l'autopsie de ses
patients décédés. Vu l'imprécision des microscopes en usage
alors, il dut se fier à une observation grossière. Ses découvertes
n'en restent pas moins saisissantes :

> Les circonvolutions du cerveau sont atrophiées, écartées les unes
> des autres, peu profondes, ou bien elles sont aplaties, comprimées,
> petites, surtout dans la région frontale. Il n'est pas rare qu'une ou
> deux circonvolutions de la convexité du cerveau soient déprimées,
> atrophiées, presque détruites, et l'espace vide est rempli par de la
> sérosité. [3]

Esquirol aura ainsi identifié une atrophie du cerveau qui
explique celle de l'esprit. Des recherches menées par la suite ne
feront que confirmer la justesse de ses propos. Mais il faudra
attendre les études d'Alois Alzheimer pour que l'analyse microscopique puisse les affiner.

Si la science médicale subit de profonds bouleversements au
cours des soixante-dix ans qui séparent les contributions
d'Esquirol de celles d'Alzheimer, aucun n'aura eu autant
d'importance que la mise au point du microscope à haute résolution. Une utilisation savante des nouveaux systèmes optiques
va permettre aux chercheurs des facultés de médecine allemands
de faire bon nombre des grandes découvertes qui marquent la
deuxième moitié du dix-neuvième siècle et la première décennie du siècle présent. C'est en effet à partir de la tradition allemande de microscopie méticuleuse qu'Alois Alzheimer entreprit
d'étudier la démence.

Alzheimer débuta sa carrière plutôt en tant que clinicien qui
s'intéressa aux maladies nerveuses et mentales, mais il reçut une

---

2. Jean Etienne Dominique Esquirol, *Des maladies mentales*, J.-B. Baillière, 1838,
tome 2, p. 221-224. [Nous avons respecté l'orthographe d'origine. NdT.]
3. *Ibid.*, p. 241-242

bonne formation aux méthodes de laboratoire. Comme il faisait déjà autorité pour les aspects cliniques de la démence sénile et qu'il commençait à être connu pour la clarté de ses descriptions des pathologies microscopiques, il fut invité en 1902 à travailler à l'université de Heidelberg par Emil Kraepelin, pionnier de la psychiatrie expérimentale. Quand celui-ci reçut pour mission, l'année suivante, de prendre la direction d'une nouvelle clinique et centre de recherches à l'université de Munich, il y emmena Alzheimer, alors âgé de trente-neuf ans. Les grandes connaissances que possédait Alzheimer des dernières techniques de coloration des tissus lui permirent d'identifer les transformations d'architecture cellulaire qui accompagnent la syphilis, la chorée de Huntington, l'artériosclérose et la sénilité. Peut-être le trait le plus marquant de son travail réside-t-il dans sa capacité, fondée sur son expérience du terrain, à mettre en rapport les analyses microscopiques faites lors de l'autopsie et les symptômes manifestés avant la mort par les malheureuses victimes de ces processus dégénératifs. Les corrélations ainsi établies forment la base de la recherche des relations de cause à effet en physiopathologie.

En 1907, Alzheimer publia un article intitulé « D'une maladie distinctive du cortex cérébral » dans lequel il rapporte le cas d'une femme admise à l'hôpital psychiatrique en novembre 1901. Il s'agit en fait de la première étude d'un patient chez qui la maladie éponyme est reconnue comme étant une entité singulière qu'il convient de différencier de toutes les autres. Mise à part la dureté exceptionnelle du langage employé, on pourrait se croire en face d'un texte d'Esquirol ; hormis l'absence d'un schéma qui aurait tracé les frontières bien délimitées de chacun des « quatre degrés d'incohérence », on a l'impression de lire Prichard. Alzheimer parle d'une femme de cinquante et un ans qui passa successivement par les symptômes de jalousie, de défaillance de la mémoire, de paranoïa, de perte des facultés de raisonnement, d'incompréhension et de stupeur ; puis, finalement, « après quatre ans et demi de maladie, la mort a eu lieu. A la fin, la patiente était dans un état de stupeur totale ; elle restait au lit, les jambes repliées sous elle, et, en dépit de toutes les précautions prises, des escarres s'étaient développées. »

Or le véritable propos d'Alzheimer n'est pas de rendre compte du déroulement clinique de ce cas. Les médecins connaissaient des patients de ce type même avant l'époque de Pinel et d'Esquirol, qui eurent surtout le mérite de les classer dans la catégorie nouvelle de démence. De fait, l'expression *démence sénile* remonte bien plus loin qu'Alzheimer, puisqu'elle est introduite dès 1868 afin de différencier ces patients qui se trouvent entre deux âges lorsque la maladie se manifeste. Alzheimer ne veut pas non plus se contenter de présenter une énième description du cortex d'un dément dont même une simple inspection à l'œil nu aurait permis de détecter l'atrophie. L'objectif de son article de 1907 est de rapporter ce qu'il a trouvé lorsqu'il a sectionné le cerveau de la victime, appliqué des colorants spéciaux aux segments finement tranchés et examiné ceux-ci sous le microscope.

Alzheimer découvre que de nombreuses cellules du cortex contiennent une ou plusieurs fibrilles qui, dans certaines cellules, forment des groupes plus ou moins denses. A un stade vraisemblablement ultérieur de la maladie, le noyau, voire la cellule tout entière, s'est désagrégé, pour ne laisser qu'un faisceau touffu de fibrilles. Alzheimer conclut que les fibrilles n'absorbent pas le même colorant qu'une cellule normale et que le dépôt d'un produit pathologique du métabolisme doit porter la responsabilité de la mort de la patiente. En effet, entre le quart et le tiers de ses cellules corticales comportent des fibrilles ou ont purement et simplement disparu.

Outre les processus de destruction des cellules, Alzheimer trouva disséminées dans tout le cortex de nombreuses masses ou plaques microscopiques qui n'absorbent pas de colorants. On démontrera des années plus tard qu'il s'agit de portions dégénérées des axones, ou prolongements neuronaux, qui communiquent entre eux et qui se regroupent autour d'un noyau de substance protéique qui s'appelle l'amyloïde de type bêta. Encore aujourd'hui, la présence systématique de ces plaques dites séniles et de ces enchevêtrements fibrillaires constitue le critère fondamental sur lequel se fonde le diagnostic microscopique de la maladie d'Alzheimer.

On a toutefois constaté depuis lors que ni les plaques amyloïdes ni les enchevêtrements fibrillaires ne sont l'apanage de la maladie d'Alzheimer. Il existe au contraire toute une série d'affections chroniques du cerveau humain dans lesquelles se manifestent l'un ou l'autre phénomène, voire les deux à la fois. Même dans le vieillissement normal, des exemples au moins des deux types de structure sont en évidence, sans pour autant que leur développement atteigne l'importance quantitative qui caractérise la maladie d'Alzheimer. Le jour où seront mises au jour les origines des plaques et des enchevêtrements en question, on comprendra beaucoup mieux qu'actuellement le processus du vieillissement du cerveau.

Alzheimer a eu la perspicacité de reconnaître que « nous nous trouvons apparemment en face d'un processus pathologique bien particulier ». Son mentor, Kraepelin, ira plus loin : en 1908, dans la huitième édition du livre de cours qu'il a rédigé, il attribuera à la nouvelle entité le nom de « maladie d'Alzheimer ». Il semble avoir des doutes quant à l'importance de la jeunesse relative de la patiente étudiée, compte tenu de la similitude entre cette histoire et celle des individus rangés auparavant dans la catégorie de démence sénile. Il écrit à ce sujet : « La signification clinique de la maladie d'Alzheimer demeure incertaine. Si les résultats des analyses anatomiques donnent à penser qu'il s'agit d'une forme particulièrement grave de la démence sénile, certaines circonstances témoignent du contraire, à savoir que la maladie peut se déclarer même avant que la personne atteigne la soixantaine. Pour décrire de tels cas, on devrait au moins, et même de préférence, recourir à la notion de sénilité précoce, étant donné que cette maladie se montre plus ou moins indépendante de l'âge. » C'est peut-être cette hésitation de la part de l'homme souvent considéré comme le grand prêtre de la psychiatrie organique qui allait par la suite inciter des auteurs à attacher beaucoup d'importance à l'emploi, par Kraepelin, de l'expression *sénilité précoce* et à faire peu de cas de la remarque précisant que « cette maladie se montre plus ou moins indépendante de l'âge ». Probablement en raison de cette erreur d'interprétation, l'idée selon laquelle la maladie d'Alzheimer est une démence *présénile* s'est enracinée pendant plus de cinquante ans dans la nomenclature médicale.

Peu d'années après la parution de l'article d'Alzheimer, d'autres chercheurs ont fait état d'exemples similaires. Le déroulement clinique ressemble dans tous les cas à celui qu'il a constaté et les autopsies révèlent une atrophie diffuse qui, touchant certes le cerveau entier, est particulièrement évidente dans le cortex. L'examen au microscope permet d'ailleurs de démontrer la présence d'un grand nombre de plaques séniles et d'enchevêtrements fibrillaires. En 1911, douze nouvelles études de ce type ont déjà été publiées.

La jeunesse relative de certains des patients va conditionner l'orientation des autopsies à venir, qui découvriront ces mêmes manifestations chez des patients de tous les âges et aux antécédents les plus divers. Tant et si bien que, en 1929, on dénombre déjà quatre rapports qui prétendent avoir constaté cette maladie chez des patients ayant moins de quarante ans, dont un qui en aurait manifesté des symptômes dès l'âge de sept ans. Le problème s'aggrave vraisemblablement du fait d'une certaine sélectivité dans les recherches : on est plus tenté de faire état d'un cas intéressant que d'un cas banal. En outre, dans ces pays – et ils sont majoritaires – où l'autopsie n'est pas obligatoire, on la pratique essentiellement sur les patients « intéressants ». Or quoi de plus intriguant qu'un jeune homme atteint d'une maladie de vieillard ? C'est ainsi que, à la fin des années vingt, l'immense majorité des multiples cas de la maladie d'Alzheimer présentés dans la littérature médicale du monde entier étudient des patients qui ont entre cinquante et soixante ans.

Si le flou entourant les critères d'âge employés n'échappe pas aux cliniciens les plus lucides de l'époque, le nom de démence présénile continuera néanmoins à s'appliquer, pendant des décennies encore, au syndrome en question. C'est d'ailleurs sous ce nom-là que je l'ai rencontré dans les livres de mes premières années à la faculté de médecine, dans les années cinquante.

Le processus par lequel la démence présénile s'est transformée en « démence sénile de type Alzheimer », expression bien plus précise, est exemplaire de l'évolution qu'a connue la culture biomédicale au cours des dernières décennies du vingtième siècle. J'entends par là la conjonction de la science, de l'action des pouvoirs publics et d'une prise de conscience du public.

Pendant les soixante années qui ont suivi les premiers travaux d'Alzheimer, se sont accumulés des signes empiriques qui infirment peu ou prou la distinction établie entre les formes séniles et préséniles d'une maladie dans les cas où les unes et les autres révèlent exactement la même pathologie microscopique. Cette idée parvient enfin à s'imposer lors d'un congrès de 1970 consacré à la maladie d'Alzheimer et aux affections apparentées ; à partir de là, un consensus se dessine de plus en plus nettement dans la communauté scientifique, qui finit par trouver non seulement erroné mais trompeur le maintien d'une distinction aussi arbitraire.

Parmi les effets les plus évidents de ce changement de perspective, signalons l'extension de ce diagnostic à une population tout simplement énorme de patients âgés et de leur famille. Grâce à la nouvelle impulsion donnée ainsi à la recherche, les scientifiques commencent, avec raison, à réclamer un financement accru pour lequel ils s'adressent aux pouvoirs publics. Aux Etats-Unis, ce mouvement fera entrer dans la danse les National Institutes of Health ainsi que toutes les associations de défense des intérêts du troisième âge qui ont un minimum d'influence politique. La création du National Institute on Aging (Institut national d'étude du vieillissement) en sera le résultat naturel. Puis la coordination des efforts de cet organisme, des chercheurs et de ceux qui s'occupent des malades débouchera sur la fondation de l'ADRDA (Association des familles des victimes de la maladie d'Alzheimer). Une maladie jugée, du temps de mes études de médecine, si rare que l'on s'en servait, pendant des longues soirées de bûchage collectif, comme « colle » particulièrement obscure, se sera révélée être l'une des principales causes de mort selon les statistiques de l'Organisation mondiale de la santé. Conséquence de la coopération des différents groupes engagés, le budget américain de recherche sur la maladie d'Alzheimer se multipliera par huit cent environ entre 1979 et 1989.

Mais, en dépit des grands progrès enregistrés au cours des quinze dernières années, tant sur le plan des soins dont bénéficient les malades que sur celui du soutien accordé à ceux qui les donnent, force est de constater que les avancées de nature plus strictement biomédicale n'ont à ce jour permis de découvrir ni une cause spécifique de la maladie, ni une méthode de guérison ni des moyens éventuels de prévention.

L'hypothèse d'une possible prédisposition génétique à la maladie d'Alzheimer n'est certes pas dénuée de fondement – on a détecté des anomalies chromosomiques chez un petit nombre de personnes qui en sont atteintes –, mais elle n'emporte guère la conviction quand elle s'applique aux patients très âgés et elle nécessite confirmation ultérieure dans le cas de malades plus jeunes. L'exploration de l'effet de facteurs extérieurs tels que l'aluminium et d'autres agents environnementaux, les virus, les traumatismes crâniens ou la diminution des stimulations sensorielles dégage quelquefois des pistes prometteuses, mais pas toujours. Comme dans le cas d'autres maladies d'étiologie obscure, on a étudié les modifications du système immunitaire, jusqu'ici sans obtenir de réponses probantes, et on a même pu mettre en cause la cigarette, cette accusée universelle. Selon toute probabilité, on finira par découvrir plusieurs chemins différents qui aboutissent chacun au processus dégénératif de la maladie d'Alzheimer.

Il s'est avéré que certains changements physiques et biochimiques viennent accompagner ce processus, mais il faut encore éclaircir leur rôle. A titre d'exemple, la biopsie du cortex cérébral d'un patient a révélé une baisse de 60 à 70 % du taux de l'acétylcholine, facteur clé de la transmission chimique des influx nerveux. C'est pourquoi les recherches d'un traitement efficace se sont largement concentrées sur la mise au point de médicaments susceptibles d'améliorer les défauts de neurotransmission.

Par ailleurs, on a depuis peu des raisons de croire que l'acétylcholine joue un rôle dans la régulation de la production d'amyloïde dans le corps. Il semblerait que celle-ci augmente lorsque le taux d'acétylcholine est faible ; cette découverte, qui permet de relier les caractéristiques chimiques de la maladie à sa pathologie microscopique, pourrait ouvrir la voie au développement de nouvelles méthodes de traitement. Et des chercheurs ont émis l'hypothèse fascinante mais très discutée que l'amyloïde de type bêta aurait un effet toxique sur les cellules nerveuses, hypothèse qui, si jamais elle trouvait confirmation, justifierait un optimisme certain en matière de percée thérapeutique. Pour bien mesurer le degré de controverse qui règne dans la communauté scientifique sur ce point, il faut garder présent à l'esprit que les neurobiologistes restent en désaccord sur la question fondamentale de savoir si l'amyloïde provoque la dégénérescence des cellules nerveuses ou si elle n'est que le produit de leur décomposition.

De plus, une troisième caractéristique microscopique vient s'ajouter à la coexistence des enchevêtrements fibrillaires et des plaques séniles : la présence, dans certaines cellules de l'hippocampe, de cavités – les vacuoles – qui contiennent des granules fortement colorés dont l'importance reste à déterminer. Le nom d'*hippocampe,* ou « cheval marin » en grec, est celui que choisirent les médecins de l'Antiquité pour désigner cette gracieuse structure courbe située dans le lobe temporal du cerveau, car elle faisait penser par sa forme allongée à cet animal fabuleux. L'hippocampe joue en particulier un rôle dans l'emmagasinage des souvenirs ; quant à ses autres fonctions, elles demeurent une énigme et on ne peut que faire des conjectures sur l'interprétation à donner aux vacuoles et aux granules qu'elles renferment.

On l'aura compris : les laboratoires ne chôment pas mais la perplexité subsiste. Compte tenu de l'ampleur des recherches menées de nos jours et des résultats déjà en cours d'analyse, on a peine à croire que l'état actuel des connaissances n'annonce pas une période dans laquelle les petites découvertes commenceront à se cristalliser pour en former des grandes. N'est-ce pas finalement ainsi, plutôt que par des sauts énormes, que la science progresse dans ce vingtième siècle finissant ?

Les médecins ont désormais la capacité de donner un diagnostic exact dans 85 % des cas de démence sans devoir recourir à des gestes aussi extrêmes que la biopsie du cerveau. Parmi les nombreux arguments en faveur d'un effort précoce de diagnostic, soulignons-en un qui est très direct, à savoir qu'il existe certaines affections traitables qui présentent suffisamment de signes caractéristiques d'une démence pour que l'on risque de les confondre avec elle et, ce faisant, d'aggraver le tragique de la situation. Il s'agit notamment d'une dépression, des suites de la prise de certains médicaments, d'une anémie, d'une tumeur bénigne du cerveau, d'une hypothyroïdie et de certains effets traumatiques réversibles tels que la compression du cerveau par un hématome.

Disons-le franchement : le diagnostic de la maladie d'Alzheimer n'offre aucun réconfort possible. Des soins de qualité, l'action de groupes de soutien et la proximité de parents et d'amis peuvent certes contribuer à réduire l'angoisse ressentie mais, au bout du compte, le patient et les êtres qui lui sont chers devront s'acheminer ensemble à travers cette tortueuse vallée de l'ombre où tout change à jamais. Il n'y a pas de dignité dans une mort de ce type. C'est un acte arbitraire de la nature et un affront à l'humanité de ses victimes. S'il y a une sagesse à en tirer, elle ne peut venir que de la conviction qu'on a de la capacité des hommes et des femmes à faire preuve d'un amour et d'un dévouement qui transcendent non seulement la dégradation physique mais même la lassitude spirituelle des années de chagrin.

6

MEURTRE ET SÉRÉNITÉ

« L'homme est un aérobie obligatoire [1] » : voilà, énoncé avec la simplicité directe d'un aphorisme d'Hippocrate, le secret de la vie humaine. Cette dépendance de l'air de toute l'humanité – en vérité de tout animal terrestre connu –, les hommes primitifs en avaient conscience bien avant que quelques-uns d'entre eux se distinguent de leurs congénères sous le nom de guérisseurs. Quelle que soit la complexité technologique atteinte par la recherche moléculaire de pointe, et quelle que soit l'inflation de termes obscurs qui émaillent la littérature actuelle, fruit de tous ces travaux, un fait s'impose : l'homme a besoin d'air pour vivre.

A la fin du dix-huitième siècle, on découvrit que ce n'est pas l'air lui-même qui constitue le principal élément dont dépend la vie, mais l'oxygène. La conception de l'homme comme « aérobie obligatoire » prit alors un sens plus précis. Nous n'avons pas le choix : sans oxygène, nos cellules meurent, et nous mourons avec elles. Peu de temps après, on comprit que c'est grâce à l'absorption d'oxygène que le sang change instantanément de couleur, au moment de traverser les poumons, passant d'un brun

---

1. *Aérobie obligatoire* : bactérie qui ne peut vivre qu'en présence d'air (A. Manuila *et al., Dictionnaire français de médecine et de biologie,* Masson, 1981). (NdT)

éteint à un rouge palpitant de vie. On identifia son voyage vers les cellules des tissus du corps comme la cause de l'épuisement du sang lorsqu'il en revient bleu, atone, en un mot, essoufflé. Depuis lors, le rôle de cet élément naturel, le plus vital d'entre tous, a été exploré, génération après génération, par des milliers et des milliers de chercheurs sous tous les cieux, dans toutes les cultures du monde. L'oxygène est l'objet premier de toutes les recherches portant sur les processus de maintien de la vie des organismes vivants.

Après toutes ces années d'études, les chercheurs en biologie humaine en reviennent toujours à cet énoncé élémentaire, partie inhérente de la connaissance qu'a chacun de ce qu'il lui faut pour rester en vie : « L'homme est un aérobie obligatoire. » J'aurais pu recueillir l'une des innombrables variations faites sur ce thème dans presque n'importe lequel des écrits consacrés au sujet et qui foisonnent depuis deux cents ans, mais c'est surtout sa source effective qui est éclairante. Je l'ai découverte dans un récent numéro du *Bulletin of the American College of Surgeons* sous le titre « What's New in Surgery – 1992 » (« Quoi de neuf en chirurgie ? »). La maxime apparaissait non plus comme l'expression concise d'une sagesse depuis longtemps éprouvée, mais comme une certitude démontrée expérimentalement au niveau moléculaire. Il convient par ailleurs d'en souligner le contexte, un article hautement technique qui faisait le point sur les dernières recherches dans le domaine des soins intensifs, cette superspécialité toute neuve (si on est branché, on dit « pointue ») créée pour défendre la frontière qui limite l'existence vacillante d'une personne atteinte d'une maladie en phase terminale, l'ultime retranchement disputé entre les forces épuisées de la vie et les assauts puissants lancés par la maladie pour les démanteler.

Cette nouvelle spécialité a pour cadre le service de réanimation ; sa principale stratégie de défense vise à maintenir un approvisionnement suffisant en oxygène de toutes les cellules assiégées du corps. Nos ancêtres, les hommes des cavernes, auraient évidemment été d'accord avec cette idée. Milton Helpern, aujourd'hui disparu, à qui l'on envoyait des patients à autopsier quand la bataille était perdue et qui consacra sa carrière à la recherche des « dix mille portes différentes » ouvrant sur la mort, arriva chaque fois à la même conclusion fondamentale : le manque d'oxygène.

L'oxygène emprunte un trajet remarquablement direct qui le conduit de l'air inhalé jusqu'à sa destination ultime, la cellule aérobie. Après avoir facilement traversé les fines parois des alvéoles pulmonaires et le réseau de capillaires qui y est attaché, les molécules d'oxygène s'adjoignent le pigment protéique des globules rouges appelé hémoglobine. Recevant ensuite le nom d'oxyhémoglobine, les molécules ainsi réunies sont transportées depuis le poumon au cœur gauche, puis par l'aorte vers les larges avenues et les sentiers étroits de la circulation artérielle, jusqu'à ce qu'ils atteignent les capillaires lointains des tissus dont la nourriture constitue le but du périple.

Arrivé à destination, l'oxygène se sépare, tel un passager qui descend du train, de son compagnon de route, l'hémoglobine, pour pénétrer ensuite dans chacune des cellules des tissus en compagnie des substances biochimiques nécessaires à leur fonctionnement normal. En échange, pourrait-on dire, l'hémoglobine se charge en oxyde de carbone, se transformant de ce fait en une molécule appelée carboxyhémoglobine, que le sang en circulation emporte en même temps que les déchets produits par la vie de la cellule afin qu'ils soient détruits ou éliminés par ces magnifiques organes de purification aux multiples talents que sont le foie, les reins et les poumons.

A l'instar de tout bon système de livraison, celui-ci dépend d'une circulation régulière et fluide, en l'occurrence la circulation sanguine. L'état de choc est le terme utilisé pour décrire les phénomènes qui se manifestent lorsque le flux sanguin n'arrive pas à faire face aux besoins des tissus. S'il peut avoir pour cause tout un éventail de mécanismes, il s'explique dans la majorité des cas par une défaillance de l'action de pompage du cœur (comme dans l'infarctus du myocarde) ou une baisse importante du volume du sang en circulation (par exemple à la suite d'une hémorragie). On appelle ces deux mécanismes respectivement le choc cardiogénique et le choc hypovolémique. La septicémie constitue une autre cause courante de cet état : il s'agit alors de l'irruption dans le flux sanguin de produits infectieux (germes pathogènes). Le choc dit septique a des effets profonds sur la fonction cellulaire, comme nous le verrons plus tard ; pour l'heure, signalons tout simplement l'une de ses actions principales, celle d'induire une redistribution du sang qui aboutit à sa concentration dans certains réseaux veineux importants comme ceux des intestins et, donc, à son retrait de la circulation générale. Mais, quelle qu'en soit l'origine, toutes les formes de choc ont le même résultat : les cellules sont privées de leur source d'échange biochimique et d'oxygène, privation qui finit par les tuer.

C'est la durée du choc qui détermine si les cellules meurent ou non, ou si un nombre suffisant d'entre elles meurent pour entraîner le décès du patient. Cette notion n'a, bien entendu, qu'une valeur relative, tant il est difficile d'établir avec précision la durée fatale, qui dépend d'abord du degré de défaillance de la circulation. Que le flux sanguin cesse complètement, comme dans le cas de l'arrêt cardiaque, et la mort survient en quelques minutes ; s'il baisse quelque peu au-dessous du niveau nécessaire à la survie, la mort prend plus de temps et arrive à une vitesse qui varie d'un tissu à l'autre en fonction des besoins spécifiques de leurs cellules. Le cerveau, organe particulièrement sensible aux carences en oxygène et en glucose, est vite touché et, puisque son fonctionnement constitue le critère légal de la vie, il y a bien sûr une marge très étroite entre la mort et l'existence de ceux dont la circulation cérébrale est un tant soit peu compromise. L'approvisionnement insuffisant du cerveau en oxygène joue un rôle dans le vaste éventail des morts violentes.

Même si, à l'heure actuelle, le critère légal concerné se réfère à l'état du cerveau, la façon éprouvée depuis la nuit des temps par la médecine clinique pour diagnostiquer la mort garde encore aujourd'hui une certaine valeur. On parle de *mort clinique* pour évoquer ce court intervalle après le dernier battement du cœur où il n'y a ni circulation ni respiration ni aucun signe de fonctionnement du cerveau, mais pendant lequel une opération de sauvetage est toujours possible. Si la cessation survient brusquement, comme dans le cas de l'arrêt cardiaque ou d'une hémorragie importante, il subsiste, avant que les cellules indispensables perdent leur viabilité, un bref laps de temps pendant lequel des mesures comme une réanimation cardiopulmonaire ou une transfusion rapide peuvent parvenir à ramener à la vie une personne apparemment morte ; ce délai ne dépasse probablement pas quatre minutes. Il y a là la matière des scènes dramatiques qu'aiment à présenter les médias. Généralement infructueuses, les tentatives de réanimation réussissent pourtant assez souvent pour mériter d'être encouragées dans les conditions où elles conviennent. Puisque les individus ayant le plus de chances de survivre à la mort clinique sont ceux dont les organes se trouvent en bonne santé et qui ne souffrent ni d'un cancer en phase terminale ni d'artériosclérose invalidante ni de démence, leur survie est toujours possible et potentiellement utile à la société, à tout le moins en ce qui concerne leur capacité d'y apporter une contribution. C'est pourquoi tout individu en ayant la motivation devrait apprendre les principes de la réanimation cardiopulmonaire.

La mort clinique, ou les premiers signes par lesquels elle se manifeste, est souvent précédée d'une période qui ne dépasse pas quelques instants, appelée la phase agonique. Les cliniciens utilisent le mot *agonie* pour décrire des phénomènes visibles qui se déroulent pendant que la vie s'échappe d'un organisme trop endommagé pour la maintenir plus longtemps. Le mot dérive du grec *agon,* ou « combat ». On l'emploie même lorsque le mourant n'est plus assez conscient pour éprouver grand-chose et que ce que l'on observe traduit seulement des spasmes musculaires induits par l'acidité du sang en phase terminale. L'agonie et toute la série d'événements dans laquelle elle s'inscrit peuvent survenir dans toutes les formes adoptées par la mort, qu'elle frappe brusquement ou qu'elle arrive après une longue période de déclin qui se conclut dans la phase terminale de la maladie, comme dans le cas du cancer.

Les luttes apparentes de l'agonie ressemblent à de violents éclats de protestation qui s'élèvent du plus profond de l'inconscient, furieux du départ prématuré de l'esprit ; en effet, même si la maladie le prépare depuis plusieurs mois, le corps semble souvent récalcitrant à approuver ce divorce. Dans les ultimes moments de l'agonie, le court voyage vers l'oubli final s'accompagne soit de l'arrêt de la respiration, soit d'une brève série de halètements ; à de rares occasions, il peut y avoir également d'autres mouvements tels qu'un violent serrement des muscles du larynx qui, dans le cas de James McCarty, produisit un aboiement terrifiant. Simultanément, la poitrine ou les épaules se soulèvent parfois une ou deux fois et il survient éventuellement une brève convulsion. La phase finale de l'agonie se fond dans la mort clinique, et de là dans la permanence du néant.

Il est impossible de confondre l'apparence d'un être qui vient d'être privé de la vie avec celle de l'inconscience. Une minute après le dernier battement du cœur, l'indubitable pâleur grisâtre de la mort s'empare du visage et, étrangement, les traits adoptent un aspect cadavérique, y compris pour quelqu'un qui n'a jamais vu de cadavre auparavant. Le corps semble avoir perdu l'âme qui l'habitait, et c'est effectivement le cas. Vidé et atone, il n'est plus animé de l'esprit vital que les Grecs appelaient *pneuma*. Il ne vibre plus de la plénitude de la vie et se voit « dépouillé pour l'ultime voyage ». Dès qu'il est mort, le corps de l'homme entame son processus de rétrécissement et, en quelques heures, il semblera être presque « réduit à la moitié de lui-même ». Il n'est que de repenser à Irv Lipsiner mimant le dégonflement en soufflant de l'air par la bouche pour comprendre pourquoi l'on utilise le verbe *expirer* en parlant des personnes qui viennent de mourir.

La mort clinique revêt un aspect très facilement identifiable. Il suffit d'observer quelques secondes la victime d'un arrêt cardiaque ou d'une hémorragie pour décider si un effort de réanimation se justifie ou non. Au cas où le doute subsiste, l'apparence des yeux permet de trancher. S'ils sont ouverts, ils paraissent d'abord vitreux et sans regard mais, en l'absence de toute réanimation, ils abandonnent en quatre ou cinq minutes leur éclat et ternissent cependant que les pupilles se dilatent et perdent à jamais leur vaillante lumière. Bientôt, on dirait qu'un léger film gris voile les yeux pour que personne ne puisse les interroger du regard et voir que l'âme a pris congé. Les globes oculaires s'aplatissent rapidement, juste assez pour qu'on le remarque, car leur sphéricité dépendait de ce quelque chose qui n'est plus. Ils resteront à tout jamais ainsi.

L'absence de circulation est confirmée par l'arrêt du pouls, que l'observateur constate tout de suite en plaçant son doigt sur le cou ou à l'aine car il ne détecte pas la moindre palpitation du sang dans les artères. Les muscles, quant à eux, s'ils ne sont plus secoués par des spasmes, commencent à prendre cette consistance molle de la viande à l'étal du boucher. La peau perd son élasticité et le lustre délicat qui réfléchissait la lumière de la nature en signe de reconnaissance s'éteint. Quand on parvient à ce stade, la vie s'en est allée et aucune réanimation ne pourra la faire revenir.

Pour pouvoir déclarer légalement un décès, on doit fournir la preuve incontestable de l'arrêt définitif du fonctionnement du cerveau. Dans ce domaine, les services de réanimation et de traumatologie se servent actuellement de critères extrêmement détaillés. Citons parmi eux la perte de tout réflexe, le manque de réaction à de forts stimuli externes et l'absence d'activité électrique du cerveau telle que l'atteste un électro-encéphalogramme resté plat pendant une durée suffisamment longue. A partir du moment où ces conditions sont remplies (comme c'est le cas lorsque la mort du cerveau résulte d'une blessure à la tête ou d'une attaque cérébrale d'envergure), on met fin à toute assistance artificielle et le cœur, s'il ne s'est pas déjà immobilisé, cesse bientôt de battre, arrêtant ainsi la circulation sanguine.

L'arrêt de la circulation achève le processus de mort cellulaire. Le système nerveux central est le premier à décrocher, le dernier à lâcher prise sera le tissu conjonctif des muscles et des structures fibreuses. Grâce à des stimulations électriques, on arrive parfois à induire des contractions musculaires, parfois plusieurs heures après la mort. Certains des processus organiques, qu'on appelle anaérobies du fait qu'ils ne nécessitent pas d'oxygène, continueront aussi pendant plusieurs heures, comme la capacité du foie à décomposer l'alcool en ses éléments constitutifs. Quant au phénomène prétendument bien connu de la croissance des cheveux et des ongles pour des durées variables après la mort, il n'est pas un fait avéré : en vérité, rien de tel ne se produit.

Au cours de la plupart des décès, le cœur cesse de battre avant l'arrêt de fonctionnement du cerveau. Notamment lors d'une mort subite consécutive à un traumatisme, l'arrêt du cœur a presque toujours pour origine la perte de plus de sang que le corps ne peut supporter. Le chirurgien traumatologue appelle ce type d'hémorragie une *exsanguination,* terme plus élégant que l'expression plus courante selon laquelle « on se vide de son sang ». L'exsanguination peut être due à la section directe d'un vaisseau sanguin vital ou à des blessures perpétrées à l'endroit d'organes gorgés de sang comme la rate, le foie ou les poumons ; parfois, même le cœur est déchiré.

La perte rapide de la moitié ou des deux tiers du volume du sang suffit généralement pour provoquer l'arrêt du cœur. Le total de ce volume étant égal à environ 8 % du poids du corps, une perte de 3,75 litres de sang chez un homme de 77 kilogrammes, ou de 2,8 litres pour une femme de 59 kilogrammes peut entraîner la mort clinique. Dès lors qu'un vaisseau sanguin de la taille de l'aorte est sectionné, le sort de la victime se joue en moins d'une minute ; si, en revanche, la rate ou le foie sont touchés, il faudra peut-être plusieurs heures ou même quelques jours, comme dans ces très rares cas où une blessure suinte constamment sans recevoir de soins.

Dès la perte des tout premiers décilitres de sang, la pression artérielle se met à chuter et le cœur accélère son rythme pour compenser la diminution du volume propulsé par chaque battement. Mais, à la fin, aucun rééquilibrage interne ne peut contrebalancer les pertes, car la tension ainsi que le volume de sang parvenant au cerveau deviennent trop faibles pour assurer le maintien de la conscience ; le patient glisse alors dans le coma. C'est le cortex cérébral qui donne les premiers signes de défaillance, mais les parties « inférieures » du cerveau comme le tronc cérébral ou la moelle poursuivent leur tâche plus longtemps, si bien que la respiration continue certes, mais d'une façon de plus en plus désorganisée. Enfin, le cœur, désormais presque vide, s'arrête, donnant parfois des signes de fibrillation avant de rendre complètement les armes. L'agonie commence à ce moment-là et la vie s'éteint.

On retrouve cette séquence particulièrement sinistre – hémorragie, exsanguination, arrêt cardiaque, agonie, mort clinique et enfin mort irréversible – dans ce meurtre particulièrement pervers commis il y a quelques années dans une petite ville du Connecticut située à peu de distance de l'hôpital où je travaille.

La scène se déroula lors d'une fête foraine, dans une rue grouillant de monde, sous les yeux de dizaines de gens qui s'enfuirent, effrayés par la rage maniaque du tueur. Avant de l'attaquer sauvagement, ce dernier n'avait jamais posé les yeux sur sa victime, une ravissante petite fille de neuf ans qui débordait d'énergie.

Katie Mason était venue de la ville voisine avec sa mère Joan et sa sœur Christine, âgée de six ans. Une amie de Joan, Susan Ricci, s'était jointe à elles en compagnie de ses deux enfants du même âge que les petites Mason, Laura et Timmy. Comme elles se retrouvaient au même cours de danse depuis qu'elles avaient trois ans, Katie et Laura étaient très liées. Alors que le petit groupe piétinait avec les autres badauds autour d'un camelot qui faisait son boniment devant le magasin Woolworth, la petite Christine commença à tirer sa mère par la main pour lui indiquer le manège de poneys de l'autre côté de la rue, la suppliant de l'y conduire. Joan et sa cadette traversèrent la rue en direction du manège et laissèrent Katie avec les autres. Au moment où elles mettaient le pied sur le trottoir d'en face, Joan entendit un brouhaha qui provenait de quelque part derrière elle, puis le cri aigu d'un enfant. Elle se retourna, lâcha la main de Christine. La foule s'égailla dans tous les sens pour tenter d'échapper à un homme. Grand, échevelé, il se tenait au-dessus d'une petite fille gisant à terre et la labourait de coups furieux de son bras droit tendu. Joan sut tout de suite, malgré les brumes qui envahissaient son esprit pétrifié, que l'enfant étendu sur le côté au pied du forcené était sa fille Katie. Au premier abord, elle vit seulement un bras, puis elle compris en un éclair qu'une main serrait un long objet sanglant. C'était un couteau de chasse de 18 centimètres de long.

De toutes ses forces, l'assaillant tailladait le visage et le cou de Katie avec un mouvement de piston de haut en bas qu'il répétait inlassablement. En un instant, tout le monde avait disparu, laissant le bourreau seul avec sa victime. Comme rien ni personne n'entravait sa frénésie, l'homme s'était d'abord accroupi puis assis à côté de l'enfant pour lui lacérer les chairs d'un geste incessant de hachoir. Le vide s'était fait également autour de Joan et, tandis que le trottoir se couvrait du sang de son enfant, elle demeurait figée d'incompréhension et d'horreur à quelques mètres de là. Plus tard, elle allait s'en souvenir : l'air semblait s'être épaissi au point d'empêcher tout mouvement de sa part, une onde de chaleur et de paralysie envahit son corps, puis, comme dans un rêve, une brume l'enveloppa et l'isola de tout ce qui l'entourait.

Cette scène atroce se déroula sans qu'il y eût d'autre mouvement que les coups portés sans trêve ni relâche par le bras assassin à l'enfant muette. Vue de l'intérieur de Woolworth ou depuis la sécurité de tout autre abri, elle aurait pu apparaître comme un grotesque spectacle de folie et de tuerie représenté dans cette rue silencieuse.

Joan avait la conviction que cette scène ne finirait jamais. Son immobilité de pierre ne dura pourtant pas plus de quelques secondes mais, pendant cette apparente éternité, elle vit le couteau pénétrer encore et encore le visage et la poitrine de sa petite fille. Soudain, deux hommes surgirent – comme des coulisses – et s'emparèrent du tueur en hurlant tandis qu'ils essayaient de le plaquer au sol. Rien ne semblait pouvoir l'arrêter ; en effet, avec une détermination de psychotique, il continuait d'assener des coups de couteau à Katie. Même quand l'un des hommes, chaussé de lourdes bottes, commença à lui lancer des coups de pied violents en plein visage, le tueur ne donnait toujours pas l'impression de remarquer les chocs répétés qui faisaient valser sa tête de droite et de gauche. Un policier accourut, saisit la main armée du couteau ; ce fut seulement à ce moment que les trois hommes parvinrent à maîtriser et à clouer à terre le forcené, qui se débattait toujours.

On le sépara de Katie et Joan se précipita pour prendre sa fille dans ses bras. Elle la retourna délicatement sur le dos et, voyant le petit visage lacéré, murmura doucement : « Katie, Katie », comme si elle chantonnait pour un enfant au berceau. La tête et le cou de l'enfant étaient maculés de sang, sa robe en était aussi imbibée, mais ses yeux demeuraient toujours lumineux.

Son regard, raconte sa mère, était fixé sur moi et sur un point dans l'espace, je ressentais une certaine chaleur. Sa tête était tombée en arrière ; je l'ai légèrement redressée, pensant qu'elle respirait toujours. Je répétais son nom plusieurs fois en lui disant que je l'aimais. Ensuite, j'ai compris qu'il fallait la mettre en sécurité, que je devais l'arracher à cet homme, mais qu'il était déjà trop tard. Je l'ai soulevée dans mes bras pour la transporter à quelques pas de là ; alors, je me suis demandé : « Qu'est-ce que je suis en train de faire, où est-ce que je vais l'emmener ? » Je me suis mise à genoux pour la reposer doucement par terre. Sa poitrine a commencé à se soulever et elle vomissait du sang. Il en coulait des quantités énormes, sans arrêt ; je ne pensais pas que son corps puisse en contenir autant mais je savais qu'elle perdait tout son sang. J'ai appelé à l'aide mais je ne pouvais rien faire pour l'empêcher de vomir.

Au moment où je m'étais approchée d'elle, j'avais vu que ses yeux brillaient toujours, un peu comme quand on reconnaît quelque chose. Mais avant que je la rallonge par terre, ils avaient déjà changé et pris un aspect vitreux. A première vue, elle m'avait semblé encore vivante, mais plus maintenant.

Il n'y avait aucune souffrance dans son regard mais plutôt de l'étonnement. Puis, quand tout a changé, elle avait toujours la même expression mais ses yeux s'étaient ternis. Une femme a surgi, il me semble que c'était une infirmière, et elle a entrepris la réanimation cardiopulmonaire. Je n'ai rien dit, mais je pensais : « Pourquoi fait-elle cela ? Katie a quitté son corps. Elle est derrière moi, au-dessus de moi, elle flotte. Sa vie n'est plus dans son corps, et elle ne reviendra pas. Son corps n'est plus qu'une enveloppe. » A partir de là, plus rien n'était comme au moment où j'étais arrivée à ses côtés ; j'avais la conscience que ma fille était morte. Je sentais qu'elle n'était plus dans son corps, qu'elle était quelque part ailleurs.

L'ambulance est arrivée, on a relevé Katie de la mare de sang et tenté d'insuffler de l'air de force dans ses poumons à l'aide d'un ballon insufflateur. Ses yeux étaient toujours ouverts et elle avait encore ce regard vitreux, cet air étonné, comme si elle allait dire : « Mais qu'est-ce qui se passe ? » C'était un mélange de vulnérabilité, d'incompréhension et de surprise mais certainement pas une expression d'horreur, et je me souviens du soulagement que j'ai ressenti à cette idée car, à ce moment-là, je cherchais n'importe quelle source de soulagement...

Après, j'ai passé des mois entiers à me demander si elle avait beaucoup souffert. J'avais besoin de savoir. Je l'avais vue perdre tout son sang quand elle vomissait. Sa poitrine et son visage étaient couverts de coupures et de balafres. Elle avait dû vouloir protéger son visage en tournant la tête dans tous les sens, luttant pour se libérer de cet homme. Par la suite, j'ai appris qu'il avait surgi de nulle part et qu'il avait poussé Laura. Il a attrapé Katie par les cheveux et l'a fait tomber par terre. C'est Laura qui s'est mise à crier, pas Katie. Il fallait que je sache ce qu'elle avait enduré, ce qu'elle avait éprouvé…

Vous savez à quoi cela ressemblait ? A une délivrance. Après l'avoir vue attaquée de cette façon, ça m'a donné un sentiment de paix de lui trouver cet air de délivrance. Elle a dû elle-même se libérer de cette souffrance parce que son visage n'en portait aucune trace. J'ai pensé que peut-être elle était entrée en état de choc. Elle avait l'air soulagée mais pas effrayée ; autant ma terreur était immense, autant elle n'en manifestait pas du tout. Susan, mon amie, qui avait vu elle aussi le regard, a dit que Katie s'était peut-être résignée mais, quand elle a entendu mon interprétation, elle m'a dit que j'avais raison, que c'était tout à fait un air de délivrance.

Un jour, on avait fait faire une photo de Katie et c'est la même expression qu'elle avait dans les yeux. Ils étaient grand ouverts mais ils n'exprimaient aucune peur ; ça ressemblait presque à de l'innocence, à une délivrance innocente. Pour moi, sa mère, au milieu de tout ce sang, de toute cette atrocité, c'était vraiment apaisant de voir cette expression dans ses yeux. Et puis, à un moment donné, j'étais auprès d'elle, j'ai eu l'impression qu'elle n'était plus dans son corps, qu'elle flottait quelque part au-dessus de moi et qu'elle me regardait. Même si elle était inconsciente, je savais que d'une manière ou d'une autre elle savait que j'étais là, que sa mère était là au moment où elle mourait. Je l'avais mise au monde, et j'étais là quand elle l'a quitté ; malgré toute la peur et toute l'horreur de ce qui s'est passé, j'étais présente.

L'ambulance transporta Katie à l'hôpital le plus proche en quelques minutes. De toute évidence, son pouls ne battait plus, il n'y avait aucun signe d'activité cérébrale, en un mot, elle était au-delà de la mort clinique, mais l'équipe des urgences atterrée n'en fit pas moins tout son possible pour la ramener à la vie.

Médecins et infirmières savaient pourtant que leurs tentatives seraient vaines. Finalement, quand ils abandonnèrent leurs efforts, frustration et colère se transformèrent en douleur. En larmes, l'un des docteurs annonça à Joan ce qu'elle savait déjà.

Peter Carlquist, l'homme qui avait tué Katie Mason, était un schizophrène paranoïaque de trente-neuf ans. Traduit en justice deux ans plus tôt pour une tentative de meurtre à l'arme blanche à l'encontre de son camarade d'appartement, qu'il accusait d'introduire du gaz empoisonné dans le radiateur, il avait été acquitté, les experts l'ayant déclaré irresponsable de ses actes. Toute sa vie consistait en un chapelet d'agressions de ce type ; parmi ses victimes figuraient sa sœur et plusieurs camarades de lycée. Dès l'âge de six ans, il avait dit à un psychiatre que le diable était sorti de terre pour pénétrer dans son corps. Il avait peut-être raison.

Après l'agression de son compagnon, Carlquist avait été transféré dans une unité pour patients dangereux dans l'enceinte de l'hôpital d'État situé à la limite de la ville où se rendit Katie Mason en ce jour fatal de juillet. Peu de temps auparavant, une commission consultative l'avait déclaré suffisamment guéri pour le faire transférer dans une unité ayant en charge des malades mentaux qui bénéficiaient d'un droit de sortie de quelques heures. Le matin de l'agression, Carlquist avait quitté l'institution et s'était rendu en autobus au centre, où il était entré dans une quincaillerie. Après avoir acheté un couteau de chasse, il s'était retrouvé au milieu de la fête foraine. En face de Woolworth, parmi la foule, il avait vu deux jolies petites filles portant des robes identiques : quelque part dans son esprit dérangé réside le secret de la raison pour laquelle il choisit Katie, la petite fille brune, au lieu de Laura, la blonde. Il se précipita sur elle, lui saisit le bras, la fit tomber à terre et commença son œuvre démoniaque.

Katie Mason mourut d'une hémorragie aiguë qui provoqua un choc hypovolémique. En dépit du grand nombre de coups que reçut le haut de son corps, la principale cause de saignement était la section complète de la carotide ; celle-ci s'étant vidée par une déchirure dans l'œsophage, le sang avait passé de l'œsophage à l'estomac. D'où la régurgitation volumineuse.

Les réactions du corps se déroulent de façon bien précise chez la victime d'une violente hémorragie. Il y a d'abord hyperventilation, sorte de tentative de compensation du corps pour saturer le sang d'autant d'oxygène que possible puisque son volume baisse ; pour la même raison, le cœur se met à battre plus vite. Comme l'hémorragie s'accentue, la pression dans les vaisseaux chute rapidement et les artères coronaires reçoivent de moins en moins de sang. Si l'on pouvait faire un électrocardiogramme dans un tel cas, il indiquerait la présence d'une ischémie du myocarde qui ralentit à son tour le cœur mal oxygéné. Quand la pression artérielle et le pouls tombent au-dessous d'un certain point, l'alimentation du cerveau en oxygène et en glucose n'est plus suffisamment assurée : le patient sombre dans l'inconscience qui précède la mort cérébrale. Pour conclure, le cœur ischémique finit par s'arrêter, généralement sans fibrillation. Cet arrêt entraîne celui de la circulation et celui de la respiration ; après quelques manifestations d'agonie, la mort clinique s'installe. Si un vaisseau sanguin de l'importance de la carotide est sectionné, l'enchaînement qu'on vient de décrire ne dure que quelques minutes.

C'est ainsi qu'on peut expliquer la mort de Katie Mason, mais l'explication ne rend pas compte du phénomène qui s'est déroulé sous les yeux de sa mère, phénomène qui se voit corroboré par nombre de témoins ayant assisté à des événements horribles de ce type et qui fait poser les questions suivantes : Quand un psychopathe armé d'un couteau se jette soudain sur une fillette avec l'intention manifeste de l'assassiner, pourquoi n'y a-t-il sur le visage de la victime aucune trace de terreur ? Au contraire, pourquoi semble-t-elle se trouver dans un état de tranquillité et de délivrance, où elle manifeste la surprise plutôt que l'horreur ? Surtout si l'on pense à la sauvagerie avec laquelle les blessures lui furent infligées pendant le court laps de temps où elle dut avoir tout à fait conscience de ce qui lui arrivait, on ne peut que se demander pourquoi elle ne donna aucun signe de panique ni même de peur.

En fait, le phénomène décrit par Joan Mason constitue depuis plusieurs siècles une source d'étonnement. Pour les soldats, l'absence de souffrance et de peur a de tout temps été un facteur déterminant de leur capacité de combattre en dépit de blessures graves, car ils ne ressentent peut-être rien d'autre que l'euphorie du champ de bataille jusqu'à ce que la proximité du danger soit dépassée, moment où le supplice mental et physique et, parfois, la mort prennent le relais. Il y a assurément bien plus dans tout cela que l'alternative entre le combat ou la fuite qu'impose une décharge d'adrénaline.

Dans son essai intitulé « De l'exercitation », Montaigne nous donne à penser que se familiariser avec les voies et moyens de la mort notre vie durant adoucira nos dernières heures :

> Il me semble toutefois qu'il y a quelque façon de nous apprivoiser à elle et de l'essayer aucunement. Nous en pouvons avoir expérience, sinon entière et parfaite, au moins telle qu'elle ne soit pas inutile, et qui nous rende plus fortifiés et assurés. Si nous ne la pouvons joindre, nous la pouvons approcher, nous la pouvons reconnaître ; et, si nous ne donnons jusques à son fort, au moins verrons-nous et en pratiquerons les avenues.

Montaigne rapporte son expérience lorsqu'il fut jeté à bas de sa monture par un cavalier qui vint « à toute droite et droit dans ma route ». Défait et perdant son sang, il crut l'espace d'un instant avoir reçu une décharge d'arquebuse à la tête ; or, à sa grande surprise, il garda son calme : « Non seulement je répondais quelque mot à ce qu'on me demandait, mais encore (…) je m'avisai de commander qu'on donnât un cheval à ma femme, que je voyais s'empêtrer et se tracasser dans le chemin (…). »

Il décrit le sentiment de tranquillité qui l'envahit bien qu'il eût refusé les potions soporifiques qu'on lui offrait, « tenant pour certain que j'étais blessé à mort par la tête. (…) Mon assiette était à la vérité très douce et paisible ; je n'avais affliction ni pour autrui ni pour moi ; c'était une langueur et une extrême faiblesse, sans aucune douleur ». Pendant une ou deux heures, il attendit la mort qui ne venait pas ; plein de sérénité, il se trouvait heureux de « couler si doucement et d'une façon si douce et si aisée (…) ». Au bout d'un moment, « je me sentis tout d'un train rengager aux douleurs, ayant les membres tout moulus et froissés de ma chute ; et en fus si mal deux ou trois nuits après, que j'en cuidai remourir encore un coup mais d'une mort plus vive (…) ». [2]

Quelle que fût l'influence qui avait tranquillisé Montaigne grièvement blessé, elle s'était épuisée. Après cette première période de quelques heures, une douleur intense se manifesta. La sérénité, la langueur et l'acceptation d'une mort supposée facile disparurent pour faire place à la réalité d'une souffrance et d'une peur inévitables.

Pareils récits ne sont pas rares, et leurs auteurs les colorent quelquefois d'une teinte mystique, comme si un événement inexplicable et peut-être surnaturel s'était produit. Mais, pour le médecin dont la carrière s'est déroulée parmi les traumatismes – ceux qu'impose volontairement la chirurgie à des fins thérapeutiques ainsi que ceux qu'inflige la violence de la vie moderne –, ces contes de sérénité et de confort alangui face à ce qui ressemble à la torture de blessures effroyables évoquent un prototype bien précis. Il s'agit des réactions à une injection d'un produit opiacé ou de tout autre narcotique puissant aux effets antalgiques. Si le médicament est bien choisi et la dose assez importante, les peurs s'évanouissent et l'angoisse causée par les blessures ou les opérations chirurgicales les plus intolérables reflue dans un nuage moelleux d'indifférence. De nombreux patients parlent d'un sentiment de bien-être et j'ai été témoin même d'une certaine euphorie à la suite d'une bonne dose d'un narcotique apparenté à la morphine.

Il n'est pas interdit de penser que le corps humain lui-même sait non seulement produire des substances dont l'action est analogue à celle de la morphine, mais aussi programmer leur sécrétion afin de correspondre au moment où le besoin s'en fait sentir. En fait, c'est peut-être dans cet instant qu'il faut chercher le stimulus déclencheur du mécanisme.

De tels opiacés produits par l'organisme existent effectivement : on les appelle les *endorphines*. Ce nom, inventé peu de temps après leur découverte, il y a environ vingt ans, vient de la contraction de deux mots qui en décrivent l'origine, c'est-à-

---

2. Montaigne, « De l'exercitation », *Essais II, op. cit.*

dire de composés endogènes proches de la morphine. *Endogène* est apparu dans les dictionnaires médicaux il y a au moins un siècle et provient du grec *endon,* qui veut dire « dedans » ou « à l'intérieur », et de *gennao,* qui signifie « je produis ». Ainsi donc, le terme se réfère à des substances ou à des états que l'organisme crée à l'intérieur de lui-même. La morphine nous rappelle bien entendu Morphée, dieu romain du sommeil et des rêves.

Face au stress, plusieurs structures du cerveau ont la capacité de sécréter des endorphines ; parmi elles, on trouve l'hypothalamus, une zone appelée la matière grise périacqueducale ainsi que l'hypophyse. On sait que, comme l'ACTH, hormone responsable de l'activation des glandes sécrétant l'adrénaline, les molécules d'endorphine se fixent, de même que les autres hypnotiques, sur les récepteurs situés sur la membrane de certaines cellules nerveuses. L'effet produit modifie la conscience sensorielle. Les endorphines semblent jouer un rôle important, non seulement en élevant le seuil de la douleur, mais aussi en modifiant les réactions affectives. De plus, il est prouvé qu'elles entrent en interaction avec les hormones apparentées à l'adrénaline.

Chez l'individu normal, indemne de toute blessure et ne se trouvant pas sous le coup du stress, il n'y a aucune preuve que les endorphines puissent calmer la douleur ou induire des changements de conscience. Il faut arriver à un stade décisif de traumatisme, physique ou affectif, pour qu'elles s'activent, mais ni ce niveau ni même la qualité du traumatisme n'ont été jusqu'ici définis avec certitude.

Il est probable, par exemple, que la simple stimulation des aiguilles de l'acupuncteur suffise à la sécrétion des endorphines. Plusieurs années de suite, j'ai effectué une série de visites professionnelles dans des écoles médicales chinoises, et j'en suis venu à m'intéresser à l'acupuncture après avoir vu plusieurs démonstrations de son efficacité comme analgésique en chirurgie. En 1990, je me rendis chez le neurobiologiste Cao Xiaoding, chef du Groupe de coordination de recherches sur l'analgésie et l'anesthésie par l'acupuncture de la faculté de médecine de Shanghai, unité réunissant six laboratoires : neuropharmacologie, neurophysiologie, neuromorphologie, neurobiochimie, psychologie clinique et informatique. L'équipe du professeur Cao, composée de trente membres de la faculté, a publié un vaste ensemble de données expérimentales et cliniques montrant que l'indubitable succès de l'acupuncture dans certaines de ses applications réside dans la sécrétion des endorphines que stimulent la rotation ou la vibration des aiguilles. Toutefois, si l'on a enregistré à maintes reprises une augmentation importante du niveau d'endorphines au cours de séances d'acupuncture, non seulement à Shanghai mais dans plusieurs laboratoires occidentaux, le chemin neurologique par lequel le signal de démarrage atteint le cerveau reste à élucider. Il s'agit éventuellement d'un mécanisme analogue à celui qui active les réactions provoquées par le stress.

Depuis la fin des années soixante-dix, on a montré que les endorphines font leur apparition dans des cas de choc attribuables à une perte importante de sang ou à une septicémie ; la littérature chirurgicale est bien documentée sur leur augmentation en cas de traumatismes de toutes sortes. Par ailleurs, alors que l'existence du phénomène chez les enfants ne fait l'objet de recherches que depuis peu, une étude récente menée dans ce domaine à l'université de Pittsburgh démontre que le même mécanisme est à l'œuvre que chez les adultes, à savoir que la production d'endorphines redouble chez les patients victimes des traumatismes les plus graves. On a même pu constater une telle surproduction chez certains enfants dont les blessures se limitaient à de simples écorchures.

Nous ne saurons jamais le niveau atteint par les endorphines de Katie Mason (certains de mes confrères avides de preuves ne manqueront pas de mettre en doute ma supposition osée), mais je reste convaincu que la nature est intervenue, comme il arrive souvent, pour fournir exactement la dose nécessaire à la tranquillité de cet enfant mourant. L'augmentation en question semble correspondre à une réponse physiologique innée destinée à protéger les mammifères, et peut-être également d'autres animaux, des dangers physiques et affectifs de la peur et de la douleur. Il s'agit d'un mécanisme de survie qui, compte tenu de son rôle positif dans l'évolution, apparut probablement au cours de cette période sauvage de la préhistoire quand la vie quotidienne était émaillée de menaces soudaines et mortelles. De nombreuses vies ont dû être sauvées grâce à l'absence de réactions soufflées par la panique face à un danger inattendu.

Il semble que Joan Mason se trouva elle aussi protégée par ses endorphines. Elle me raconta que, si elle n'avait pas éprouvé ce sentiment céleste de chaleur, cette impression d'être entourée d'une aura l'isolant du reste du monde, elle aurait eu une crise cardiaque et serait morte dans la rue aux côtés de sa fille. Nos ancêtres hominiens dont le cœur et le système circulatoire ne succombaient pas à la terreur au moment de l'agression d'un fauve furent ceux qui survécurent pour enfanter une descendance dont les réactions se calquaient sur les leurs.

Mais, en dépit du nombre de narrations retraçant des cas analogues, on a fait peu d'efforts pour étudier systématiquement le phénomène. On connaît peut-être la leçon toute philosophique d'un Montaigne, ou l'histoire d'un soldat ou encore celle d'un alpiniste ayant expérimenté un sentiment de paix inhabituel alors qu'en plein dévissage il s'attendait à une morte subite. Certains ont même des récits personnels de ce type. Et puis, il existe bien sûr des cas où les endorphines ne se trouvent pas au rendez-vous, où elles laissent la mort survenir sans en soulager l'angoisse.

Puisque, pour certains, le problème des endorphines semble soulever des questions liées au corps et pour d'autres des questions liées à l'esprit, il est instructif d'examiner l'expérience d'un homme cultivé qui avait pour but de soigner les deux. On oublie trop souvent que le grand explorateur David Livingstone était médecin et missionnaire. Au cours de ses expéditions africaines, il survécut de peu à un certain nombre d'accidents parmi lesquels un en particulier illustre la manière dont le corps et l'esprit œuvrent de concert au moment même où ils semblent sur le point de prendre pour toujours des chemins séparés.

En février 1884, Livingstone, alors âgé de trente ans, se trouva aux prises avec un lion blessé qu'il essayait d'empêcher d'attaquer plusieurs indigènes de son expédition. D'un coup de mâchoire, l'animal furieux se saisit de son bras gauche ; l'explorateur se sentit soulevé du sol et secoué violemment tandis que les dents du fauve s'enfonçaient profondément dans ses chairs, brisant en éclats l'humérus et déchiquetant de onze lacérations la peau et les muscles. Un membre de l'équipe, un vieil homme converti du nom de Mébalué, eut la présence d'esprit de ramasser un fusil et de décharger les deux barillets, geste suffisamment effrayant pour amener l'animal à lâcher sa proie et à s'enfuir : à quelques pas, celui-ci mourut de la balle qu'avait tirée Livingstone, avant d'être attaqué.

L'explorateur blessé eut tout le temps de penser à la fin à laquelle il avait échappé de justesse, car il lui fallut deux mois de convalescence pour récupérer de l'hémorragie, des multiples fractures et de l'infection suppurante de ses plaies qui se développa peu après. Aussi étonné d'avoir survécu que d'avoir ressenti une espèce de sérénité entre les mâchoires du lion, il décrivit plus tard les faits ainsi que ce sentiment ineffable de paix dans une autobiographie publiée en 1857 sous le titre *Explorations dans l'Afrique australe* :

Rugissant à mon oreille d'une horrible façon, il m'agita vivement comme un basset le fait d'un rat. Cette secousse me plongea dans la stupeur que la souris semble ressentir après avoir été secouée par un chat, sorte d'engourdissement où l'on n'éprouve ni le sentiment de l'effroi ni celui de la douleur, bien qu'on ait parfaitement conscience de tout ce qui vous arrive ; un état pareil à celui des patients qui, sous l'influence du chloroforme, voient tous les détails de l'opération, mais ne sentent pas l'instrument du chirurgien. Ceci n'est le résultat d'aucun effet moral : la secousse anéantit la crainte et paralyse tout sentiment d'horreur, tandis qu'on regarde l'animal en face. Cette condition particulière est sans doute produite chez tous les animaux qui servent de proie aux carnivores ; et c'est une preuve de la bonté généreuse du Créateur, qui a voulu leur rendre moins affreuses les angoisses de la mort. [3]

Dans cette époque lointaine où les scientifiques de laboratoire amorçaient à peine leur longue collaboration avec les médecins, l'explication donnée par Livingstone de son calme remarquable

---

3. David Livingstone, *Explorations dans l'Afrique australe*, Hachette, 1885, p. 20-21.

paraissait probablement juste à tout le monde ou presque. Il aurait fallu en effet être doué de prescience, ou renier sa foi, pour invoquer la physiologie dans ces temps reculés où l'analyse chimique et microscopique n'en était qu'à ses balbutiements. Livingstone avait fort peu de chances de pouvoir deviner les principes qui sous-tendent l'altération biochimique des états de conscience dans des conditions de stress. A défaut d'une ultime percée impartie par une vision prophétique dont même un missionnaire chrétien ayant reçu l'ordination était incapable, il n'avait guère les moyens de prévoir la découverte d'un tel phénomène.

J'ai moi-même vécu une expérience analogue. Je ne suis pas d'un naturel craintif, mais il existe deux situations qui me terrorisent au point de me rendre parfaitement irrationnel, et ce à un degré pathologique : celle où, me trouvant en altitude, je regarde au-dessous de moi et celle où je suis immergé dans des eaux profondes. Je n'ai qu'à penser à l'un de ces dangers pour que, oppressé, sous l'effet d'un spasme, mes sphincters se contractent depuis l'orifice de mon œsophage jusqu'à l'autre extrémité. Il ne s'agit pas simplement d'une quelconque prudence ou de l'inquiétude que l'on ressent dès que l'on ne touche plus le fond : non, cette seule pensée m'anéantit, me réduit à un délire de lâcheté phobique. Je me suis trouvé plus d'une fois dans une piscine, entouré de jeunes gens en bonne santé qui tous auraient pu me sauver sans qu'une seule fibre de leurs muscles schwarzeneggeroïdes ne se fatigue et, malgré tout, j'éprouvais la terreur d'une noyade certaine ; il suffit en général que je me rende compte tout à coup de m'être aventuré de quelques centimètres dans le grand bassin et de n'avoir plus pied.

Ainsi donc, en compagnie d'un confère américain et d'une demi-douzaine de membres de la faculté de médecine de l'université du Hunan près de Changsha, ville du centre de la Chine, après un banquet raffiné de deux heures au cours duquel ma consommation alcoolique s'était limitée à une bouteille de bière Tsingtao prise au début du repas, nous devisions et nous flânions sur un chemin dallé qui coupait, sur quelques mètres, un bassin en apparence peu profond dont l'eau miroitait. Vêtu d'un costume, je portais à l'épaule un sac léger. Le site ne m'était pas tout à fait étranger puisqu'il s'agissait de mon second séjour en deux ans, mais je n'avais pas fait attention à l'étroitesse du pavement en courbe ni à l'absence d'éclairage par cette nuit sans étoiles. Comme je me retournais à moitié, tout en avançant, pour répondre à une remarque d'un de nos hôtes qui marchait derrière moi, voilà que mon pied droit se trouva tout à coup suspendu dans le vide. En l'espace d'un instant, je fus plongé dans des eaux noires et impénétrables et je coulais. Je compris aussitôt que j'étais toujours en station verticale, que le plongeon m'entraînait plus en profondeur ; j'éprouvais un mélange de stupéfaction et d'un léger mais très lointain sentiment d'amusement ironique à l'idée d'être engagé dans quelque acrobatie dangereuse et idiote qui, contre mon attente, n'aurait pas marché. Alors même que, vraisemblablement, je m'acheminais par un passage étroit qui conduisait directement à travers la croûte terrestre jusqu'à New Haven, je m'en voulais de ce que je reconnus immédiatement comme une maladresse insigne qui risquait de compromettre le succès de ma mission au Hunan. Mais, pour extraordinaire qu'il paraisse, aucune crainte, pas la moindre idée de noyade ne vint me troubler.

Inconscient de mes réactions, je dus en fin de compte toucher le fond où, instinctivement, je pris mon élan d'un coup de pied en bon nageur expérimenté, puisque je me sentis bientôt remonter et que ma tête émergea à la surface de l'eau. Je saisis les mains tendues de mes compagnons hurlant de peur, je me hissai hors du bassin en utilisant comme point d'appui les rochers qui dépassaient irrégulièrement et formaient la berge. J'avais toujours mon sac à l'épaule ; tout ce que j'avais perdu se limitait à ma paire de lunettes et à un peu de cet élément fondamental de la dignité que les Chinois nomment *mianzi*, ou « face ». Je restai quelques instants sur le chemin, submergé par ma stupidité, embarrassé et grelottant brusquement de froid.

Ce grand plongeon n'a certainement pas duré plus de quelques secondes et, si je suppose que les endorphines ont agi, je ne peux guère en apporter la preuve. Quoi qu'il en soit, je présente cette anecdote à titre d'illustration personnelle d'un accident soudain et inattendu qui aurait dû provoquer des réactions incontrôlées et chaotiques mais qui ne suscita en l'occurrence qu'une impression de détachement ainsi qu'une calme réflexion sur le faux pas que, littéralement, j'avais fait. Le choc émotionnel semble avoir déclenché une réaction de stress qui m'a privé de toute conscience du danger et empêché de ce fait une panique qui, autrement, aurait pu me paralyser. De toute évidence, j'avais échappé à l'agitation inefficace de mes bras, à l'absorption de quelques bonnes tassées d'eau stagnantes et, surtout, au risque réel de me fracasser la tête contre les rochers tranchants.

Bref instant de danger qui, je l'avoue, n'est rien en regard de l'ampleur de l'assaut des émotions qui déferlèrent sur Montaigne ou Livingstone ; je n'aurai pas non plus l'insensibilité de comparer mon aventure au sort tragique que connut la petite Katie Mason. Cependant, la différence de degré mise à part, ces récits mettent tous en lumière un sentiment de tranquillité apparente au lieu de la terreur, et de résignation à la place d'une lutte qui nuit plus qu'elle n'aide. Nombreux sont ceux qui ont réfléchi aux raisons de cet état de choses et, du point de vue philosophique, les réponses couvrent un vaste terrain qui s'étend du spiritualisme jusqu'à la science. Mais, quelle qu'en soit la source, l'humanité et de nombreux mammifères semblent souvent protégés à l'approche d'une mort subite, protégés non seulement de la terreur de la mort en tant que telle, mais de certaines actions stériles qui pourraient la hâter ou en accentuer l'angoisse.

Je vais pénétrer à présent dans un territoire peu sûr mais incontournable : le phénomène connu sous le nom de *Near-Death Experience* (Expérience proche de la mort) auquel on attribue des capitales pour lui donner de l'importance et qui, depuis quelque temps, fait l'objet de nombreux débats. Aucun observateur sensé ne peut ignorer les nombreux contes de l'« au-delà ou presque » recueillis par des enquêteurs dignes de confiance auprès de survivants non moins dignes de confiance. Ceux qui tentent d'interpréter ces résultats sur une base scientifique intelligente invoquent toute une série de causes possibles, allant du psychiatrique au biochimique. D'autres recherchent une explication dans la foi religieuse ou la parapsychologie, d'autres encore prennent ces expériences pour argent comptant et croient y voir non seulement une réalité mais encore les premiers stades de l'entrée dans une vie heureuse après la mort, qui se déroule, on l'aura deviné, au paradis ou son équivalent.

Le psychologue Kenneth Ring a interrogé cent deux personnes ayant survécu à des blessures ou à des maladies ayant mis leur vie en danger. Quarante-neuf d'entre elles remplissaient les critères censés prouver qu'elles avaient vécu une expérience proche de la mort d'une ampleur moyenne ou profonde, et les cinquante-trois autres n'avaient pas eu, semble-t-il, une telle expérience. La grande majorité des sujets interrogés avaient été victimes d'un bref accident comme un infarctus du myocarde ou une hémorragie. Kenneth Ring a dégagé une séquence d'éléments de base qui revenaient sans cesse dans les témoignages des individus du premier groupe : la paix, un sentiment de bien-être, la séparation d'avec le corps, l'entrée dans l'obscurité, la percepton de la lumière et, enfin, l'entrée dans la lumière. Autres caractéristiques moins généralisées : le défilement du film de sa vie, la rencontre d'une « présence », la réunion avec des êtres chers décédés et la décision de revenir. Certains des patients du docteur Ring étaient si mal en point qu'on les avait jugés cliniquement morts cependant que la vie de la plupart avait tout simplement été en danger.

Je ne dispose pas de plus de données que quiconque ayant réfléchi à la question pour interpréter ce prétendu syndrome de Lazare, mais je tiens néanmoins à respecter davantage les faits observés que certains qui, prenant leurs désirs pour la réalité, vont jusqu'à appeler l'objet de leurs élucubrations *After-Death Experience* (Expérience d'après la mort). Ce respect passe par une analyse sérieuse des conséquences biologiques du phénomène, de sa fonction éventuelle et de l'utilité qu'il peut avoir pour la survie de l'individu et de l'humanité dans son ensemble.

Je crois que l'expérience proche de la mort est le fruit de quelques millions d'années d'évolution biologique et qu'elle contribue effectivement à la conservation de notre espèce. Elle est vraisemblablement de même nature que le processus décrit dans les pages précédentes. Le fait qu'il semble se produire dans quelques cas de « mort » prolongée, ou relativement dégagée de stress, ne m'amène nullement à douter de mon hypothèse, à savoir qu'on découvrira un jour qu'il provient, sinon directement des endorphines, du moins de quelque autre mécanisme biochimique. Je ne serais d'ailleurs pas étonné d'apprendre que d'autres éléments identifiés comme des causes possibles jouent un rôle, tels le mécanisme de défense psychologique connu sous le nom de dépersonnalisation, l'effet hallucinatoire de la peur, des attaques provenant des lobes temporaux du cerveau ou une oxygénation insuffisante de ce dernier. De même, on trouvera peut-être dans la sécrétion d'agents biochimiques la conséquence ou la cause d'un ou de plusieurs de ces processus. Dans les quelques cas de patients au stade terminal d'une maladie où le phénomène aurait lieu alors que la mort tarde à venir, d'autres facteurs peuvent certes entrer en ligne de compte comme l'injection de sédatifs ou la production de substances toxiques par la maladie elle-même.

A l'instar de tant d'autres explications biochimiques de phénomènes obscurs et apparemment mystiques, la mienne ne vise pas à démentir les croyances religieuses de certains de mes contemporains. Je ne suis ni le premier à m'émerveiller des chemins mystérieux par lesquels Dieu est censé accomplir sa volonté impénétrable ni l'auteur de l'idée selon laquelle Il pourrait utiliser des produits chimiques pour y parvenir. En tant que sceptique confirmé, je reste profondément convaincu qu'il faut non seulement mettre toutes choses en question mais être disposé à croire que tout est possible. Cependant, si un vrai sceptique peut vivre heureux dans un état permanent d'agnosticisme, certaines personnes demandent à être convaincues. Quelque chose dans mon âme rationnelle se rebelle, il est vrai, à l'invocation de phénomènes parapsychologiques, mais sûrement pas à l'idée de Dieu. Rien ne me plairait davantage que la preuve de Son existence, ou d'une vie de félicité après la mort. Or je n'en vois guère dans l'expérience proche de la mort.

Je ne conteste pas l'existence du phénomène et du calme ressenti parfois lorsque la mort menace soudainement. Néanmoins, je doute fort qu'elle survienne fréquemment en dehors des situations où tout se précipite. Indiscutablement, de nombreux observateurs ont largement surestimé le confort, la paix et particulièrement la sérénité consciente de ces derniers jours de la vie qui s'éternisent ; on aurait tort de se laisser leurrer par des espoirs injustifiés.

7

DES ACCIDENTS, DU SUICIDE
ET DE L'EUTHANASIE

William Osler, dans une allocution souvent citée qu'il fit à Harvard en 1904 sur « l'immortalité de l'homme », disait disposer de ce qu'il appelait les fiches de décès d'environ cinq cents personnes, fiches « évoquant particulièrement la façon de mourir et les sensations des mourants ». Il prétendait que dans quatre-vingt-dix cas seulement on pouvait parler de douleur ou de détresse : « L'immense majorité des cinq cents personnes ne donnèrent aucun signe ni dans un sens ni dans l'autre ; tout comme leur naissance, leur mort fut affaire de sommeil et d'oubli. » Osler décrit les mourants comme des êtres « errants, mais incertains, généralement inconscients et indifférents ». Lewis Thomas va pour sa part encore plus loin : « Je n'ai vu de douleur atroce dans la mort qu'une seule fois, chez un patient atteint de rage. » A l'époque de ces affirmations, l'un et l'autre médecin étaient – Thomas l'est toujours du reste – parmi les autorités médicales les plus estimées de leur temps.

Ces assertions me laissent cependant perplexe. J'ai vu trop de personnes mourir dans la souffrance, trop de familles martyrisées par une veillée mortuaire qu'elles doivent poursuivre,

impuissantes, pour douter de la justesse de mes propres observations cliniques. Pour une proportion bien plus élevée de mes
patients que les 20 % cités par Osler, les dernières semaines et
jours de vie ont été un véritable purgatoire ; je parle d'expérience. Cette différence de perception s'expliquerait-elle, dans le
cas de Thomas, par le fait qu'il ait passé l'essentiel de sa carrière dans un laboratoire de recherche ? L'interprétation donnée
par Osler des cinq cents fiches traduirait-elle son optimisme
légendaire et son désir ardent de jouer le rôle de mentor universel en transmettant cette vision confiante du monde ? Quelles
qu'aient pu être les raisons pour lesquelles ces deux médecins
éminents et pleins d'humanité s'exprimèrent de la sorte et – formule que l'on emploie dans ces situations gênantes où l'on paraît
mettre en cause ses dieux tutélaires – sauf le respect que je leur
dois, j'affirme mon désaccord avec eux.

Mais, réflexion faite, suis-je vraiment en désaccord ? Ou se
peut-il qu'Osler et Thomas ne croient pas eux-mêmes à leurs
idéalisations mais qu'ils rechignent à l'avouer ? Il ne serait pas
absurde d'imaginer que l'un et l'autre firent ainsi une tentative,
largement réussie du reste, pour éluder la question. Car, dans
leurs récits de l'absence de martyre qu'ils prétendent constater,
ils se gardèrent bien d'évoquer les événements ayant précédé
immédiatement les derniers jours ou heures dont ils parlent d'une
façon si rassurante. Grâce à l'action d'un fort sédatif ou au répit
bienheureux que donne le coma terminal à l'issue d'une lutte
éprouvante, l'heure précise à laquelle le cœur s'arrête se déroule
effectivement dans la tranquillité. Mais, si de nombreux mourants peuvent de cette façon éviter le calvaire, beaucoup d'autres
doivent endurer une grande détresse physique et psychique
jusqu'à peu avant la fin, voire jusqu'à l'instant même de leur
extinction. Cette négation de la probabilité d'un prélude affreux
à la mort repose sur une belle réticence victorienne et représente,
au fond, ce que tout le monde aimerait s'entendre dire. L'ennui
c'est que, dès lors que l'individu se berce ainsi d'illusions de
paix et de dignité, il risque de mourir en se demandant à quel
moment lui ou son médecin ont pu se tromper.

Pour Osler lui-même, l'extinction de la vie s'avéra certainement paisible. Il n'y parvint toutefois qu'au prix de bien des souffrances préalables dont même son caractère heureux ne put avoir raison. Les deux mois de sa maladie finale, qu'il passa cloué au lit, commencèrent par des symptômes derrière lesquels on crut d'abord deviner un rhume, puis une grippe et enfin une pneumonie. Osler avait beau supporter vaillamment les accès de fièvre et les terribles quintes de toux qui s'emparaient de lui, il lui devenait de plus en plus difficile de rassurer sa femme et ses amis, très inquiets, quant à la constance de son optimisme. Au cours du stade avancé de sa maladie, il écrivait à son ancien secrétaire : « Je me trouve dans une bien mauvaise passe. Six semaines déjà au lit ! J'ai une bronchite paroxystique – dont ne parle aucun de vos deux livres –, pratiquement sans signes physiques, une toux permanente qui commence tout doucement et qui finit dans des quintes qui n'ont rien à envier à celles de la coqueluche (…). Puis, il y a quelques nuits, à vingt-trois heures pile, s'est déclarée une pleurésie aiguë. Un premier élancement suivi d'un feu d'artifice, des douleurs à chaque toux et à chaque inspiration profonde, mais douze heures plus tard vint une crise qui mit une fin abrupte à toutes les adhérences pleurales et, avec elles, à la douleur (…). Tout traitement à visée bronchique serait vain ; il n'y a rien que mes bons docteurs n'aient déjà essayé mais, face à la toux, seuls les opiacés se montrent d'une quelconque efficacité. Une généreuse gorgée d'élixir parégorique ou une bonne injection de morphine, voilà ce qui marche. »

A ce stade, même un homme au tempérament d'Osler donnait des signes d'abattement et se montrait incapable de communiquer l'optimisme à ceux qui l'entouraient. Les deux opérations qu'il avait subies sous anesthésie générale en vue d'obtenir le drainage du pus accumulé dans ses poumons ne lui avaient valu qu'une amélioration de courte durée. Son tourment l'amena donc à appeler de ses vœux la mort décrite par lui quinze ans plus tôt, celle dans laquelle il serait « généralement inconscient et indifférent ». Vers la fin, le courageux Osler reconnut à la fois la dureté de sa mort et son fort désir de voir cesser son calvaire : « Cette barbante histoire traîne en longueur de façon tout à fait désagréable, et, quand on a déjà entamé sa soixante et onzième année, on sait que le port d'arrivée n'est plus très loin. »

Deux semaines plus tard, Osler, âgé de soixante-dix ans, était mort. Il avait eu la durée de vie promise par les Psaumes. Sa pneumonie n'avait pas été « la maladie aiguë, brève et rarement douloureuse » évoquée par lui longtemps auparavant, pas plus qu'elle n'avait rempli sa fonction d'« ami des vieillards » puisque, si elle ne s'était pas abattue sur lui, il aurait certainement pu compter sur de nombreuses années encore de bonne santé. Le trépas de William Osler devait donc trahir son attente, et il en ira de même pour la plupart d'entre nous.

Il est rare que l'on meure proprement. Que certaines personnes deviennent « inconscientes et indifférentes » après avoir plongé, ou avoir été plongées, dans un état comateux, cela va de soi ; que d'autres aient l'heur de connaître, éventuellement en pleine conscience, une fin remarquablement paisible à la suite d'une maladie difficile, c'est exact ; que des milliers d'individus tombent littéralement raides morts chaque année sans guère passer par un moment pénible, il n'y a aucun doute ; que les victimes d'un trauma soudain et d'une mort subite se voient parfois concéder une délivrance de la douleur effroyable qui les écartèle, nul n'en disconvient. Il n'empêche : beaucoup moins de 20 % de ceux qui meurent chaque jour bénéficient de ces circonstances clémentes. Et même pour ceux qui parviennent à une certaine sérénité dans leurs derniers moments, les jours ou les semaines qui précèdent le déclin de la conscience sont dans bien des cas remplis de souffrance morale et de détresse physique.

Trop souvent, patients et parents nourrissent des espérances qui seront fatalement trompées. Résultat : la mort devient d'autant plus difficile à accepter qu'elle s'accompagne de sentiments de frustration et de déception à l'égard du travail d'une équipe médicale qui, probablement, ne peut mieux faire ou, pis encore, ne fait pas mieux précisément parce qu'elle s'obstine à lutter alors même que la défaite paraît inévitable. En effet, la notion selon laquelle, de toute façon, la plupart des gens meurent paisiblement incite parfois à prendre des décisions thérapeutiques vers la fin de la vie de l'individu qui, sans qu'on le veuille, précipitent celui-ci dans une série de souffrances de plus en plus graves auxquelles il ne peut guère plus se soustraire : chirurgie d'une utilité douteuse et source probable de complications, chimiothérapie aux effets secondaires sérieux et d'une efficacité incertaine, périodes de soins intensifs prolongées en dépit de tout réalisme. Or, face à la mort, mieux vaut savoir à quoi s'en tenir afin de pouvoir faire des choix qui offrent une chance de prévenir le pire. Et, dans beaucoup de cas, ce que l'on ne peut éviter se laisse en général atténuer quand même.

On a beau se raconter qu'il n'y a rien à redouter du côté de la mort, on approche de sa maladie finale dans la terreur. Une conception réaliste de ce à quoi il faut s'attendre permet en revanche de se prémunir contre l'appel puissant d'une peur sans fondement et du soupçon vague et angoissant de s'y être mal pris. Chaque maladie met en jeu un processus qui lui est propre ; elle accomplit une forme particulière de destruction aux manifestations très spécifiques. Dès lors que l'on se familiarise avec celles de la maladie dont on souffre, on est en mesure de désarmer ses pires fantasmes. Cette connaissance précise de la manière dont la maladie tue libère le malade de craintes inutiles quant au sort que lui réserve la mort. Elle lui donne ainsi les moyens de reconnaître les stades auxquels il convient de demander soulagement ou, le cas échéant, d'envisager d'abréger son voyage.

Il est une façon de mourir pour laquelle on ne peut guère se préparer, si toutefois c'est souhaitable. La mort violente reste essentiellement l'apanage des jeunes. Malgré tous les avertissements, ces derniers n'écoutent pas celui qui leur conseille de prendre conscience des chemins menant à la tombe. Ils demeurent tout aussi sourds aux statistiques. A preuve celles des traumatismes définis comme lésions ou blessures physiques, qui représentent aux États-Unis la principale cause de mortalité chez les moins de quarante-quatre ans ; en effet, les traumatismes tuent chaque année quelque 150 000 Américains de tous âges et en laissent 400 000 autres handicapés à vie. Soixante pour cent des décès interviennent dans les vingt-quatre heures suivant le traumatisme.

Nul ne s'étonnera d'apprendre que l'automobile occupe la première place dans ce domaine. Environ 35 % des blessures graves concernent les conducteurs ou passagers de voitures, et 7 % les motocyclistes. Mais ces traumatismes ont du moins le mérite de ne pas résulter, dans l'immense majorité des cas, d'une intention de nuire. Il en va tout autrement des blessures par balle (10 % du total des traumatismes importants) et des coups de couteau (qui atteignent un pourcentage équivalent). Entre 7 et 8 % des traumatismes ont pour victimes les piétons tandis que 17 % sont le résultat d'une chute, problème qui touche très souvent les personnes très âgées ainsi que les plus jeunes. Les 15 % qui restent ont une variété de causes, dont les accidents du travail, de bicyclette et toute une gamme de blessures par suite d'une tentative de suicide.

A New York, en 1899, par un jour d'été, un agent immobilier âgé de soixante ans qui, ironie du sort, s'appelait Henry Bliss [1], fut renversé par une automobile au moment de descendre du tramway. Il en mourut et eut ainsi l'honneur douteux d'être la première victime aux États-Unis d'un accident automobile. Depuis, presque 3 millions d'Américains ont péri de cette façon. Le facteur le plus important dans ces morts – si l'on veut, leur compagnon de voyage – est l'alcool, qui joue un rôle dans la moitié environ de tous les accidents de la route mortels. Un tiers des morts sont victimes de l'ivresse de quelqu'un d'autre.

Ayant déjà soutenu avec insistance que la mort individuelle est un élément nécessaire et constitutif de l'ordre général de la continuité biologique, je me borne ici à souligner une évidence, à savoir que, sur ce plan, la nature n'a nul besoin d'assistance. Ses propres manipulations cellulaires rendent superflue et, finalement, nocive l'action meurtrière que les hommes exercent massivement les uns sur les autres ainsi que sur eux-mêmes. La mort par traumatisme prive notre espèce de sa progéniture et fait violence au cycle réglé de renouveau et d'amélioration naturels. Elle n'a pas la moindre utilité ; elle est aussi tragique pour l'humanité tout entière que pour la famille de la victime.

On en est donc que plus interloqué devant le peu d'efforts biomédicaux que notre société consacre à la prévention et au traitement des blessures. Ce n'est que depuis quelques années que l'on identifie la violence comme un problème central de santé publique aux États-Unis, pays où, proportionnellement au

---

1. « Félicité » en anglais. (NdT)

nombre d'habitants, les armes à feu tuent sept fois plus de personnes qu'au Royaume-Uni, et que l'on reconnaît que, au cours des trente dernières années, le taux de suicide, visage le plus affligeant de la violence, a doublé chez les enfants et adolescents, augmentation due presque exclusivement à ces mêmes armes à feu. Dans cette tranche d'âge, le suicide représente désormais la troisième cause de décès.

Certains prétendent, à l'aide d'arguments assez convaincants, que les statistiques sous-évaluent le phénomène du suicide puisqu'elles ne prennent pas en compte la forme insidieuse d'autodestruction progressive que l'on appelle parfois le « suicide habituel et chronique » : abus de drogues ou d'alcool, conduite automobile imprudente, habitudes sexuelles à risque, participation à une bande ou toute autre façon dont la jeunesse refuse les normes de la société. Le suicide habituel et chronique a des conséquences néfastes non seulement de nature quantitative mais aussi sur le plan qualitatif, car il empêche l'humanité de profiter des talents, des passions, bref, des contributions sociales de ces vies tragiquement abrégées, et ce souvent bien avant qu'elles soient effectivement perdues. Appauvrissement incalculable qui ronge peu à peu le tissu de notre civilisation.

On emploie parfois le terme *trimodal* pour désigner les trois moments auxquels peut intervenir une mort traumatique : elle est immédiate, précoce ou tardive. Dans le premier cas de figure, la mort se produit dans les minutes qui suivent la blessure. On trouve dans cette catégorie plus de la moitié de tous les traumatismes à l'issue fatale, provoqués invariablement par une lésion cérébrale, coronaire, médullaire ou vasculaire. Du point de vue physiologique, il s'agit soit d'une destruction cérébrale massive soit d'une exsanguination.

La mort précoce, quant à elle, s'accomplit dans les premières heures suivant l'incident. Elle a pour cause habituelle une blessure à la tête, aux poumons ou aux organes abdominaux, accompagnée d'un saignement dans la région touchée, et on peut l'attribuer soit aux lésions cérébrales, soit à la perte excessive de sang, soit à une gêne respiratoire. Signalons par ailleurs que, indépendamment de l'étape où elle survient, la mort traumatique résulte dans un tiers des cas de lésions cérébrales et dans un autre tiers d'hémorragie. Mais, autant la victime d'une mort immédiate n'a aucun espoir de survie, autant une prompte intervention médicale peut permettre de sauver la vie d'un patient qui fait partie de la catégorie « précoce ». C'est là que la rapidité du transport, la compétence de l'équipe de traumatologie et l'impeccable fonctionnement du service des urgences font pencher la balance. On dénombre, aux États-Unis, plus de 25 000 personnes qui meurent chaque année en raison de l'insuffisance de ces dispositifs dans beaucoup d'endroits. Et pourtant, l'expérience du pays en temps de guerre montre toute l'efficacité d'un système perfectionné d'interventions. Dans chacun des quatre derniers grands conflits auxquels l'Amérique a pris part, l'augmentation des connaissances médicales s'est accompagnée d'une diminution du temps d'évacuation des blessés. Résultat : la baisse régulière et spectaculaire, d'une guerre à l'autre, du taux de mortalité.

Considérons enfin la mort tardive, expression qui se réfère à ceux qui meurent quelques jours ou semaines après le moment de leur blessure. Environ 80 % de ces morts s'expliquent par les complications d'une infection ou d'une insuffisance pulmonaire, rénale ou hépatique. Les personnes concernées survivent à l'hémorragie initiale ou au traumatisme crânien, mais d'autres organes ont souvent subi en même temps des lésions telles qu'une perforation de l'intestin, une hernie de la rate ou du foie ou peut-être une contusion d'un poumon. Il n'est pas rare qu'il faille alors recourir à la chirurgie afin d'arrêter une hémorragie, d'empêcher une péritonite ou de réparer un organe lésé, voire d'en faire l'ablation le cas échéant. Beaucoup de ces patients manifestent en quelques jours des symptômes tels qu'une forte fièvre ou une augmentation du nombre de globules blancs dans le sang ; en outre, une partie du sang circulant commence à se concentrer dans des régions inappropriées du corps comme les vaisseaux sanguins de l'intestin et, de ce fait, cessent de participer à l'irrigation du corps. Tous ces phénomènes sont typiques de l'infection généralisée, ou septicémie, qui devient de plus en plus résistante aux antibiotiques ou à tout autre traitement médicamenteux.

Si cette septicémie relève d'un abcès ou de l'infection post-opératoire d'une incision, le drainage chirurgical parvient le plus souvent à la stopper et permet au patient de se rétablir. Mais, en l'absence d'un abcès de ce type, cas très fréquent, les symptômes continuent leur progression, si bien que, une semaine après le traumatisme, une défaillance respiratoire débute sous forme d'œdème pulmonaire avec un processus qui rappelle la pneumonie : l'oxygénation du sang n'est plus assurée de façon suffisante. Le poumon se trouve parmi les premières cibles de la septicémie, mais le foie et le rein sont atteints peu après. On pense que cette évolution constitue une réaction inflammatoire à la présence dans le sang d'une multitude d'envahisseurs, microbiens et autres, qui génèrent des toxines. Il peut s'agir de bactéries, de virus, de champignons ou même de fragments microscopiques de tissus morts. Dans les cas où l'on réussit à les identifier, les microbes proviennent souvent du système urinaire ou, éventuellement, de l'appareil respiratoire ou du système gastro-intestinal. Dans de nombreux cas, ce sont des lésions chirurgicales ou la peau qui se révèlent être le foyer de la septicémie. En réaction aux toxines qui circulent dans le sang, le poumon et d'autres organes semblent créer et libérer certaines substances chimiques qui produisent un effet délétère sur des vaisseaux sanguins, des organes, voire des cellules, dont les éléments du sang. Les cellules des tissus perdent ainsi leur capacité d'extraire une quantité suffisante d'oxygène de l'hémoglobine alors même que celle-ci devient de moins en moins abondante, par suite de la réduction de la circulation. Ces événements, qui ressemblent tellement au schéma classique du choc cardiogénique ou hypovolémique, constituent le choc septique. Si celui-ci ne répond à aucun traitement, les organes vitaux défaillent l'un après l'autre.

Le choc septique ne se limite toutefois pas aux seules victimes de traumatismes. On le retrouve dans toute une série de maladies où les défenses du patient ne fonctionnent plus comme il faut. En fait, il a souvent pour effet de terminer définitivement un diabète, un cancer, une pancréatite, une cirrhose ou des brûlures importantes puisqu'il emporte entre 40 et 60 % de ses victimes. Dans les services de réanimation des États-Unis, le choc septique est en tête des causes immédiates de décès, tuant chaque année de 100 000 à 200 000 individus.

Dès lors que le poumon n'arrive plus à oxygéner normalement le sang et que la circulation pâtit de l'atonie du myocarde et de la stagnation du sang dans les vaisseaux intestinaux, plusieurs organes commencent à accuser le manque d'alimentation. Les fonctions du cerveau diminuent, le foie peine à produire certaines des substances dont le corps a besoin et à détruire celles qui lui sont nuisibles. Cette insuffisance hépatique aggrave à son tour le fléchissement simultané du système immunitaire et la baisse de la production des substances qui combattent habituellement les infections. Dans le même temps, la diminution de l'apport sanguin au rein entrave le travail de filtration, réduit à un niveau insuffisant l'élimination d'urine et, donc, provoque peu à peu l'urémie, c'est-à-dire le reflux de produits toxiques dans le sang.

Processsus que viennent parfois compliquer la destruction des cellules des parois de l'estomac et de l'intestin ainsi que les ulcérations et l'hémorragie qui en résultent. Choc, insuffisance rénale, hémorragie gastro-intestinale : voilà qui annonce fréquemment la fin pour ceux qui succombent au syndrome de la défaillance post-traumatique de plusieurs organes. Pour l'exprimer autrement, cette défaillance multiple marque le point final de la septicémie et, par conséquent, le dernier chapitre pour beaucoup de patients qui souffrent à l'origine d'un traumatisme ou de l'une des maladies « naturelles » de l'humanité. Toutes les caractéristiques du syndrome semblent découler des effets des toxines sur plusieurs organes du corps. L'issue précise dépend en dernier ressort du nombre d'organes qui cèdent à l'assaut. A partir de trois, le taux de mortalité approche de 100 %.

Tout le drame se joue habituellement en deux ou trois semaines, parfois davantage. Un de mes patients, dont la septicémie relevait d'une pancréatite, vécut des mois alors que nous tous – chirurgien, spécialistes, anesthésistes, infirmières, techniciens – faisions appel à toutes les techniques diagnostiques et thérapeutiques dont disposait notre centre hospitalier universitaire dans l'espoir – parfaitement vain – d'endiguer l'inévitable raz de marée de l'insuffisance de plusieurs organes.

On trouve à peine les mots pour décrire ce qu'on éprouve en voyant le calvaire de celui qui meurt de choc septique. Les dernières étapes de sa vie se déroulent de manière tout à fait prévisible. D'abord la fièvre, l'accélération du pouls et la gêne respiratoire ou, à tout le moins, des signes, détectés lors d'une analyse du sang, d'une oxygénation insuffisante. On procède à l'intubation trachéale pour assister la respiration compromise, assistance qui, toutefois, se révèle rapidement inefficace. Si le patient n'est pas déjà sous sédatifs, son niveau de conscience commence à vaciller. On effectue des examens scanographiques et echographiques, des analyses du sang et des prélèvements divers pour tenter, le plus souvent en vain, de repérer une source d'infection curable. Autour du lit se forment des grappes de spécialistes qui auscultent, discutent et, de façon générale, contribuent à l'ambiance d'incertitude croissante. Le patient fait la navette entre la salle de réanimation et le service de radio-logie, où telle ou telle technologie de l'image est utilisée pour découvrir une poche de pus ou un foyer d'inflammation. Chaque transfert du lit au chariot ou inversement devient un exercice logistique de démêlage de lignes et de fils. L'humeur et les projets de la famille et de l'équipe médicale changent au gré des rapports de laboratoire, mais on ne communique que les plus encourageants d'entre eux à l'être angoissé dans le lit, si toutefois il peut encore en comprendre le sens. On commence un traitement par les antibiotiques, on le modifie, on l'aban-donne dans l'espoir de voir apparaître dans le sang quelque germe pouvant être traité, puis on recommence. Or, chez 50 % seulement des victimes de l'insuffisance d'organes multiples, l'analyse sanguine trouve des germes qui peuvent se dévelop-per sur un milieu de culture.

Plusieurs perturbations des éléments du sang apparaissent et le mécanisme de coagulation peut se trouver inhibé, parfois à tel point que le patient saigne spontanément. L'insuffisance hépatique provoque une jaunisse au moment même où le rein donne ses premiers signes de détérioration progressive. Au cas où il subsisterait quelque espoir d'un retournement de la situa-tion, on essaie la dialyse comme moyen de gagner du temps. Mais, à ce stade, si ce n'est plus tôt encore, le patient désespéré, à supposer qu'il garde un peu de lucidité, se demande si le jeu en vaut vraiment la chandelle ou, dit autrement, si le bien qu'on lui apporte justifie le mal qu'on lui inflige. Et, à son insu, ses médecins en viennent à se poser la même question.

Et pourtant, chacun continue, car la bataille n'est pas encore perdue. Il n'empêche que, pendant tout ce temps, il s'est passé un phénomène qui échappe à tous, à savoir que, en dépit de toutes les bonnes intentions manifestées, les membres de l'équipe ont commencé à se séparer de l'homme dont ils s'attachent à sauver la vie. Une espèce de dépersonnalisation s'est amorcée. Chaque jour, le patient perd un peu de sa qualité d'être humain et se transforme en un défi de réanimation qui met à l'épreuve le génie des guerriers les plus agressifs de l'hôpital. Si, pour la plupart des infirmières et quelques-uns des médecins qui le connaissaient avant qu'il sombre dans la septicémie, il reste encore quelque chose de la personne qu'il était (ou pouvait être), du point de vue des superspécialistes qui dosent les dernières traces moléculaires de sa vitalité évanescente, ce n'est qu'un cas de plus, un cas fascinant d'ailleurs. Des médecins ayant trente ans de moins que le patient l'appellent par son prénom, ce qui vaut mieux, il est vrai, que de s'entendre désigner par le nom de sa maladie ou le numéro de son lit.

Si la chance lui fait un dernier sourire, le mourant n'aura plus conscience à ce stade du drame dont il est le protagoniste. Il est passé de l'engourdissement à un état de réactivité minimale ou même de coma, tantôt spontanément, à mesure que ses organes défaillent, tantôt à l'aide de sédatifs ou d'autres médicaments. Sa famille, elle, a connu successivement l'inquiétude, l'angoisse et, finalement, l'abandon de tout espoir.

Outre les parents, les infirmières et les médecins qui accompagnent la victime dès le départ se sentent peu à peu flancher, étourdis comme ils sont par le tumulte d'un combat promis à l'échec. Ils commencent à mettre en doute le processus même par lequel eux et les hordes de spécialistes prennent des décisions thérapeutiques ou choisissent, avec un découragement grandissant, de poursuivre encore une piste diagnostique sans lendemain. Ils sont tourmentés par le soupçon de plus en plus insistant qu'ils ne font qu'aggraver la souffrance d'un semblable afin de maintenir en vie la promesse ténue de guérison ; un médecin scrupuleux se trouve alors face à face avec cet aspect de sa motivation qu'est le plaisir de résoudre des énigmes et de remporter *in extremis* une glorieuse victoire alors que la partie semble pratiquement perdue.

De cette séparation d'avec le patient naît parfois le rapprochement entre certains membres de l'équipe et les parents, sorte de transfert de la compassion qui se réalise au cours des longues semaines de veillée. Surtout vers la fin, le soulagement dont le mourant ne s'aperçoit plus est conféré à ceux dont le deuil a déjà commencé. Il est rare dans les unités de réanimation que l'on entende des derniers mots ; si consolation il y a, elle se trouve dans l'accolade chaleureuse d'une infirmière ou les paroles pleines d'humanité d'un médecin.

Enfin, même ceux qui n'arrivaient pas à renoncer éprouvent le soulagement qu'apporte la fin d'une longue souffrance. J'ai vu des infirmières chevronnées pleurer ouvertement à la mort d'un patient en réanimation ; je me souviens de chirurgiens proches de la cinquantaine qui se détournèrent pour éviter que leurs jeunes confrères ne remarquent leurs larmes. Plus d'une fois, j'ai eu la voix brisée, et le cœur aussi, avant de pouvoir prononcer les mots qui s'imposaient.

Bien sûr, des scènes de ce genre ne se limitent pas aux services de réanimation : elles se déroulent également dans les services des urgences et dans les autres services hospitaliers. Rares sont ceux qui, dans les rangs de ceux qui soignent les malades, parviennent à conserver leur sérénité face à une mort précoce qui résulte d'une maladie ou de violences non provoquées. Mais, quand elle a pour cause l'autodestruction, elle crée une ambiance qui se démarque radicalement de celle qui caractérise une mort ordinaire, ambiance qui n'a rien de serein. Dans un livre consacré aux multiples façons dont on meurt, le mot même de *suicide* semble annoncer une digression déconcertante. Tout se passe comme si les gens se séparaient de celui qui se donne la mort de la même manière que ce dernier se sent coupé d'eux lorsqu'il envisage le sort qu'il est sur le point de choisir. Isolé, aliéné, il répond à l'appel de la tombe parce qu'il ne voit pas d'autre destination possible. Pour ceux qui le connaissaient bien comme pour ceux qui le connaissaient à peine, pas moyen d'y comprendre quoi que ce soit.

J'ai eu l'occasion de constater chez ma fille aînée le reflet de ma propre attitude envers l'autodestruction. Ma femme et moi-même avions effectué un long trajet en voiture pour la retrouver dans la ville où elle terminait sa quatrième année d'études, car il nous paraissait important d'être à ses côtés au moment où elle apprendrait la nouvelle choquante du suicide d'une amie qu'elle admirait particulièrement. Avec autant de douceur que possible, donc, et sans entrer dans les quelques détails dont nous disposions, nous lui en fîmes le récit. Ce fut moi qui parlai, et je me limitai à deux ou à trois phrases laconiques. Quand j'eus fini, notre fille nous regarda quelques instants avec incrédulité cependant que les larmes débordaient sur ses joues soudain rougies. Puis, dans un paroxysme de rage et de deuil, elle éclata : « Mais quelle idiote ! Comment a-t-elle a pu faire une chose pareille ? » Et voilà justement le fond du problème. Comment avait-elle pu infliger cela à ses amis, à sa famille, à tous ceux qui avaient besoin d'elle ? Comment une fille si intelligente avait-elle pu faire une telle bêtise ? Dans un monde bien ordonné, il n'y a pas de place pour des actes de ce type ; ils ne devraient tout simplement jamais se produire. Pourquoi, sans nous consulter, cette jeune femme tant adorée avait-elle pris l'intiative de se supprimer ?

Ce sont là des questions sans réponse pour ceux qui ont connu le suicidé. Mais, pour le personnel médical qui le voit pour la première fois déjà mort, il importe de considérer un facteur supplémentaire qui fait obstacle à la compassion. L'autodestruction radicale a quelque chose de si déroutant pour un homme ou une femme ayant consacré sa vie à la lutte contre la maladie qu'elle arrive à diminuer ou même à effacer tout sentiment d'empathie. Que les professionnels de santé présents se sentent perplexes et frustrés face à ce geste ou qu'ils s'emportent devant son inutilité, ils semblent peu à même de se désoler à la vue du cadavre d'un suicidé. Sur ce point, j'ai connu très peu d'exceptions. Il y a parfois du bouleversement, voire de la pitié, mais on voit rarement la détresse qui accompagne normalement une mort involontaire.

Si, dans la quasi-totalité des cas, on a tort de se suicider, il existe deux situations dans lesquelles il convient de nuancer ce

jugement. Il s'agit des infirmités insoutenables d'un vieillissement avancé et les ultimes ravages d'une maladie en phase terminale. Les substantifs de cette dernière phrase ont peu d'importance ; ce sont les adjectifs qui appellent l'attention car ils
constituent le cœur du problème et n'admettent ni compromis
ni demi-mesures : insoutenable, avancé, ultime et terminal.

Au cours de sa longue vie, le grand orateur romain Sénèque
mena une réflexion approfondie au sujet de la mort :

> Je ne renoncerai pas à la vieillesse si elle laisse intacte la plus
> grosse partie de moi. Mais, si elle commence à ébranler mon esprit,
> qu'elle en détruit les facultés une par une et qu'elle me laisse non
> pas la vie mais le souffle, je quitterai l'édifice putride et chance-
> lant. Je ne fuirai pas la maladie à travers la mort tant qu'elle peut
> se guérir et qu'elle ne diminue pas mon esprit. Je ne lèverai pas
> la main contre moi-même à cause de la douleur, car mourir ainsi,
> c'est se laisser vaincre. Mais je sais que, si je dois souffrir sans
> espoir de soulagement, je partirai, non pas de peur de la douleur
> en elle-même, mais parce qu'elle empêche tout pour quoi je vou-
> drais vivre.

Propos tellement sensés que peu de gens contesteraient que
le suicide puisse faire partie des choix que doivent envisager de
frêles personnes âgées à mesure que leurs jours deviennent plus
difficiles ou, du moins, celles d'entre elles à qui leurs convic-
tions personnelles ne l'interdisent pas. Peut-être que la citation
de Sénèque explique pourquoi, aux États-Unis, les hommes
blancs âgés se donnent la mort à un taux cinq fois supérieur à
la moyenne nationale. Ne s'agit-il pas là du « suicide raisonné »
défendu si souvent dans les revues spécialisées de déontologie
et les tribunes libres de la presse quotidienne ?

Il n'en est rien. Le défaut de raisonnement dont le philosophe
se rend coupable offre un exemple frappant de l'erreur qui
entache, sans exception, toute discussion actuelle sur le thème
du suicide, qui a une certaine audience, à savoir qu'une grande
proportion des personnes âgées qui se donnent la mort le font
parce qu'elles souffrent d'une dépression, au demeurant tout à
fait curable. A condition de bénéficier d'un traitement adéquat,

la plupart d'entre elles se débarrasseraient du nuage de désespoir oppressif qui teint toute réflexion en gris, puis elles s'apercevraient que l'édifice chancelle moins qu'elles ne le supposaient et que la perspective de soulagement est plus réaliste qu'il n'y paraissait. Il m'est arrivé plusieurs fois de voir un vieillard aux tendances suicidaires sortir de la dépression et de redécouvrir en lui un ami plein de vie. Dès lors que ces hommes et ces femmes retrouvent une vision de la réalité moins marquée au sceau du découragement, leur solitude leur semble moins absolue et leur douleur plus supportable parce que la vie est redevenue intéressante et qu'ils se rendent compte de l'importance qu'ils ont pour d'autres personnes.

Non pas qu'il n'y ait jamais de situations dans lesquelles les paroles de Sénèque mériteraient d'être prises au sérieux. Mais, dans ces cas-là, ce point de vue devrait faire l'objet de discussions, de consultations et pouvoir tirer avantage du ferment que constitue une longue période de réflexion. La décision de mettre fin à sa vie doit paraître aussi justifiable à ceux dont on recherche l'estime qu'à soi-même. C'est seulement lorsqu'on a satisfait cette condition que l'on a le droit de l'envisager.

Mesuré à l'aune de ce principe, le suicide de Percy Bridgman était irréprochable ou peu s'en faut. Professeur de physique à Harvard, lauréat du prix Nobel en 1946, il était atteint d'un cancer et, à l'âge de soixante-dix-neuf ans, alors que sa maladie était déjà entrée dans sa dernière phase, il continuait à travailler jusqu'à ce qu'il ne puisse plus le faire. Installé dans sa résidence secondaire du New Hampshire, il acheva l'index d'un recueil en sept volumes de ses écrits scientifiques, l'expédia à la Harvard University Press et se tira une balle dans la tête le 20 août 1961. Le mot qu'il laissa résumait les arguments d'une polémique qui devait gagner l'ensemble du monde de la déontologie médicale : « Il est inadmissible que la société oblige un homme à se faire cela. Aujourd'hui est probablement le dernier jour où je serai en mesure de le faire. »

A sa mort, Percy Bridgman semblait parfaitement convaincu de faire le bon choix. Il travailla jusqu'au dernier jour, régla quelques ultimes détails et mit son plan à exécution. J'ignore dans quelle mesure il avait cherché conseil, mais il est clair qu'il n'avait pas caché son intention à ses amis et ses collègues, puisque certains d'entre eux prétendent en avoir eu vent. Bridgman était tellement malade qu'il commençait à douter de pouvoir trouver encore la force de mener à terme sa résolution inébranlable.

Dans son message final, il déplorait de devoir y procéder sans assistance. Un de ses collègues se rappelle une conversation au cours de laquelle Bridgman avait dit : « Je voudrais profiter de la situation dans laquelle je me trouve pour énoncer un principe général, à savoir que, quand la fin est aussi inévitable qu'elle y paraît aujourd'hui, l'individu devrait avoir le droit de demander à son médecin de la provoquer directement. » Cette phrase résume mieux que n'importe quelle autre le combat que nous livrons tous.

Aucune analyse actuelle du suicide – ou du moins lorsqu'elle est le fait d'un médecin – ne peut éluder la question du concours que le praticien peut apporter à ses patients dans la réalisation de cette entreprise. Le mot clé de cette phrase est *patients,* car c'est bien d'eux qu'il s'agit – et non pas seulement d'individus –, en l'occurrence de ceux dont s'occupe le médecin en question. Il faut à tout prix éviter que la corporation des disciples d'Hippocrate invente une nouvelle filière de spécialistes de la mort assistée qui aurait pour effet de permettre aux cancérologues, aux chirurgiens et aux autres médecins pris de remords de rejeter sur autrui la responsabilité de cette assistance. En revanche, on doit saluer tout débat concernant la participation des médecins à partir du moment où il semble offrir la possibilité de rendre publique une pratique souterraine qui remonte à la petite enfance d'Esculape.

Le suicide, surtout dans cette version actuellement débattue, connaît aujourd'hui une certaine vogue. Autrefois, celui qui se donnait la mort passait au mieux pour un être qui commettait un crime contre lui-même et, au pire, pour l'auteur d'un péché mortel. L'une et l'autre attitude transparaissent dans cette phrase d'Emmanuel Kant : « Le suicide n'est pas abominable parce que Dieu l'interdit ; Dieu l'interdit parce que c'est abominable. »

Il en va tout autrement de nos jours : désormais, notre société porte un éclairage nouveau sur le suicide, encouragée peut-être en cela par des soi-disant consultants en seuils de souffrance humaine. C'est ainsi que l'on découvre dans la presse quotidienne et périodique que les actions des suicidés ayant rempli certaines conditions méritent des hommages du type que l'on réserve habituellement aux héros *New Age,* rang auquel quelques-uns parmi eux semblent d'ailleurs avoir accédé. Quant aux idoles du jour, médicales ou autres, qui les assistent, on a droit à leurs prestations à la télévision, où elles vendent avidement leur philosophie en marchands de la mort. Même les tentatives du système judiciaire pour les inculper ne les empêchent pas de se flatter de leur grand altruisme.

En 1988, le *Journal of the American Medical Association* publia le récit d'un jeune gynécologue stagiaire qui, au milieu de la nuit, assassina – le mot n'est pas trop fort – une cancéreuse de vingt ans qui l'avait supplié de la soulager, appel dans lequel il se plut à déceler une demande de mise à mort que lui seul pouvait satisfaire. Sa méthode consista à lui injecter une dose de morphine d'au moins le double de la posologie conseillée, puis d'attendre jusqu'au moment où la respiration de la jeune femme « devint irrégulière, avant de cesser totalement ». Le fait que ce libérateur autoproclamé n'avait jamais vu sa victime auparavant ne le détourna ni de mener à bien sa mission insensée de miséricorde, ni d'en publier les détails dans un texte d'une rare suffisance. Hippocrate tressaillit et ses héritiers vivants eurent un pincement au cœur.

Si les médecins américains ne tardèrent pas à condamner à l'unisson le comportement du jeune gynécologue, ils réagirent très différemment trois ans plus tard face à un cas d'un tout autre ordre. Un interne de Rochester, dans l'État de New York, s'exprimant dans les pages du *New England Journal of Medicine,* décrivait le cas d'une patiente qu'il appelait Diane et dont il avait sciemment facilité le suicide en lui prescrivant les barbituriques qu'elle avait sollicités. Depuis longtemps, le docteur Timothy Quill comptait cette femme d'âge mûr parmi ces patients. Trois ans et demi plus tôt, il lui avait diagnostiqué une forme particulièrement grave de leucémie et la maladie avait progressé à tel point que « des douleurs osseuses, la faiblesse, la fatigue et la fièvre commençaient à dominer sa vie ».

Plutôt que d'accepter une chimiothérapie qui aurait eu vrai-semblablement peu d'efficacité face à l'assaut meurtrier de son cancer, Diane avait fait comprendre très tôt au docteur Quill et à ses consultants qu'elle redoutait moins la mort que l'effet débi-litant du traitement et la perte de maîtrise de son corps qu'il ris-quait d'entraîner. Doucement, patiemment, avec une compassion hors du commun et l'aide de ses confrères, Quill finit par admettre la décision de sa patiente ainsi que la validité de ses arguments. La façon dont il prit progressivement conscience de la nécessité d'aider Diane à hâter le jour de sa disparition est exemplaire du lien humain pouvant exister entre un médecin et un malade en phase terminale mais qui, en pleine possession de ses facultés intellectuelles et ayant écouté de multiples conseils, choisit rationnellement de mourir ainsi. Pour ceux dont la conception du monde autorise cette option, la manière dont le docteur Quill aborda le problème épineux du consentement aux soins (problème qu'il a depuis lors traité en profondeur dans un ouvrage franc et pénétrant paru en 1993) deviendra peut-être une référence incontournable en matière de déontologie médicale. Les Diane et les Timothy Quill du monde ont en effet beaucoup à apprendre aux médecins de l'acabit du jeune gynécologue et aux autres inventeurs de machines à suicide.

Quill et le gynécologue en question incarnent en fait deux démarches diamétralement opposées qui dominent le débat sur le rôle d'assistant que peut jouer le médecin à l'égard d'un patient qui souhaite mettre fin à ses jours : celle que l'on admire et celle que l'on craint. Des polémiques se sont déchaînées, et j'espère qu'il continuera à en être ainsi, concernant la position que doivent prendre le monde médical et la société dans son ensemble. Les nuances d'opinion, on le constate, sont nom-breuses.

Aux Pays-Bas, il a été établi par accord général des normes d'euthanasie qui permettent d'administrer la mort, dans des situations strictement réglementées, au patient en pleine posses-sion de ses facultés intellectuelles et bien renseigné sur son état. Dans ce cas, le médecin procède d'habitude en provoquant le sommeil profond de la personne à l'aide de barbituriques et en lui injectant une substance qui paralyse les muscles pour faire arrêter la respiration. L'Église réformée de Hollande a énoncé, dans son livre *Euthanasie en Pastoraat,* une politique de non-opposition à la volonté de mettre fin à la vie lorsque la maladie la rend insupportable. Le choix même des mots dans ce texte témoigne de la sensibilité dont font preuve ces hommes d'Église quant à la différence entre la forme d'euthanasie considérée et le suicide courant. A la place du mot habituel, *zelfmoord* (littéralement : « meurtre de soi »), ils utilisent le néologisme de *zelfdoding,* que l'on pourrait traduire par « mise à mort volontaire de soi ».

Si cette pratique demeure officiellement interdite aux Pays-Bas, elle n'a pas jusqu'ici fait l'objet de poursuites judiciaires dans les cas où le médecin respecte les normes édictées.[2] Parmi celles-ci figure la demande non contrainte que soit mis fin à l'extrême souffrance psychique et physique qu'impose une maladie incurable et sans perspectives de soulagement. Mais, pour que le médecin y accède, il faut d'abord que tous les autres recours possibles aient été épuisés ou refusés. Dans ce pays de 14,5 millions d'habitants, on dénombre environ 2 300 personnes par an qui se soumettent à l'euthanasie, soit 1 % à peu près de tous les décès. L'acte s'accomplit le plus souvent chez le patient. Fait intéressant, les médecins rejettent l'immense majorité des sollicitations au motif qu'elles ne remplissent pas les conditions exigées.

L'investissement personnel : voilà l'essentiel de l'affaire. Aux Pays-Bas, ce sont les médecins de famille, ceux qui effectuent des visites à domicile, qui assurent le gros des soins de santé. Quand un malade déjà entré en phase terminale fait une demande d'euthanasie ou d'aide au suicide, il est peu probable qu'il s'adresse à un médecin spécialisé ou à un conseiller de la mort. Il en parle plutôt au praticien qu'il connaît depuis de longues années – ce fut le cas de Diane et de Timothy Quill – mais,

---

2. Depuis la rédaction de cet ouvrage, le dispositif législatif sur l'euthanasie aux Pays-Bas a encore évolué. Les députés néerlandais ont en effet adopté le 14 avril 1994 le texte définitif du questionnaire que les médecins ayant administré « la mort douce » seront tenus de remplir afin de permettre un contrôle *a posteriori* de leur intervention. *Cf. Le Monde,* 16 avril 1994. (NdT)

même alors, il faut obligatoirement obtenir l'avis et l'accord d'un autre médecin. La durée et la qualité de la relation qu'avait entretenue le docteur Quill avec sa patiente ont dû jouer un rôle déterminant dans la décision du tribunal de Rochester, annoncée en juillet 1991, de ne pas le mettre en accusation.

Aux États-Unis et dans les pays démocratiques en général, la confrontation de points de vue divergeants revêt une importance primordiale, non pas parce qu'elle permettrait de parvenir à un consensus définitif, mais parce que l'on reconnaît l'impossibilité d'une telle unanimité. C'est par l'étude des nuances d'opinion exprimées lors de controverses de ce type que l'on peut découvrir des aspects de la prise de décision que l'on n'aurait pas forcément considérés dans son examen de conscience personnel. A la différence des débats menés, qui appartiennent certainement à la sphère publique, les décisions elles-mêmes seront toujours prises dans le for intérieur de chacun, et il en est bien ainsi.

Cependant, une association qui s'appelle la Hemlock Society (« Société de la ciguë ») s'est mêlée de l'affaire. Il ne peut s'agir, dans ces pages, de faire une critique approfondie de la façon discutable dont ce groupe d'individus bien intentionnés et par ailleurs intelligents défend publiquement les décisions de suicide prises par des personnes ayant peut-être perdu une partie de leur discernement. Ce n'est pas non plus mon propos d'étaler au grand jour mon mépris pour les navrantes gesticulations médiatiques auxquelles se livra le fondateur de l'association, Derek Humphry, pour faire la promotion de son non moins navrant livre de recettes mortelles, *Final Exit*. [3] Mais on ne saurait porter de jugement définitif sur cet ouvrage avant de méditer sur l'étonnante statistique que voici : il ressort d'une enquête réalisée en 1991 par les Centers for Disease Control que, sur 11 631 élèves du secondaire interrogés, 27 % avaient « envisagé sérieusement » le suicide au cours de l'année écoulée et un sur douze en avait même fait une tentative. On sait déjà que plus

---

3. Ce passage évoque bien sûr la polémique que suscita il y a quelques années la parution en France de l'ouvrage *Suicide, mode d'emploi*. (NdT)

de 500 000 jeunes Américains essaient chaque année de se donner la mort, chiffre sûrement en-deçà de la réalité puisqu'il faudrait logiquement le compléter par celui, forcément inconnu, de ceux dont la tentative n'est pas rendue publique.

Dans une lettre adressée en juin 1992 au *Journal of the American Medical Association,* deux psychiatres du Yale Child Study Center (Centre d'étude de l'enfance de Yale) ont lancé cette mise en garde : « En raison de ses récits à sensation, de ses instructions explicites et de son apologie vigoureuse du suicide, *Final Exit* risque de produire un effet particulièrement néfaste sur les adolescents, qui, compte tenu de leur taux élevé de suicide, réussi ou seulement tenté, paraissent susceptibles d'imiter des modèles culturels qui glorifient ou qui dédramatisent le fait de se donner la mort. »

La dépression, cet abattement périodique que subissent les malades chroniques, et la fascination qu'exerce la mort sur certaines personnes ne constituent pas une justification suffisante pour apprendre aux gens à se tuer, les aider à le faire ou donner sa bénédiction à cette entreprise. Aucun être dont les facultés de jugement se trouvent réduites n'a les moyens de prendre une décision importante en fait de suicide : sur ce point, il n'y a guère de désaccord, même pas parmi les philosophes qui présentent les arguments les plus convaincants en faveur du concept qui a reçu récemment le nom de « suicide raisonné ». Comme le souligne Timothy Quill, le manuel de la mort de Derek Humphry ne parvient pas du tout à « résoudre les profonds problèmes éthiques et personnels qu'il soulève concernant le sens de l'euthanasie et du suicide assisté ». A l'instar de toutes les questions qui ont trait à la vie humaine, celle-ci résiste à une réponse unique. En revanche, il devrait y avoir un attachement universel aux valeurs de tolérance et d'investigation. Peut-être serait-il peu réaliste de s'attendre en outre à voir s'élaborer une méthode universellement admise de prise de décision qui dépasserait en précision les normes déjà évoquées. Quoi qu'il en soit, et jusqu'au jour où elle se dessinera, la pratique du docteur Quill – celle de la compassion, de la discussion non précipitée, de la consultation, de l'interrogation et de la mise en question des suppositions – fera très bien l'affaire.

Cependant, si l'on peut condamner sans peine la philosophie de Humphry, on ne saurait faire de même de sa méthode. En effet, la technique désormais assez connue qui consiste à avaler une bonne quantité de somnifères, puis à enfermer sa tête dans un sac en plastique fonctionne aussi bien que le prétend Humphry, encore que le mécanisme par lequel elle agit ne correspond pas tout à fait à celle qu'il décrit. Étant donné que le sac forme un espace extrêmement réduit, l'oxygène qu'il contient s'épuise rapidement, et ce bien avant que le gaz carbonique rejeté par la respiration puisse avoir beaucoup d'effet. Ce processus aboutit en peu de temps à une insuffisance cérébrale, mais ce n'est pas là la cause réelle de la mort, qu'il faut chercher dans la diminution du niveau d'oxygène dans le sang, qui ne tarde pas à ralentir, puis à arrêter net le cœur et, avec lui, toute la circulation. A mesure que baisse le rythme des contractions ventriculaires, il peut apparaître des symptômes d'insuffisance cardiaque aiguë : or cette défaillance a peu d'incidence puisque la mort est déjà en train de s'accomplir avec une redoutable efficacité. A ce stade, on s'attendrait à des convulsions ou à des vomissements dans le sac, mais ces réactions ne semblent se produire que très exceptionnellement. Le docteur Wayne Carver, médecin légiste en chef auprès de l'État du Connecticut, a vu suffisamment de suicides de ce type pour m'assurer que le visage de la personne n'est ni bleu ni gonflé, qu'il paraît en fait assez normal – sauf qu'il appartient à un mort.

Tous les ans, environ 30 000 Américains, dont la plupart sont de jeunes adultes, se suicident. Ce chiffre n'englobe, cela va sans dire, que ceux dont on peut attribuer la mort avec quelque certitude à un acte volontaire. Si grande est la honte qui continue d'entourer le suicide que la famille, et parfois même le sujet, cherche à dissimuler la vérité ; parfois, on demande à un médecin compréhensif d'inscrire une autre cause de mort sur l'acte de décès. Les hommes âgés, nous l'avons déjà vu, ont le taux le plus fort de suicide par mille habitants : particulièrement enclins à la dépression, ils succombent au stress de l'infirmité et de la solitude.

La plupart des acteurs de ce drame continuent de se servir des méthodes classiques : armes à feu, couteaux, pendaison, médicaments, gaz ou une combinaison de ces moyens. Il arrive souvent qu'un suicide mal préparé échoue, surtout quand c'est le fait d'un individu en plein tumulte affectif. Désespéré, il le tente de nouveau jusqu'à ce qu'il réussisse : on découvre alors un corps qui a été lacéré, blessé par balles et enfin empoisonné ou pendu. Quant à Sénèque, lorsqu'il se donna la mort, ce fut non pas par choix mais sur l'ordre de l'empereur Néron. On pourrait supposer que de longues années de réflexion sur le sujet avaient fait de lui une sorte de spécialiste concernant la mise en pratique de ses idées : il n'en fut rien. Car cet homme d'État de renom connaissait peu le corps humain. Déterminé à en finir une fois pour toutes, il plongea une dague dans les artères de son bras : comme le sang jaillissait trop lentement à son goût, il tailla les veines de ses jambes et de ses genoux. Cette boucherie ne suffisant pas, il avala du poison, toujours en vain. Finalement, comme le rapporte Tacite, « il fut transporté dans un bain [chaud] dont la vapeur le suffoqua ».

Les barbituriques, agents modernes du suicide, tuent de plusieurs façons. D'abord, ils provoquent un coma si profond que la tête penche dans une position dangereuse, ce qui occasionne l'obstruction des voies aériennes supérieures et, de ce fait, l'interruption de l'admission d'air. Cette interruption, ou l'aspiration de vomissures, aboutit à l'asphyxie. En outre, une forte dose de barbituriques entraîne un relâchement des muscles des parois artérielles qui permet aux vaisseaux de se dilater tellement que le sang s'y accumule et, donc, se soustrait à la circulation. Enfin, pris en quantité suffisante, ils entravent la contractilité du myocarde : l'arrêt cardiaque n'est plus très loin.

D'autres agents pharmaceutiques peuvent jouer à peu près le même rôle : l'héroïne, ainsi que d'autres drogues utilisées par voie intraveineuse, tue en provoquant rapidement un œdème pulmonaire par un mécanisme encore mal connu ; le cyanure inhibe l'un des processus biochimiques par lesquels les cellules utilisent l'oxygène ; l'arsenic, s'il porte atteinte à plusieurs organes, accomplit sa tâche surtout en produisant une arythmie, accompagnée éventuellement d'un état comateux et de convulsions.

Lorsqu'un individu fixe le bout d'un tuyau au tuyau d'échappement d'une voiture et inspire de l'autre, il profite de l'affinité

que ressent l'hémoglobine pour l'oxyde de carbone, qu'elle préfère par un facteur de 200 à 300 à l'oxygène, concurrent de
celui-ci et source de vie. Le patient meurt parce que son cerveau et son cœur ne sont plus suffisamment oxygénés. Sous
l'effet de la carboxyhémoglobine, le sang prend une couleur plus
vive et, paradoxalement, plus éclatante que d'habitude, tant et
si bien que la peau et les muqueuses de celui qui succombe à
ce type d'intoxication présentent un aspect d'un rouge cerise
remarquable. L'absence de la décoloration bleutée caractéristique de l'asphyxie peut même tromper les personnes qui décou-
vrent ce qui ressemble à un être aux joues roses qui respire la
santé, à ceci près qu'il ne respire plus du tout.

La pendaison permet d'obtenir des résultats analogues, mais
au moyen d'un mécanisme sensiblement moins doux. Le poids
du corps de la victime assure une force suffisante pour resser-
rer le nœud et produire ainsi l'obstruction des voies aériennes
supérieures par obstacle mécanique. Celle-ci résulte parfois de
la compression ou de l'écrasement de la trachée mais peut aussi
avoir pour cause le déplacement vers le haut de la base de la
langue, ce qui empêche l'air de passer. L'écoulement sanguin
par les jugulaires et les autres veines étant interrompu en raison
de la pression du nœud, du sang désoxygéné reflue dans les tissus du visage et de la tête. Un cadavre qui pend grotesquement
et dont la langue gonflée, parfois mordue, sort d'une figure livide
aux yeux hideusement globuleux : voilà un spectacle cauche-
mardesque que seule la personne la plus endurcie peut regarder
sans en être retournée.

Lors d'une exécution capitale par pendaison, le bourreau
s'efforce d'éviter l'asphyxie, sans toujours y réussir. Si le nœud
coulant est bien situé juste au-dessous de l'angle de la mâchoire
du condamné, la chute brusque de deux ou trois mètres devrait
normalement fracturer et disloquer la colonne vertébrale à la
base du crâne. Cette dislocation suffit à trancher en deux la
moelle épinière : l'état de choc et la paralysie de la respiration
sont alors immédiats. Bien que le cœur puisse continuer pendant
plusieurs minutes à battre, la mort intervient très rapidement,
sinon instantanément.

Dans un suicide par pendaison, la suffocation suit un déroulement semblable à celui qui caractérise toute asphyxie par obstacle mécanique, qu'elle survienne volontairement ou naturellement, comme dans les cas d'étouffement ou d'étranglement spontané. Exemple type de celui-ci : le client d'un restaurant, probablement ivre, se coince soudain un gros morceau de nourriture dans la trachée. S'affolant de son incapacité à inspirer, la victime hypercapnique et agitée se saisit la gorge et la poitrine dans un geste inutile, comme pour prévenir une crise cardiaque. Il se précipite aux toilettes dans l'espoir de pouvoir vomir le bouchon qui obstrue sa trachée car, même dans son agonie, il reste trop gêné pour le faire devant les autres clients, qui le regardent, frappés par l'horreur et incapables d'agir. Celui qui se trouve seul chez lui au moment de subir pareil accident est presque sûr de mourir, tandis que, dans un lieu public, il a une possibilité de survie à condition que quelqu'un effectue la manœuvre de Heimlich.

A moins que le bouchon soit expulsé, le processus de suffocation se poursuivra. Le pouls s'accélère, la tension artérielle s'élève et le niveau de gaz carbonique dans le sang augmente rapidement pour atteindre un état qui s'appelle l'hypercapnie. État qui provoque une angoisse extrême alors que le manque d'oxygène donne à la victime un aspect bleuté, ou cyanosé. Celle-ci s'escrime avec un désespoir croissant à faire entrer de l'air malgré l'obstruction, mais ses efforts d'aspiration ne font qu'immobiliser encore davantage le bouchon. Comme dans le cas de la pendaison, l'individu finit par perdre connaissance ; quelquefois, le cerveau hypercapnique et privé d'oxygène déclenche aussi des convulsions. En peu de temps, les mouvements respiratoires s'affaiblissent, sont de moins en moins profonds. Les battements du cœur deviennent irréguliers avant de s'arrêter.

Quant à la noyade, c'est fondamentalement une forme d'asphyxie dans laquelle la bouche et les narines se trouvent obstruées par l'eau. Quand elle correspond à une tentative de suicide, celui qui se noie ne résiste pas à l'aspiration de l'eau alors que, s'il s'agit d'un accident, cas le plus fréquent, il retient son souffle jusqu'à ce que l'épuisement et l'hypercapnie l'empêchent de continuer. A ce stade, l'eau a bouché les conduits aériens jusque dans les poumons. Si la victime se débat assez près de la surface, elle peut absorber suffisamment d'air pour créer une barrière d'écume, qui, se joignant à l'eau dans les voies aériennes, risque de déclencher un réflexe de vomissement, qui aggrave le tableau en projetant le contenu acide de l'estomac dans la bouche, d'où il sera aspiré par la trachée.

Si la noyade se passe en eau douce, l'eau pénètre dans la circulation à travers les poumons : elle dilue alors le sang et en perturbe le délicat équilibre d'éléments chimiques et physiques. La destruction de globules rouges qu'occasionne ce déséquilibre a pour effet de libérer de grandes quantités de potassium dans la circulation, véritable poison cardiaque ici puisqu'il provoque une fibrillation ventriculaire. Dans le cas d'une noyade en eau de mer, le mécanisme à l'œuvre est exactement l'inverse. L'eau quitte la circulation et entre dans les alvéoles du poumon, où elle produit un œdème pulmonaire. On constate un phénomène identique chez celui qui se noie dans une piscine, le chlore agissant comme irritant chimique sur les tissus pulmonaires.

Pendant la lutte de la victime, l'un des mécanismes naturels de survie du corps retarde, puis facilite l'aspiration de l'eau. Lorsque celle-ci pénètre juste dans les voies aériennes, il survient un spasme involontaire du larynx, qui s'occlut dans une tentative pour prévenir toute absorption ultérieure. Mais, en l'espace de deux ou trois minutes, la diminution du niveau d'oxygène dans le sang détend la contraction spasmodique et laisse l'eau s'y engouffrer. C'est cette étape dite du halètement terminal qui permet à l'eau d'inonder tellement l'organisme que, dans le cas d'une noyade en eau douce, elle finit par représenter jusqu'à 50 % du volume du sang.

Un corps humain sans vie pèse plus lourd que l'eau et la tête en est la partie la plus dense. Par voie de conséquence, le noyé sombre invariablement la tête la première et demeure suspendu dans cette posture jusqu'à ce que la putréfaction produise suffisamment de gaz dans les tissus pour le faire flotter et, donc, le pousser vers la surface. Ce processus peut durer de quelques jours à plusieurs semaines, selon la température et la condition de l'eau. Quand le cadavre réapparaît enfin, celui qui a l'horreur de le découvrir a quelque peine à croire que cette masse pourrie contenait l'esprit d'un homme et partageait l'air de la vie avec le reste d'une saine humanité.

Aux États-Unis, la noyade tue près de 5 000 personnes chaque année ; l'alcool y joue un rôle dans 40 % des cas. Mis à part les suicides et les meurtres accomplis de cette façon, elle survient presque toujours subitement et, d'habitude, inopinément. Toutefois, l'immense majorité des victimes se doutent au moins de la possibilité de la noyade puisqu'elle se produit le plus souvent alors qu'elles se trouvent à proximité d'eaux profondes. Il n'en va pas de même des quelque mille Américains qui meurent électrocutés tous les ans : ils soupçonnent très rarement leur mort imminente, y compris ceux qui travaillent dans les équipements de haute tension. La mort par suite d'une décharge électrique se produit le plus souvent par fibrillation ventriculaire, provoquée par le passage du courant jusqu'au cœur. Autre cause de fibrillation ou d'arrêt cardiaque, un courant électrique de haute tension qui atteint le centre cardiaque régulateur du cerveau. Dès lors que le système cérébral de contrôle de la fonction respiratoire subit des dégâts, c'est à l'arrêt de la respiration que succombe la victime. Signalons enfin que, si la plupart des électrocutions mortelles touchent des hommes qui travaillent au niveau de câbles de haute tension, des accidents électriques domestiques tuent de nombreux enfants et adultes chaque année.

C'est donc par ces multiples voies que les victimes d'un homicide, d'un suicide ou d'un accident sont privées de l'apport d'oxygène qui les maintient en vie. Mais ce récit des causes et des effets physiologiques n'englobe pas toute la liste des soldats qui forment les escadrons de la mort violente, il s'en faut. Qui plus est, une évocation sommaire de la tranquillité face à la mort, des *near-death experiences* ou du suicide assisté ne peut qu'esquisser une première approche des nombreuses questions qui s'ajoutent depuis peu au catalogue déjà considérable des problèmes méritant attention, non seulement de la part des philosophes et des scientifiques, mais de la part de tous. Dans tout ce qui a trait à la mort, la clinique et la morale ne se trouvent jamais à ce point séparés que l'on puisse regarder l'une sans voir l'autre.

8

UNE HISTOIRE DE SIDA

« Appelez-moi Ishmael. » Elle sourit lorsque l'ironie de la chose lui revint en mémoire, puis son regard se fit lointain, nostalgique, et elle ne vit plus que la chambre où ce père de trois enfants était en train de mourir.

« Cela s'est passé il y a cinq mois seulement mais, en vérité, toute une vie vient de s'écouler. Un jour, comme j'arrivais à l'hôpital, il était là, assis dans une cabine à attendre le docteur-miracle qui allait le sauver. Ce docteur-miracle, c'était moi. Sur le ton joyeux et décontracté qui sied à l'interne que je suis censée être, je l'ai accueilli par un « Bonjour, monsieur Garcia ». Et cet homme menu d'origine latino-américaine arborant un sourire immense s'est levé d'un bond – pensez donc un peu ! – et m'a dit : « Appelez-moi Ishmael. » J'imagine qu'il n'avait jamais lu le livre. Or l'Ishmael de Melville a survécu, alors que le mien n'a jamais eu l'ombre d'une chance de s'en sortir. Dans quelques jours, il sera mort, mais je me souviendrai de lui toute ma vie. » Elle fit une pause ; les mots qui devaient suivre s'étaient manifestement arrêtés dans sa gorge, puis, se forçant à parler, elle réussit enfin à les prononcer d'une façon hachée : « C'est mon premier patient atteint de cette saloperie de maladie. »

Les crises s'étaient succédé depuis cet après-midi d'été où Ishmael Garcia avait bondi de son siège et s'était avancé, la main tendue, vers le docteur Mary Defoe pour la saluer ; depuis, tous les deux avaient parcouru pas mal de chemin. A la faculté de médecine, Mary Defoe avait vu beaucoup de malades du SIDA mais, jusqu'au jour où elle endossa les responsabilités du médecin nouvellement diplômé, elle n'avait jamais compris tout à fait l'ampleur de la catastrophe ressentie par celui qui en est victime.

Depuis cet après-midi de juin où il s'était présenté dans l'unité spécialisée où sont traités les malades atteints du SIDA à ce matin gris et froid de novembre où elle devait constater son décès, Mary Defoe et Ishmael Garcia connurent les liens qui unissent praticien et patient. Hospitalisé ou suivi en consultation externe, Ishmael la considérait comme son médecin personnel. De temps en temps, d'autres internes prenaient en charge ses soins pour de courtes périodes lorsque Mary se voyait affectée à d'autres unités, mais les deux finissaient toujours par se retrouver et reprendre ensemble leur voyage vers la sinistre conclusion qui, ils le savaient, arriverait un jour ou l'autre.

Très tôt au cours de leur formation, la plupart des médecins nouent des relations avec certains patients qui deviennent les modèles dont ils vont s'inspirer jusqu'à la fin de leur carrière dans leurs réactions à la maladie et à la mort. Pour Mary Defoe, Ishmael Garcia incarnera certainement le réveil d'une vieille image perdue depuis longtemps pour toute une génération de praticiens : celle de l'impuissance face à une hécatombe dont la victime privilégiée est la jeunesse.

Avant 1981, personne n'aurait pu envisager ne serait-ce que la présence du VIH, ou virus de l'immunodéficience humaine, sur l'échiquier de la mortalité. Les prémices de son élan meurtrier firent leur apparition au moment même où la science biomédicale commençait, avec circonspection, à se féliciter de l'état d'avancement des recherches, qui semblait enfin rendre possible la conquête definitive des maladies infectieuses. Non seulement le SIDA brouillait toutes les pistes des chasseurs de microbes mais, en plus, il ébranlait la confiance du corps médical dans la capacité de la technologie et de la science à protéger l'homme des caprices de la nature. En peu d'années, années qui furent explosives, pratiquement tout jeune docteur en formation se trouva à soigner quelques-uns de ces mourants qui auraient dû vivre.

Le docteur Defoe et moi-même entrâmes silencieusement dans la chambre d'Ishmael, bien qu'il fût déjà dans l'incapacité d'entendre le moindre bruit. Nous fîmes ainsi plus par respect que par nécessité : lorsqu'un homme se meurt, les murs de sa chambre abritent une chapelle dans laquelle il convient de pénétrer avec considération et recueillement.

Comme cette scène se distinguait des drames effrénés qui se jouent si souvent au chevet des mourants tandis qu'on s'applique désespérément à les garder encore quelques mois, quelques semaines, voire quelques jours ou quelques heures supplémentaires dans l'antichambre de la mort ! Après les innombrables supplices qu'Ishmael Garcia dut supporter au cours de sa plongée dans la fièvre et l'inconscience, la moindre des choses était qu'on le laissât enfin en paix.

On avait éteint l'éclairage de la chambre et les volets fermés préservaient de la violence du soleil de cet après-midi d'automne, plongeant tout cet espace dans l'uniformité de la lumière tamisée. Dans le lit, l'homme inconscient avait une très forte température et la peau jaunâtre de son front ressortait sur la blancheur impitoyable de la taie d'oreiller fraîchement changée. Pour décharné qu'il fût par les effets ravageurs de sa maladie, on voyait bien qu'autrefois il avait été très beau garçon.

Ayant pris connaissance de sa courbe thermique, je savais que, avec son dernier soupir, sa tranquillité volerait en éclats dans un dernier grand effort du corps pour revenir à la vie. Quelques mois auparavant, dans un moment de terreur, il avait supplié sa femme de s'assurer que les médecins faisaient tout leur possible pour le maintenir en vie, qu'elle ne leur permette jamais d'abandonner la partie. Maintenant, Carmen n'arrivait pas à croire le verdict de l'équipe médicale : le possible était devenu impossible. Elle s'accrochait à cette promesse qui risquait de rendre difficile le départ de l'essence en laquelle elle croyait avec dévotion : l'âme immortelle de son mari.

Séparée d'Ishmael depuis trois ans lorsqu'il tomba malade, sa femme demeurait néanmoins le parent le plus proche du point de vue légal et elle se faisait le porte-parole de la famille. En réalité, elle ne parlait que pour elle-même puisque le couple avait pris la décision irrévocable de taire le diagnostic aux autres : pas plus les parents d'Ishmael que ses sœurs ne connaissaient le nom de sa maladie ou, si c'était le cas, ils ne le mentionnèrent jamais.

Quand Carmen comprit la gravité de l'état d'Ishmael, elle le laissa rentrer à la maison. Tant bien que mal, elle avait trouvé la force de passer l'éponge sur ses années d'infidélité, sa toxicomanie et même le dénuement dans lequel son irresponsabilité les avait plongées, elle et leurs trois filles. Il regagna le foyer pour qu'elle devienne son infirmière et la seule, parmi les proches ou les amis, à partager la connaissance de sa fin ultime. Selon elle, il avait été, en dépit de tout, un bon père, et elle lui devait au moins cela : c'était pour l'amour de leurs trois filles et en souvenir de leur vie passée qu'elle permit le retour de son mari, désormais au seuil de la mort.

En refusant de le laisser mourir alors que son temps était venu, Carmen avait la conviction de faire une dernière faveur à Ishmael ; c'était après tout ce qu'elle croyait lui avoir promis. Elle se montra fermée à toute discussion à chaque fois que les médecins essayèrent de remettre en question sa décision et aucun d'eux n'eut le cœur de la pousser dans ses derniers retranchements. Devant leurs arguments, Carmen éprouvait, quelque part dans les tréfonds de sa conscience, un sentiment injustifié de culpabilité motivé par le rejet de son mari prodigue, par son refus inflexible de répondre à ses velléités de bonne conduite et à ses promesses de s'amender, culpabilité qui plongeait ses racines dans l'incontestable dévotion qu'il manifestait à l'égard de leurs filles. L'équipe soignante avait été jusqu'à demander une consultation au président du Comité de bioéthique de l'hôpital, mais celui-ci, apprenant qu'un retour à la vie serait possible, s'opposa à passer outre aux décisions que Carmen avait prises en écoutant ses sentiments.

Dans cette chambre, jamais Ishmael ne se trouvait seul : ses trois petites filles étaient toujours présentes, veillant en permanence sur leur père adoré à travers le cadre en plastique d'un agrandissement photographique d'un mètre sur soixante centimètres qui ornait le large rebord de la fenêtre. Elles étaient là,

trois jolies petites filles frisées, habillées en robe du dimanche, souriant au monde et à leur père par un jour plus heureux que celui-ci. J'esquissai un geste vers la photo en guise de question muette adressée à Mary.

« Oui, répondit-elle, les deux plus grandes viennent presque tous les jours, mais Carmen n'amène pas la plus petite. Celle de six ans se contente de jouer toute seule au pied du lit : elle ne comprend pas vraiment. Celle de dix ans pleure, elle se tient au chevet de son père tout le temps qu'elle passe ici, essuyant et caressant son visage, et les larmes coulent à flots. J'essaie de ne pas entrer dans la chambre pendant leurs visites : c'est au-delà de mes forces. »

A côté de la photographie, il y avait une bible en espagnol ouverte aux chapitres 27 à 31 des Psaumes, où plusieurs versets étaient surlignés de différentes couleurs. Je notai les numéros des versets sur un calepin et, une fois à la maison, les cherchai pour les lire :

27.9 Ne me cache pas ta face !
N'écarte pas avec colère ton serviteur !
Toi qui m'as secouru,
ne me quitte pas, ne m'abandonne pas,
Dieu de mon salut.

27.10 Père et mère m'ont abandonné,
le Seigneur me recueille.

28.6 Béni soit le Seigneur,
car il écoute ma voix suppliante.

Je me rendis compte avec étonnement que, en hébreu, Ismaël signifie « Dieu a entendu ». Ce nom provient des paroles prononcées par le Seigneur lorsqu'Il trouva la servante de Sarah, Hagar, dans le désert, en fuite devant la colère de sa maîtresse :

Tu es enceinte et tu vas enfanter un fils,
et tu lui donneras le nom d'Ismaël,
car Yahvé a entendu ta détresse.

Dieu avait découvert mère et enfant près d'un puits auquel il donna un nom qui rappelait leurs épreuves, *Be'er-la-haï-roï* « le puits de Lahaï qui me voit ».

Lorsque l'Ismaël de la Bible arriva à l'âge de quatorze ans, Dieu entendit et vit de nouveau, et là, ce fut à la voix du jeune garçon lui-même que Dieu répondit, le sauvant d'une mort imminente dans le désert et lui promettant de faire de lui une grande nation.

Quant à Ishmael, gisant sur son lit, Dieu ne semblait pas l'écouter. Il n'entendait ni ne voyait ou, de toute façon, Il ne faisait rien malgré les tourments qu'Il percevait. En cela, Ishmael Garcia ressemblait à Job, à la vue des souffrances duquel Dieu d'abord non seulement ne réagit pas mais resta également silencieux, comme s'Il avait choisi de fermer les yeux et les oreilles. Si Dieu entendit les supplications de Garcia ou vit son angoisse, Il ne changea pas pour autant d'avis. Et jamais n'en change-t-Il dans cette saloperie de maladie.

Pour ma part, je préfère croire que Dieu n'y est pour rien. Nous sommes les témoins, à l'heure actuelle, d'un de ces cataclysmes naturels qui n'ont aucun sens, aucun précédent, et qui, en dépit des affirmations de certains, ne constituent pas une illustration de quoi que ce soit d'une quelconque utilité. De nombreux hommes d'Eglise sont d'accord, eux aussi, pour reconnaître que Dieu ne joue aucun rôle dans des phénomènes de ce type. Dans le texte *Euthanasie en Pastoraat* cité dans le chapitre précédent, les évêques de l'Église réformée de Hollande n'ont pas hésité à traiter on ne peut plus directement le vieux problème de la responsabilité divine dans les souffrances humaines inexpliquées : « On ne doit pas prendre l'ordre naturel des choses pour la volonté de Dieu. » Position partagée par un grand nombre de membres du clergé, chrétiens ou juifs, aux tendances les plus diverses ; toute attitude d'une plus grande sévérité représenterait le comble de l'insensibilité, outrage supplémentaire accablant des gens déjà cruellement éprouvés. Le fléau du SIDA a certes beaucoup à nous apprendre, mais les leçons qu'il enseigne touchent aux domaines de la science et de la société ; elles ne relèvent certainement pas de l'exégèse religieuse. Il s'agit là non pas d'une punition, mais d'un crime, un de ces crimes perpétrés, comme il arrive parfois, au hasard par la nature sur ses propres créatures. Et la nature, comme nous le rappelle Anatole France, est indifférente car elle ne fait pas de distinction entre le bien et le mal.

La portée du SIDA dépasse de loin ses caractéristiques cliniques. Une telle déclaration, si on peut la faire à propos de toutes les maladies, vaut particulièrement dans le cas de ce fléau. Mais, quelles que soient les répercussions culturelles et sociales du SIDA, il importe de comprendre certaines de ses manifestations cliniques et scientifiques avant de voir mise en scène toute la tragédie par laquelle il tue ses victimes. L'histoire d'Ishmael Garcia peut à cet égard constituer un archétype.

C'est en février 1990 que Garcia prit connaissance de sa séropositivité pour le VIH, à la suite de la prise de sang qu'on lui avait faite lorsqu'il s'était rendu au centre médico-social de l'hôpital de Yale-New Haven pour faire soigner une plaie ouverte au bras gauche qui ne cicatrisait pas. De toute évidence, l'infection était due à des injections intraveineuses répétées de stupéfiants. Comme, par ailleurs, il se sentait bien, en particulier depuis la désinfection de la plaie grâce à un court traitement d'antibiotiques, il n'était jamais venu à aucun rendez-vous de rappel après celui où on lui avait appris le diagnostic. En janvier 1991, il fut atteint d'une toux sèche qui s'aggrava progressivement en quelques semaines. En même temps que l'évolution de la toux, Ishmael commença à éprouver une oppression thoracique, symptôme renforcé par la toux ainsi que par toute respiration profonde. Après plus d'un mois d'aggravation régulière, deux nouveaux symptômes apparurent : une fièvre et un essoufflement, même quand il menait l'activité la plus réduite. Arrivé ainsi au stade où faire tout simplement le tour de sa petite chambre meublée du quartier *latino* de New Haven le mettait hors d'haleine, il sut que le moment était venu d'aller à l'hôpital.

Dans le service des urgences, on voyait sur une radio des poumons d'Ishmael que ceux-ci étaient recouverts de façon diffuse d'une brume blanchâtre représentant les vastes zones d'une infection qui empêchait une bonne ventilation pulmonaire. L'analyse du sang artériel montra à son tour un niveau anormalement faible d'oxygène, signe de la difficulté qu'avaient les tissus infectés des poumons à en absorber. Lorsque l'interne procéda à l'examen d'admission, il constata, comme dans chaque nouveau cas de SIDA ou presque, la présence d'un parasite laiteux, du muguet, sur la langue de ce nouveau patient fiévreux.

Les résultats des examens des poumons firent penser à une pneumonie du type le plus fréquemment rencontrée chez les malades du SIDA, ayant pour origine un parasite appelé *Pneumocystis carinii*. Ishmael fut admis à l'hôpital et les médecins, grâce à un fibroscope, appareil en forme de serpent qu'on introduit jusqu'au fond de la trachée, prélevèrent un petit échantillon en vue d'une analyse microscopique qui devait révéler la présence d'une structure globulaire très dense, justement des *Pneumocystis*. On lui donna un médicament antifongique pour soigner le muguet et on commença un traitement contre la pneumonie avec un antibiotique très spécialisé, appelé pentamidine, à la suite duquel il récupéra progressivement ses forces. Au cours de son hospitalisation, on découvrit qu'Ishmael avait une anémie et un faible nombre de globules blancs. Bien qu'il prétendît se nourrir correctement, il souffrait d'une malnutrition suffisamment poussée pour entraîner une baisse du niveau des protéines dans le sang. Il s'étonna d'apprendre qu'il avait perdu presque deux kilos des soixante-trois et demi qu'il pesait habituellement. Cependant, la plus mauvaise nouvelle dont il fut informé concernait des chiffres qu'il ne pouvait pas encore comprendre, à savoir que le marqueur de l'infection du virus VIH, le lymphocyte T4 ou CD4, n'atteignait que 120 par millimètre cube de sang, niveau très inférieur à la normale.

On ignore si Ishmael suivit les instructions qu'il reçut à sa sortie d'hôpital pour empêcher la reprise de l'infection pulmonaire dont, désormais, il connaissait le nom : pneumonie interstitielle à *Pneumocystis carinii*. Vraisemblablement, il n'en fit rien car il revint onze mois plus tard, en janvier 1992, avec des symptômes identiques mais plus graves qu'avant. Cette fois, il se plaignait en plus de forts maux de tête et de nausées, et il manifestait une certaine confusion. On découvrit, au moyen d'une ponction lombaire, la présence d'une méningite due à un microorganisme assimilé à une levure, le *Cryptococcus neo-*

formans. En outre, il souffrait d'une infection bactérienne de l'oreille droite, mais il avait les idées trop embrouillées pour s'en rendre compte. Ses CD4 étaient descendus à 50, prouvant que la destruction de son système immunitaire par le VIH avançait à grands pas. Ainsi donc, cette coalition de trois différents types d'infection avait sérieusement mis en danger la vie d'Ishmael ; ce fut l'habile traitement du service spécialisé dans le SIDA de Yale-New Haven qui le tira de cette impasse. Après un séjour de trois semaines à l'hôpital, il put retourner auprès de Carmen et des filles. Quant à la note de quelque 12 000 dollars qu'on lui présenta à titre de frais d'hospitalisation, l'État du Connecticut dut la payer. En effet, ayant été licencié pour usage de stupéfiants de l'usine où il travaillait, Ishmael n'avait plus d'assurance maladie.

Début juillet 1992, Ishmael, qui avait décidé de respecter scrupuleusement ses rendez-vous au service de consultation externe, eut un gros abcès douloureux à l'aisselle gauche qui nécessitait un drainage chirurgical. Ce fut au cours de cette visite qu'il rencontra pour la première fois Mary Defoe. Dans les semaines qui suivirent, elle supervisa le traitement qu'on lui avait prescrit au dispensaire pour une sinusite et une autre infection de l'oreille ; l'abcès, quant à lui, se cicatrisait bien.

Si les affections d'origine bactérienne dont il était atteint semblaient en voie de guérison, Ishmael remarqua qu'il avait souvent la tête légère, avec des vertiges qui compromettaient parfois son équilibre. Peu après le début de ces symptômes, sa mémoire commença à lui faire défaut ; par ailleurs, Carmen prit conscience qu'il ne comprenait pas toujours ce qu'on lui disait, même les phrases les plus simples. Au cours du mois suivant, les symptômes progressèrent au point de le laisser la plupart du temps dans un état de léthargie et de confusion. Carmen, malgré sa gratitude envers les médecins, céda à la requête de son mari de ne pas être emmené en services des urgences. En effet, tous deux redoutaient les conséquences possibles d'une autre hospitalisation ; comme, désormais, il perdait du poids rapidement, ils savaient que, une fois admis, il pourrait ne jamais revenir.

Finalement, un matin au réveil, Carmen trouva son mari si affaibli qu'elle dut appeler une ambulance. A ce stade, Ishmael était déjà presque dans le coma. Son bras gauche tressautait de façon incontrôlable et il réagissait à peine aux demandes criées à son oreille. Par moments, une brève convulsion secouait tout son côté gauche. Au scanner cérébral, on découvrit des abcès du cerveau dus à un protozoaire, le *Toxoplasma gondii,* diagnostic que les examens de sang ne confirmèrent toutefois pas. Les clichés étaient frappants : ils révélaient la présence de nombreuses masses de petite taille des deux côtés du cerveau. On trouve souvent des lésions semblables chez les malades du SIDA atteints d'une tumeur maligne appelée lymphome mais, dans le cas d'Ishmael, elles ressemblaient plutôt aux lésions entraînées par la toxoplasmose.

Alors que les examens ne permettaient pas d'établir un diagnostic précis, l'équipe médicale décida néanmoins de s'attaquer, par mesure de prudence, à la toxoplasmose puisque cette dernière est plus fréquente chez les malades du SIDA que le lymphome. Puis, au vu du peu de résultats obtenus après deux semaines de traitement, Ishmael fut conduit en salle d'opération où les neurochirurgiens forèrent un petit trou dans son crâne pour prélever un minuscule échantillon en vue d'une biopsie. L'étude microscopique des tissus, si elle ne révéla pas la présence de *Toxoplasma gondii* dans le cerveau, montra des changements qui, selon l'anatomopathologiste, étaient dus à la guérison de l'affection induite par le *Toxoplasma.* Ces conclusions encouragèrent l'équipe médicale à poursuivre son traitement malgré l'incertitude du diagnostic. Au bout d'une semaine pourtant, l'état d'Ishmael s'aggrava de manière évidente. Comme aucune trace certaine de *Toxoplasma* n'avait été découverte, les membres de l'équipe médicale qui n'étaient pas d'accord avec ce diagnostic prônèrent une radiothérapie afin de traiter le lymphome présumé du cerveau. Avant l'apparition du virus VIH, ce type de lymphome était extrêmement rare tandis que, aujourd'hui, il se rencontre fréquemment chez les patients atteints du SIDA.

Dans un premier temps, la radiothérapie sembla porter ses fruits : Ishmael s'éveilla en partie du coma profond dans lequel il avait sombré et il parvint même à avaler des petites quantités de purée qu'une infirmière ou Carmen lui faisait manger à la cuillère. Répit – hélas ! – de brève durée car il retomba dans un état comateux et sa température, provisoirement diminuée, remonta pour atteindre chaque jour les 38,5-39,5° ; une nouvelle pneumonie d'origine bactérienne vint par ailleurs s'ajouter à une autre infection généralisée de nature obscure et qui, par ailleurs, résistait aux traitements. Voilà donc l'état des choses en ce jour de novembre où Mary Defoe et moi-même nous tenions au chevet d'Ishmael.

En dépit de l'inconscience profonde dans laquelle notre patient se trouvait, son visage reflétait l'inquiétude. Peut-être avait-il une vague compréhension de la lutte qu'il menait pour inspirer et expirer l'air de ses poumons infectés ou de la diminution constante de la quantité d'oxygène qui parvenait à ses tissus suffoquants. Une septicémie était survenue et le mécanisme entier de sa vie s'enrayait. Mais son expression préoccupée était peut-être finalement sans rapport avec la détresse physique de ses organes essoufflés ; il y avait éventuellement quelque chose au fond de lui qui tentait de faire savoir qu'il était trop épuisé pour continuer, qu'il essayait de mourir sans y parvenir. Et pourtant, pouvait-il vraiment avoir envie de la mort ? Un ultime sursaut dans la bataille ne valait-il pas la chance de revoir ses petites filles une dernière fois ? Nul ne sait pourquoi le visage des mourants prend certaines expressions, l'apparence du malaise n'ayant peut-être pas plus de sens que celle de la sérénité.

Les peines d'Ishmael prirent fin le matin suivant. Carmen, sentant l'approche de la mort, avait demandé un jour de congé à l'usine de carton de New Haven où elle travaillait. Elle se tenait près de son mari, dont les mouvements respiratoires s'espaçaient de plus en plus, puis ils cessèrent complètement. Sans avoir été sollicitée, elle avait dit à Mary Defoe la nuit précédente qu'il ne reviendrait plus à la vie, que la promesse faite à son mari avait été tenue, que l'on avait fait l'impossible pour le sauver. Quand il s'arrêta de respirer, elle sortit aussitôt de la chambre pour en informer l'infirmière qui était restée avec elle presque toute la matinée. Puis Carmen fit ce qu'elle avait refusé obstinément de faire à maintes reprises pendant qu'Ishmael était encore en vie : elle demanda à subir un test de dépistage du SIDA.

Dans la région des États-Unis où j'habite, le Nord-Est, le SIDA est devenu la cause principale de mortalité chez les hommes âgés de vingt-cinq à quarante-quatre ans ; région où pourtant, dans cette tranche d'âge, les décès dus aux violences urbaines, à la toxicomanie, aux guerres entre gangs font partie de la vie quotidienne, tout comme la pauvreté et le désespoir qui engendrent ces phénomènes. Comment faire, par où commencer pour donner un sens à toute cette détresse ? A ce jour, elle n'a révélé aucune sagesse, aucune leçon. Le SIDA comme métaphore, le SIDA comme allégorie, le SIDA comme symbole, le SIDA comme lamentation, le SIDA comme test de l'humanité de l'homme, le SIDA comme la quintessence de la souffrance universelle : à l'heure actuelle, pareilles élucubrations consument l'énergie intellectuelle des moralistes et des plumitifs ; à croire qu'il faut à tout prix tirer de ce désastre quelque chose de bon. Or l'histoire elle-même ne nous apporte guère de repères puisque aucun des fléaux du passé ne parvient à soutenir la comparaison.

Il n'y a jamais eu de maladie aussi dévastatrice que le SIDA. Pour formuler cette affirmation, je me base moins sur la nature explosive de l'apparition et sur la diffusion mondiale de cette peste que sur son effroyable physiopathologie. Jamais la science médicale ne s'est vue confrontée à un microbe qui détruit les cellules mêmes du système immunitaire dont la tâche consiste justement à coordonner la résistance du corps à celui-ci. L'immunité contre un assaut massif d'envahisseurs auxiliaires se trouve défaite avant d'avoir eu l'occasion d'organiser sa défense.

Même les débuts du SIDA paraissent sans équivalent. On dispose aujourd'hui d'assez d'éléments au niveau épidémiologique pour spéculer sur ses origines possibles et les chemins qu'il a empruntés pour aboutir à sa terrible emprise. Selon l'hypothèse de certains chercheurs, le virus a d'abord eu, sous différentes formes, un caractère endémique parmi certains primates d'Afrique centrale chez lesquels il n'était pas pathogène et donc ne provoquait aucune maladie. Le sang d'un animal infecté serait alors entré en contact avec une blessure de peau ou de membrane d'un ou de plusieurs habitants d'un village indigène, qui auraient progressivement transmis l'infection à d'autres personnes de leur entourage. Les partisans de cette théorie, qui fondent leurs travaux sur des modèles mathématiques, calculent que la première transmission du primate à l'homme peut remonter jusqu'il y a cent ans. En effet, compte tenu de la rareté des interactions entre les différentes communautés, la maladie se serait répandue lentement à partir de son village hypothétique d'origine. Mais, au milieu du vingtième siècle, quand les habitudes culturelles commencèrent à changer, comme en témoignent la fréquence croissante des déplacements et l'urbanisation de plus en plus grande de la population, la contagion aurait pris un essor fulgurant. Puis, dès qu'un important réservoir d'individus contaminés se fut constitué, le voyage international, désormais pratique courante, se serait transformé en agent de dissémination du virus dans le monde entier. Le SIDA est une peste transmise par avion.

Longtemps avant que l'identification même d'un seul cas rende patente la présence du SIDA, celui-ci s'était déjà répandu parmi des milliers de personnes qui ne se doutaient de rien. Il aura fallu attendre deux courts articles parus dans les numéros de juin et de juillet 1981 du *Morbidity and Mortality Weekly Report,* bulletin des Centers for Disease Control, pour trouver une première allusion à l'existence du virus. Les auteurs décrivent l'apparition de deux maladies autrefois très rares chez quarante et un jeunes homosexuels de New York et de Californie : la pneumonie interstitielle à *Pneumocystis carinii* et le sarcome de Kaposi. Or, il était admis jusque-là que la première n'entraîne pas de maladie chez les sujets dont le système immunitaire fonctionne bien. En effet, malgré quelques exemples connus de déficience congénitale du système immunitaire, pratiquement tous les cas de pneumocystose étaient survenus chez des sujets ayant perdu leur immunité, soit dans le cadre d'une transplantation d'organe, soit du fait d'une chimiothérapie ou de famine. Le sarcome de Kaposi dont souffraient ces jeunes homosexuels se montrait autrement plus agressif que celui que l'on avait connu antérieurement. Par ailleurs, un comptage des lymphocytes T sanguins, l'un des pivots du système immunitaire, chez quelques-uns de ces quarante et un patients révéla des chiffres étrangement bas. De toute évidence, un facteur inédit avait détruit un grand nombre de ces cellules et, par là, compromis gravement le système immunitaire de ces jeunes gens.

En quelques mois, on releva plusieurs autres articles relatant des cas semblables de ce que l'on commençait à désigner sous le nom de *gay-related immunodeficiency syndrome* (syndrome d'immunodéficience lié à l'homosexualité). De plus en plus, les spécialistes en maladies infectieuses échangeaient des informations – lors de colloques médicaux, dans leur correspondance, au téléphone – sur les patients apparemment atteints de ce syndrome. Enfin, en décembre, une déclaration affectant un laconisme trompeur soulignait dans le *New England Journal of Medicine* les dimensions du problème et, d'une façon aussi délicate que clairvoyante, posait les jalons des recherches à mener, tout en mettant en lumière les répercussions sociales auxquelles il faudrait faire face :

> Ce développement pose une énigme qui doit être résolue. Sa solution aura selon toute probabilité un intérêt capital pour un grand nombre de personnes. Les scientifiques (tout comme le simple curieux) demanderont : pourquoi cette catégorie de la population ? Qu'est-ce que ce syndrome nous apprend au sujet de l'immunité et de la formation des tumeurs ? Par ailleurs, ceux qui s'intéressent aux problèmes de santé publique chercheront à placer cette explosion dans une perspective sociale. Les associations d'homosexuels, souvent actives et bien informées sur les problèmes de santé importants, voudront prendre des mesures afin de renseigner et de protéger leurs membres. L'humaniste, quant à lui, souhaitera tout simplement empêcher des décès et des souffrances inutiles.

Déjà, quoiqu'à l'insu de l'auteur de cet éditorial, le docteur David Durack de l'université de Duke, quelque 100 000 personnes de par le monde étaient contaminées.

A ce stade, l'examen de tissus provenant de jeunes hommes morts avait mis en évidence des dizaines de formes de microbes dont la plupart appartenaient à ces catégories qui prolifèrent uniquement dans des conditions où le système immunitaire est gravement atteint. Selon les recherches effectuées, la partie touchée de la réaction immunitaire était celle justement qui dépend des lymphocytes T, hypothèse soutenue par la chute du nombre de certaines cellules contenues dans le sang (cellules T4 ou CD4). Et, puisqu'un système immunitaire fragilisé donne l'opportunité à des germes normalement plutôt bénins de faire de sérieux dégâts, les maladies qu'ils provoquent ont reçu le nom d'*infections opportunistes.* Au moment de la parution de l'éditorial du docteur Durack, il était déjà admis que « le taux de mortalité est terriblement élevé » et que « les seuls patients (...) non homosexuels étaient toxicomanes ». On rebaptisa la maladie *syndrome d'immunodéficience acquise,* ou SIDA.

Comme je l'ai souligné plus haut, l'apparition du SIDA, semblant provenir du néant, ébranla profondément les responsables du monde médical qui s'étaient convaincus dès la fin des années soixante-dix que la menace d'une maladie virale et bactérienne appartenait au passé. Beaucoup avaient imaginé comme défis actuels et futurs que devait relever la science médicale la guérison des affections chroniques et invalidantes telles que le cancer, les maladies cardiaques, la démence, l'attaque cérébrale ou l'arthrite. Aujourd'hui, à peine quinze ans après, les prétendus triomphes de la médecine sur les maladies infectieuses se révèlent illusoires, tandis que les microbes, eux, remportent des victoires totalement inattendues. Les années quatre-vingt auront apporté deux nouvelles sources de peur : l'apparition de nouvelles souches de bactéries résistantes aux médicaments et la venue du SIDA.

Ces deux problèmes vont subsister pendant longtemps encore. Le docteur Gerald Friedland, autorité de renom international qui dirige le service spécialisé dans le SIDA à Yale, brosse un sombre tableau de la situation qui laisse présager une menace illimitée : « Le SIDA persistera durant toute l'histoire humaine. »

N'en déplaise à certains militants de la lutte contre le SIDA, la masse d'informations recueillies depuis le début du raz de marée concernant le virus d'immunodéficience humaine ainsi que les progrès enregistrés dans l'élaboration d'une défense contre ses ravages ne peuvent que susciter la stupéfaction. C'est d'ailleurs le mot utilisé par Lewis Thomas, qui a joué un rôle de pionnier dans le domaine de l'immunologie. En 1988, sept ans après le début de la pandémie, il écrivit :

Au cours de toute une vie consacrée à l'observation de la recherche biomédicale, je n'ai rien vu de comparable aux progrès déjà accomplis par les laboratoires travaillant sur le virus du SIDA. Si l'on songe que la maladie a été identifiée il y a seulement sept ans et que son agent, le VIH, est l'un des organismes les plus complexes et les plus déroutants sur terre, la réussite est tout simplement stupéfiante.

Thomas faisait ensuite remarquer que, même à ce stade relativement précoce, les chercheurs en savaient « plus sur la structure, la composition cellulaire, le comportement et les cellules cibles du VIH que pour tout autre virus ».

On dispose de signes encourageants, non seulement en laboratoire mais également dans le domaine du traitement, qui montrent que les patients connaissent aujourd'hui une longévité accrue, qu'ils voient s'étendre les répits pendant lesquels les symptômes ne se manifestent pas et, enfin, qu'ils vivent dans un plus grand bien-être qu'auparavant. Ces améliorations avancent au même pas que les connaissances des voies de transmission au niveau mondial, les mesures de santé publique et les changements sociaux et comportementaux qui s'imposent si l'on veut maîtriser le mieux possible la pandémie.

La plupart de ces progrès reposent sur la collaboration étroite de la troïka constituée par les universités, les pouvoirs publics et l'industrie pharmaceutique. Il s'agit d'un phénomène relativement nouveau dans la biomédecine américaine dont l'existence doit beaucoup aux vigoureuses campagnes menées par les groupes engagés dans la lutte contre le SIDA, groupes qui, au départ, ne dépassaient guère les milieux homosexuels. La pression des associations de malades constituait en effet un facteur relativement inconnu jusqu'il y a peu dans l'équation de la recherche biomédicale, mais elle exerce une influence de plus en plus puissante. En effet, grâce aux efforts de ce lobby du SIDA, associés aux demandes des médecins, à peu près 10 % des 9 milliards de dollars du budget des National Institutes of Health est consacré à l'étude du virus VIH. Le feu roulant des critiques pousse sans relâche la Food and Drug Administration (Office du contrôle pharmaceutique et alimentaire) à assouplir les critères stricts qu'elle s'est attachée à mettre au point pour l'évaluation des médicaments expérimentaux. Par certains côtés, on ne peut que s'en féliciter, car certains produits thérapeutiques ayant suffisamment prouvé leur efficacité en laboratoire ont reçu une approbation conditionnelle. Toutefois, il faut rester conscient des dangers que constituerait le relâchement de ces contrôles si durement acquis, même en ces temps de peste.

La première série de découvertes réalisée presque aussitôt après que les Centers for Disease Control eurent donné l'alerte est impressionnante par sa rapidité. Avant la fin de l'année 1981, on avait rapporté plusieurs cas de pneumocystose chez des non-homosexuels, en l'occurrence des toxicomanes recourant aux injections intraveineuses ; ce nouvel élément fit soupçonner que la nouvelle maladie avait un mode de diffusion comparable à celui de l'hépatite B, virus fréquent chez ce groupe de patients. Par conséquent, on en vint à penser que l'agent responsable de la maladie devait être un virus. Plus tard, un rapport des Centers for Disease Control publié en 1982 étaya cette théorie en montrant que neuf personnes du premier groupe de dix-neuf patients de Los Angeles avaient eu des relations sexuelles avec un homme en particulier, et ces neuf personnes à leur tour avec quarante autres habitant dans dix villes différentes et pour lesquelles on avait diagnostiqué la maladie. Ainsi, ces résultats établissaient avec une certitude incontestable le mode sexuel de la transmission du virus ainsi que son caractère infectieux.

A la fin du premier semestre de 1984, on avait isolé le virus de l'immunodéficience humaine et démontré que c'était bien l'agent responsable du SIDA ; on avait en outre éclairci les méthodes par lesquelles il s'attaque au système immunitaire, décrit les ravages cliniques de la maladie et mis au point un test de dépistage sanguin. Dans le même temps que les laboratoires et les hôpitaux parvenaient à ces conclusions, les épidémiologistes et les fonctionnaires de santé publique réussirent à élucider la forme générale et les dimensions du fléau.

Au départ, la communauté scientifique exprimait un fort scepticisme quant à la possibilité de trouver un médicament capable de combattre le virus lui-même. Cette préoccupation traduisait en grande partie les connaissances nouvellement acquises sur les caractéristiques du microbe, en particulier le fait qu'il survit en s'intégrant à la substance génétique même (l'ADN) des lymphocytes auxquels il s'attaque. Comme si cette stratégie ne suffisait pas, on découvrit que le virus VIH pouvait se cacher dans différentes cellules et tissus où il est non seulement protégé, mais également difficile à débusquer. Par ailleurs, il déjoue les réactions des anticorps de l'organisme grâce à une ruse remarquable : l'enveloppe extérieure d'un virus est faite de protéine et de cellules adipeuses tandis qu'une bactérie est entourée d'abord par un hydrate de carbone ; or une protéine déclenche les réponses immunitaires du corps plus facilement qu'un hydrate de carbone. Puisque le VIH a son enveloppe protéique recouverte d'hydrate de carbone, il devient en quelque sorte un virus habillé en bactérie, déguisement traître qui a pour effet de diminuer la production d'anticorps. Pour parachever le tout, le VIH dispose d'une capacité de mutation considérable qui lui permet de se transformer en un animal tout à fait différent si jamais les réactions des anticorps ou un nouveau médicament antiviral réussissent à surmonter les obstacles placés devant eux.

Tous ces défis, outre le fait que le VIH réduit à néant le gros des défenses de l'organisme en détruisant les lymphocytes au sein desquels il vit, constituaient, il faut l'avouer, des raisons certaines de découragement. C'est presque sans espoir que les chercheurs lancèrent les essais en laboratoire d'un certain nombre de médicaments qui avaient des chances de combattre cet adversaire insaisissable. Face à sa duplicité, qui rendait improbable la mise au point rapide d'un vaccin susceptible de mobiliser le système immunitaire du patient, les chercheurs adoptèrent la même méthode pour combattre le SIDA que celle utilisée contre les infections bactériennes : ils commencèrent à chercher des agents pharmaceutiques dont le fonctionnement s'apparente à celui des antibiotiques, qui détruisent l'organisme infectieux ou empêchent sa reproduction sans s'appuyer sur le système immunitaire comme première ligne de défense.

Certains des produits testés, qui étaient à l'origine destinés à d'autres usages, furent vite délaissés en raison de leur faible efficacité ; mais, comme on connaissait de plus en plus les caractéristiques précises du virus (notamment à partir de 1984, date à laquelle on put le reproduire sous une forme utilisable en laboratoire), il devint possible de se concentrer sur la recherche de compositions efficaces. Au printemps de 1985, trois cents médicaments avaient été testés au National Cancer Institute, dont quinze qui pouvaient arrêter la reproduction du virus en éprouvette. Le plus prometteur était un agent d'abord décrit en 1978 comme un médicament anticancéreux, l'azido-3' désoxy-3' thymidine, ou AZT (souvent appelée zidovudine). Le 3 juillet 1984, l'AZT fut administrée à un premier patient et on commença des études sur une grande échelle dans douze centres médicaux aux États-Unis. Avant septembre 1986, on détenait assez d'éléments pour affirmer que le médicament pouvait réduire la fréquence des infections opportunistes et améliorer la qualité de vie des malades, au moins jusqu'à une nouvelle mutation du virus. Il s'agissait là du premier traitement découvert pour lutter contre cette catégorie particulière de virus à laquelle appartient le VIH, les rétrovirus. Malgré son prix élevé et sa toxicité probable, ce médicament devint le pivot de la thérapeutique dans ce domaine. La découverte de l'efficacité de l'AZT donna un coup de fouet à la recherche d'autres produits du même type, dont le premier identifié fut le didéoxyinosine (ddI, ou didanosine). A partir de ces données, les recherches se sont poursuivies.

Le développement de l'AZT représente un exemple des efforts gigantesques qu'il fallut pour lutter contre le VIH à ce stade précoce. Depuis les débuts, une masse d'informations a surgi qui, pour le non-spécialiste, a de quoi donner le tournis.

La biologie moléculaire connaît des avancées régulières, on améliore les méthodes de surveillance et de prévention, on réévalue sans cesse les rapports statistiques, on comprend mieux les ravages causés par les organismes opportunistes et, fort heureusement, on découvre de nouveaux médicaments contre ces infections dévastatrices ainsi que contre les virus qui leur emboîtent le pas.

Expliquer ou comprendre le mécanisme par lequel les nombreux envahisseurs opportunistes dévastent le corps d'un adulte ou d'un enfant atteint du SIDA n'est pas chose facile. Les malades et ceux qui les soignent doivent affronter un tel éventail de problèmes déroutants qu'on ne peut que ressentir un mélange d'étonnement et de gratitude devant tout ce qui a été accompli jusqu'à présent. Lorsqu'un médecin de ma génération fait une visite d'hôpital en compagnie d'une équipe du personnel soignant spécialisé dans le SIDA, les connaissances de ces cliniciens experts et la rapidité avec laquelle ils les ont acquises le laissent pantois. Chaque patient de l'unité est atteint d'une multitude d'infections et quelquefois d'un ou de deux cancers, chacun reçoit quatre, voire dix médicaments – dans le cas d'Ishmael Garcia, quatorze –, sans pour autant avoir la certitude d'une réponse ni d'une toxicité prévisible. Tous les jours, parfois plus souvent, on doit prendre de nouvelles décisions à propos de tous les patients du service (l'unité SIDA de l'hôpital où je travaille est relativement petite et ne comprend que quarante lits, lesquels sont toujours occupés).

De plus, comme si ces problèmes cliniques ne suffisaient pas, les familles désespérées attendent non loin de là des réponses, une consolation ; le personnel doit remplir des fiches, vérifier des dossiers, commander des examens, enseigner aux étudiants, assister à des conférences, sans compter la floraison de nouveaux articles médicaux à lire et auxquels il faut souvent apporter une contribution. Et toujours, le devoir principal qui consiste à soigner ces frères et sœurs frappés par la maladie, dont les plus atteints sont décharnés, fiévreux, œdématiés et anémiés ; leurs yeux cherchent quelque réconfort avec la promesse muette du soulagement de leurs tourments qui, trop souvent, ne viendra qu'avec la mort. Quelles que soient la persévérance et la force morale dont font preuve de si nombreux patients face à l'échéance mortelle, le processus impitoyable qui les fait mourir nous démoralise à chaque nouvelle manifestation.

9

LA VIE D'UN VIRUS,
LA MORT D'UN HOMME

Les découvertes sur le cycle de vie du VIH qui ont suivi de près son apparition permirent de dégager les premières pistes susceptibles de révéler ses points vulnérables. Pour simplifier les choses, on peut dire qu'un virus n'est rien de plus qu'une minuscule particule de matériel génétique enfermée dans une enveloppe de protéines et de matières adipeuses. Dans le stade actuel des connaissances, le virus représente l'organisme vivant le plus petit et contient très peu d'informations génétiques. Incapable de subsister sans l'aide de structures plus complexes, il doit vivre à l'intérieur de cellules. Contrairement à une bactérie, qui arrive à se reproduire toute seule (dans le cas du virus, le chercheur préfère le terme de réplication), il est donc obligé de pénétrer à l'intérieur d'une cellule et de s'emparer du mécanisme génétique de celle-ci en s'y intégrant. Quant au VIH, il y parvient grâce à une méthode qui est l'inverse du processus habituel de transmission de l'information génétique : de là son appellation de *rétrovirus.*

Le matériel génétique des cellules est composé de chaînes de molécules d'acide désoxyribonucléique, ou ADN, dépositaire de

l'information génétique. Dans des conditions normales de reproduction, l'ADN se copie – se « transcrit » – sur d'autres chaînes
moléculaires appelées l'acide ribonucléique (ARN), qui agit
comme matrice pour orienter la production des protéines de la
nouvelle cellule. Or le rétrovirus a ceci de particulier que c'est
l'ARN qui constitue son matériel génétique ; il véhicule en outre
une enzyme appelée *transcriptase inverse* qui permet, dès lors
que le virus a pénétré au sein de la cellule hôte, la transcription
de l'ARN sur l'ADN, lequel se traduit alors en protéines selon
la séquence habituelle.

La série d'événements qui se produit lorsque le VIH infecte
un lymphocyte suit approximativement ce schéma : le virus se
fixe sur les récepteurs CD4, structures situées sur la membrane
qui entoure la cellule ; sur ces sites, il se débarrasse de son enveloppe tandis qu'il s'intègre à la cellule où son ARN est transcrit sur l'ADN. Ce dernier migre alors dans le noyau du lymphocyte et se glisse dans l'ADN même de la cellule. Jusqu'à la
fin de sa vie et de celle de ses descendants, ce lymphocyte reste
infecté par le virus.

A partir de là, chaque fois qu'une cellule infectée se divise,
l'ADN viral est copié en même temps que les gènes propres de
la cellule et subsiste comme état latent d'infection. Pour des raisons inconnues, il commande à un certain moment la production d'un nouvel ARN viral et de protéines virales et c'est ainsi
que se fabriquent de nouveaux virus. Ils croissent à partir de la
membrane du lymphocyte, sont libérés et s'en vont infecter
d'autres cellules. Quand le processus se déroule assez vite, il
peut tuer le lymphocyte porteur, qui succombe dans ce cas lors
de l'éclatement des particules du virus. Il existe un autre mode
de destruction du lymphocyte qui utilise la capacité du virus
nouveau-né à s'attacher à des cellules T non encore infectées,
le résultat étant qu'un grand nombre de cellules fusionnent en
amas appelés syncytium. Et, puisque le syncytium ne bénéficie
plus d'immunité, cette fusion fait preuve d'une capacité redoutable de désactiver plusieurs lymphocytes à la fois.

Comme on l'a dit plus haut, la cellule attaquée par le VIH est
le lymphocyte T, globule blanc investi d'une fonction capitale
dans les réactions immunitaires du corps. Plus précisément, il

s'agit d'un sous-ensemble de cellules T, les lymphocytes CD4 ou T4 (dont l'autre nom est la cellule T auxiliaire) qui en sont les victimes. Le lymphocyte CD4 joue un rôle tellement prépondérant dans le fonctionnement du système immunitaire qu'on l'appelle parfois le *quarterback* (en football américain, « stratège »).

Le VIH agit, on vient de le voir, de plusieurs façons possibles sur les cellules CD4. Il peut se répliquer en leur sein, y demeurer en veilleuse pendant longtemps, mais aussi les tuer ou les désactiver. C'est en général un épuisement progressif et important de la réserve de lymphocytes CD4 qui constitue le facteur essentiel empêchant le système immunitaire du patient d'organiser une défense efficace contre les différentes sortes d'infections causées par des bactéries, des levures, des champignons et d'autres micro-organismes.

Le VIH attaque une autre sorte de globules blancs du sang, les monocytes, dont près de 40 % possèdent le récepteur des CD4 dans leurs membranes et peuvent donc se charger du virus. Par ailleurs, il existe un refuge supplémentaire, le macrophage (littéralement, le « mange-gros »), dont l'une des fonctions consiste à englober et à détruire les déchets de cellules infectieuses. Au contraire des lymphocytes CD4, ni le macrophage ni le monocyte ne sont détruits par le virus VIH ; ils semblent servir de réservoirs ou de coffres-forts dans lesquels le microbe peut rester en sommeil pendant de longues périodes.

Toute cette description ne constitue qu'une esquisse rapide de la façon dont le VIH démantèle peu à peu le système immunitaire. Malgré les nombreuses protestations émises contre le recours à des images militaires pour brosser le portrait de la physiologie de la maladie, le SIDA se prête particulièrement bien à de telles analogies. En fait, son fonctionnement ressemble à une concentration progressive de forces dont les dernières étapes passent par un bombardement prolongé des défenses du pays, prélude à une invasion en masse du territoire qui mobilise une importante coalition de belligérants en vue de l'annihilation complète de l'adversaire. L'armée des microbes qui tue la victime du SIDA après que le VIH a mis hors de combat ses CD4 comporte un grand nombre de divisions de différentes sortes

dont chacune a son propre objectif, son propre mécanisme meurtrier. Les épidémiologistes les plus modestes dans leurs estima-
tions prévoient que, avant l'an 2000, il y aura entre 20 et 40 millions de personnes séropositives sur terre assiégées ou déjà
envahies par la maladie. A l'heure actuelle, de 40 000 à 80 000
Américains sont infectés chaque année et autant meurent.

Dans les limites des connaissances actuelles, on ne connaît
que trois vecteurs possibles de l'infection : le contact sexuel,
l'échange sanguin (par une seringue contaminée ou des produits
sanguins) ou la transmission d'une mère infectée à son enfant,
dans l'utérus, au moment de l'accouchement, voire après, au
cours de l'allaitement. En laboratoire, on a détecté le VIH dans
le sang, le sperme, les sécrétions vaginales, la salive, le lait
maternel, les larmes, l'urine et la moelle épinière, mais on a mis
en évidence que seuls le sang, le sperme et le lait maternel peuvent le transmettre. Depuis 1985, on soumet les banques de sang
à des contrôles tellement rigoureux que le risque de contamination par transfusion est désormais négligeable. Aux États-Unis
et dans la plupart des pays développés, les homosexuels et
bisexuels constituent la grande majorité des individus contaminés par voie sexuelle, alors qu'en Afrique et en Haïti ce sont les
hétérosexuels. Bien que le nombre de cas de transmission par
des hétérosexuels reste faible en Occident, il augmente progressivement, tout comme le nombre d'enfants infectés. Sur les nouveaux cas d'infection qui se déclarent chaque année aux États-
Unis, il s'agit dans un tiers des cas environ de toxicomanes
recourant aux injections par voie intraveineuse et on trouve un
taux au moins aussi fort chez les homosexuels. Les autres, pour
la plupart des femmes noires ou d'origine latino-américaine,
attrapent la maladie par la filière hétérosexuelle ; leur séropositivité explique pourquoi deux mille bébés infectés naissent par
an.

Le SIDA est une maladie peu contagieuse, la grande fragilité
du VIH rendant difficile l'infection. L'eau de Javel courante,
même diluée dans l'eau dans une proportion de un pour dix
volumes d'eau, détruit le virus avec efficacité, tout comme
l'alcool ou l'eau oxygénée. Tout liquide imprégné du virus qui,
exposé à l'air, a pu sécher pendant vingt minutes sur n'importe

quelle surface n'est plus infectieux. Il n'y a donc aucune crainte à avoir des quatre sources de microbes les plus redoutées des maniaques de l'hygiène : les insectes, la lunette des toilettes, les couverts de table et le baiser. Et, bien que l'on soupçonne que, dans quelques cas, un seul rapport sexuel a suffi pour assurer la contamination, celle-ci ne se fait en principe que par une haute dose de virus ou des contacts répétés. Aux États-Unis, le risque d'infection à la suite d'un rapport hétérosexuel isolé reste donc faible. Mais, si rassurant qu'il soit de se convaincre des difficultés que doit surmonter le virus pour se propager, tout sentiment de sécurité disparaît devant l'idée que, une fois contaminé, on court le risque de mourir. Cette perspective justifie à elle seule les précautions recommandées par les responsables de la santé publique.

C'est souvent fort peu de temps après s'être introduit chez un nouvel hôte que le virus révèle sa présence. En un mois ou moins, la réplication rapide du virus entraîne sa concentration élevée dans le sang, état qui se maintient de deux à quatre semaines. Si, au cours de cette période, la plupart des individus nouvellement infectés ne manifestent pas de symptômes, d'autres présentent une fièvre modérée, des ganglions, des douleurs musculaires, des éruptions cutanées et parfois des troubles du système nerveux central tels que des maux de tête. Puisque ces symptômes n'ont aucun caractère spécifique et qu'ils peuvent s'accompagner d'une sensation générale de fatigue, on les attribue souvent à tort à une grippe ou à une mononucléose. Quand ce syndrome de courte durée prend fin, les premiers anticorps anti-VIH ont déjà commencé à faire leur apparition dans le sang et un test sanguin pourra les mettre en évidence ; à partir de là, le patient est jugé séropositif. Mais, malgré la conclusion de cette brève période de symptômes, le virus continue sa réplication.

Ce syndrome de courte durée qui ressemble à la mononucléose traduit vraisemblablement la première réaction du système immunitaire à l'alarme déclenchée par le nombre massif de nouvelles particules du virus produites jusque-là. D'abord, le corps affirme sa victoire et le nombre des particules de virus dans le sang connaît une chute sensible. A ce stade de l'évolution de la maladie, il semble que les microbes subsistant se retirent dans les lymphocytes CD4, les ganglions lymphatiques, la moelle osseuse, le système nerveux central ou la rate, où ils restent en sommeil pendant des années ou bien poursuivent leur réplication si lentement que leur concentration totale dans le sang se stabilise à un niveau faible. En fait, il n'y a que 2 à 4 % des cellules CD4 du corps qui se trouvent dans le sang. Par ailleurs, il y a tout lieu de penser que celles des ganglions lymphatiques, de la rate et de la moelle sont détruites progressivement pendant la longue période de latence mais que cette destruction ne se reflète dans le sang qu'au terme de celle-ci, lorsque le nombre des CD4 resté constant jusqu'alors commence à s'effondrer, effondrement qui permet aux multiples infections secondaires caractéristiques du SIDA de se déclarer. A ce stade, la quantité du virus dans le sang augmente à nouveau. On ignore la raison de cette longue phase de relative inactivité, mais on peut supposer que le système immunitaire du corps joue un rôle en atténuant l'infection ou, à tout le moins, la part qui ne concerne que le sang lui-même.

Cette évolution explique peut-être pourquoi la plupart des séropositifs ont des ganglions axillaires et cervicaux au cours de la période initiale de deux à quatre semaines pendant laquelle se développent des symptômes, symptômes qui ne disparaissent pas par la suite. Après, le bien-être des patients se prolonge en moyenne pendant trois à cinq ans, voire dix ans, au bout desquels l'examen sanguin révélera en général une importante diminution du nombre de cellules CD4 qui, du niveau normal de 800 à 1 200 par millimètre cube, tombe à moins de 400. Quatre-vingt à quatre-vingt-dix pour cent des lymphocytes ont donc été détruits. Puis, après une durée moyenne de dix-huit mois, des tests ordinaires d'allergie commencent à faire apparaître une détérioration progressive du système immunitaire. Le nombre des cellules CD4 continue de chuter mais, à ce stade de la maladie, le patient ne manifeste pas nécessairement de signes cliniques d'une pathologie quelconque. Pendant ce temps, le virus se multiplie dans le sang et les ganglions lymphatiques hypertrophiés connaissent une lente destruction.

Lorsque le nombre des cellules CD4 tombe au-dessous de 300 par millimètre cube, la majorité des patients sont atteints d'une infection fongique de la langue ou de la cavité buccale appelée *muguet* qui se présente sous l'apparence de tâches blanches tapissant ces zones. A partir d'un taux inférieur à 200 par millimètre cube, d'autres infections peuvent commencer à se manifester comme l'herpès autour de la bouche, de l'anus, des organes génitaux, ou même une grave infection vaginale causée par le même champignon responsable du muguet. Les examens révèlent une affection caractéristique, la leucoplasie de la muqueuse buccale (du grec *leukos,* « blanc », et de *plasis,* formation) ; dans ce cas, des taches blanches duveteuses ressemblant à des ondulations verticales hérissent les bords de la langue. Ces lésions traduisent un épaississement de la couche superficielle de la muqueuse induit par un virus.

Après un an ou deux de cette phase de l'évolution de la maladie, nombreux sont les patients chez qui se développent des infections opportunistes de la peau et des orifices du corps. A ce moment-là, le nombre des cellules CD4 se situe habituellement déjà au-dessous de 200 et continue sa chute rapide. Le syndrome de la déficience immunitaire commence à s'affirmer sous la forme d'affections causées par des microbes que les défenses physiologiques d'un individu sain n'auraient normalement aucun mal à tenir en échec. On arrive à un stade où n'importe quel organisme dont la neutralisation exige un système immunitaire intact peut donner lieu à une pathologie sérieuse. C'est ainsi que, en plus des maladies connues telles qu'une tuberculose ou une pneumonie d'origine bactérienne, la personne atteinte du SIDA risque de contracter des maladies assez rares provenant d'un éventail de parasites, de champignons, de levures, de virus et même de bactéries que les médecins avaient eu peu l'occasion de rencontrer avant l'arrivée du VIH. En effet, il n'existait pas de traitement efficace contre certains de ces organismes jusqu'à la fin des années quatre-vingt, moment où les efforts des laboratoires universitaires et de l'industrie pharmaceutique furent récompensés par la mise au point d'un ensemble de médicaments qui ont enregistré quelques succès sur le plan clinique.

Chaque variété d'envahisseur microbien attaque les défenses affaiblies du système immunitaire compromis à l'aide d'un arsenal bien spécifique et dirige l'assaut contre les cibles précises qui l'intéressent. Vu le peu de cellules CD4 restées au poste pour résister, chaque division, chaque régiment de tueurs opportunistes dévaste le territoire que constituent les tissus du patient. C'est tantôt en épuisant l'énergie du malade et sa maigre réserve de munitions, tantôt en renversant un centre stratégique comme le cerveau, le cœur ou les poumons que l'infection destructrice gagne du terrain. S'il est vrai que les médicaments les plus récents parviennent parfois à ralentir ou à endiguer provisoirement l'offensive des différents assaillants, celle-ci reprendra toujours à plus ou moins brève échéance sous une forme ou l'autre. On a beau remporter une escarmouche ici ou là, éviter une bataille par un usage opportun de médicaments prophylactiques ou gagner quelques mois de stabilité, l'issue finale de la lutte est décidée d'avance. Déterminés comme ils sont, les agresseurs microbiens n'accepteront rien moins que la reddition sans condition, synonyme de la mort de leur hôte involontaire.

Si toute une série de processus pathologiques peuvent provoquer la mort des malades du SIDA, un nombre relativement restreint de microbes semble cependant porter la responsabilité directe de la grande majorité des décès. D'abord et surtout, on trouve le *Pneumocystis carinii*, qui fut le premier identifié dès les débuts du fléau mondial. Les chiffres diminuent à l'heure actuelle grâce aux traitements prophylactiques mais, jusqu'à une date récente, plus de 80 % des patients subissaient au moins une attaque de pneumocystose, et nombreux étaient ceux qui mouraient soit d'une insuffisance respiratoire, soit de complications liées à celle-ci. Selon la gravité de l'assaut, une seule attaque pouvait tuer entre 10 et 50 % des victimes avant qu'on ait trouvé les moyens de la combattre. La pneumocystose demeure, en dépit de la baisse régulière de ce pourcentage, un facteur important de mortalité pour la moitié des malades du SIDA.

Ses symptômes sont, essentiellement, ceux que connut Ishmael Garcia quand il éprouvait des difficultés croissantes de respiration jusqu'à ce qu'il reçoive le traitement adapté. Il arrive parfois que le *Pneumocystis carinii* soit localisé en dehors des poumons et que l'autopsie de patients morts de cette infection en révèle la dissémination dans presque tous les organes importants, surtout dans le cerveau, le cœur et les reins.

Comme pour les autres types de pneumonie, la mort par pneumocystose revient à une sorte d'asphyxie due à l'incapacité des poumons infectés de s'oxygéner. A mesure que l'invasion s'étend à d'autres tissus, elle détruit de plus en plus d'alvéoles et l'on atteint le stade où il devient impossible d'augmenter le volume d'oxygène véhiculé par les artères en dépit de tous les moyens qui l'obligeraient normalement à passer dans les tissus spongieux et bouchés. Ce manque d'oxygène ainsi que l'accumulation de gaz carbonique endommagent le cerveau et finissent par arrêter le cœur. Quelquefois, les tissus subissent une telle destruction que des cavités se forment dans les zones lésées, comme dans le cas de la tuberculose.

L'organe cible de prédilection du SIDA est le poumon. Pratiquement toutes les maladies opportunistes ainsi que les tumeurs le visent. Parmi les affections rencontrées le plus fréquemment, on retrouve la tuberculose, les bactéries responsables de lésions purulentes, le cytomégalovirus (CMV) de la famille de l'herpès et la toxoplasmose. A l'exception de celle-ci, toutes ces affections recherchent asile dans les tissus respiratoires. Un malade atteint de SIDA risque cinq cents fois plus environ d'attraper la tuberculose que le reste de la population.

La toxoplasmose, quant à elle, était autrefois si rare que j'eus quelque peine à me rappeler ce dont il s'agissait lorsque je la rencontrai pour la première fois chez l'un des premiers malades du SIDA. Or, en une décennie ou à peine plus, elle est devenue l'un des principaux belligérants participant à l'invasion du virus VIH et je ne devrai plus jamais en chercher les détails dans les recoins de ma mémoire, tant les effets qu'elle produit sur des êtres sans défense sont terribles. L'organisme en question est un protozoaire dont on a découvert qu'il contamine souvent les oiseaux, les chats et d'autres petits mammifères. Dans la plupart des cas, il se transmet à l'homme par de la viande insuffisamment cuite ou par des aliments contaminés par des fèces animales. Le toxoplasme vit sans causer de dommage chez 20 à 70 % d'Américains, la fréquence de sa présence dépendant du groupe socio-économique testé. Chez le patient immuno-déprimé toutefois, il se traduit par de la fièvre, une pneumonie, une augmentation du foie et de la rate, des éruptions cutanées, une méningite, une encéphalite ou bien encore c'est le cœur ou un autre muscle qui ont à en souffrir. Chez le malade atteint par le SIDA, sa cible la plus courante est le système nerveux central, où l'atteinte peut entraîner de la fièvre, des maux de tête, des déficits neurologiques, des crises d'épilepsie et des troubles mentaux qui vont de la confusion au coma profond. Au scanner, les zones infectées du cerveau ressemblent quelquefois aux lésions du lymphome, tant et si bien que l'on a le plus grand mal à les différencier. C'est là que résidait la difficulté du diagnostic dans le cas d'Ishmael Garcia.

Il est rare que le système nerveux des sidéens échappe aux ravages de la maladie. Certains patients traversent une phase transitoire de troubles neurologiques qui apparaissent parfois même avant que le SIDA ne se déclare ; heureusement, on rencontre ces complications particulièrement éprouvantes bien moins souvent au départ que dans les derniers stades de la maladie où, plus inquiétantes, elles reçoivent le nom de syndrome démentiel du SIDA. Elles ont parfois un effet accablant sur les fonctions cognitives, motrices et sur le comportement mais, la plupart du temps, elles ne prennent d'abord que la forme d'une distraction ou d'une perte de concentration. Après un moment, une apathie et un repliement sur soi deviennent des symptômes courants cependant qu'un petit nombre de patients se plaignent de maux de tête ou présentent des crises d'épilepsie. Si jamais ces symptômes, survenus au début de l'infection, ne disparaissent pas, ils s'aggravent rapidement. Dans ce cas ou dans celui, plus fréquent, des patients dont les symptômes surgissent dans la période de SIDA proprement dit, les fonctions intellectuelles déclinent souvent en même temps que se manifestent des difficultés d'équilibre et de coordination musculaire. Aux stades avancés du syndrome, le patient montre des signes de démence grave et réagit peu à son entourage ; il arrive qu'il souffre d'une paraplégie, de tremblements ou de convulsions intermittentes. Ces complications sont toutefois sans rapport avec une toxoplasmose cérébrale, un lymphome du cerveau ou d'autres maladies opportunistes neurologiques telles qu'une méningite entraînée par le *Cryptococcus*, champignon apparenté à une levure. Le syndrome démentiel spécifique du SIDA semble trouver ses sources dans le virus lui-même, mais sa cause exacte reste inconnue, l'atrophie cérébrale révélée par le scanner et la biopsie n'ayant rien à voir avec d'autres facteurs. Parmi les nombreux troubles neurologiques liés au SIDA, c'est la démence et la toxoplasmose qui sont les plus courants. Ce n'est que grâce aux effets bénéfiques de l'AZT que sa fréquence a quelque peu diminué.

Deux microbes tuberculoïdes partagent la distinction d'être la bactérie la plus répandue dans le corps des malades du SIDA. Le *Mycobacterium avium* et le *Mycobacterium intracellulare* (MAI), qui ensemble forment le complexe *Mycobacterium avium* (MAC), se retrouvent en effet chez près de la moitié des victimes du SIDA à leur décès, après avoir occasionné, au cours de leur période d'activité, un large éventail d'affections. Le MAI s'avère désormais une cause de mortalité plus fréquente que la pneumocystose. Une fièvre, des sueurs nocturnes, une perte de poids, de la fatigue, des nausées, une diarrhée, une anémie, des douleurs et une jaunisse sont souvent attribués à ces jumeaux maléfiques. Bien que le MAC ne suffise pas à provoquer la mort à lui seul, ses effets dévastateurs contribuent grandement à l'affaiblissement général et à la sous-alimentation qui minent encore davantage les défenses face à d'autres agressions.

Nous venons de voir un petit échantillon des manifestations du SIDA. Il serait certes possible d'allonger la liste des affections qui accablent couramment les patients, mais celle-ci resterait forcément en deçà de l'inventaire complet de leurs souffrances : une cécité consécutive à une rétinite due au cytomégalovirus ou à une toxoplasmose ; des diarrhées importantes qui peuvent avoir entre cinq ou six causes, dont parfois aucune n'est identifiable ; une méningite ou une pneumonie provoquées par la cryptococcose ; un muguet et des difficultés de déglutition rencontrés au cours d'une candidose, parfois accompagnés d'un suintement visqueux des lésions de la peau ; des lésions herpétiques autour de l'anus ; une pneumonie d'origine fongique ou une histoplasmose, maladie provoquée par des champignons microscopiques ; des bactéries typiques et atypiques ; des myriades de germes rampants et rôdants qui ont pour noms *Aspergillus*, *Strongyloides*, *Cryptosporidium*, *Coccidioides*, *Nocardia*. Leur temps est venu ; ils se comportent en pillards après une catastrophe naturelle, et c'est exactement ce qu'ils sont. Inoffensifs pour l'individu dont le système immunitaire reste intact, chacun d'entre eux représente un poison pour celui dont les réserves de lymphocytes CD4 sont diminuées.

C'est de nombreuses façons que le SIDA touche le cœur, les reins, le foie, le pancréas et l'appareil digestif, tout comme les tissus que l'on considère moins comme des organes à part entière tels que la peau, le sang et même les os. Il s'agit de muguet, d'une sinusite, de troubles de la coagulation, d'une pancréatite, de nausées, de vomissements, de plaies qui s'écoulent avec suppurations profondes, de troubles de la vue, de douleurs, d'ulcères gastro-duodénaux, d'arthrite, d'infections vaginales, de maux de gorge, d'ostéomyélite, d'infection du myocarde et des valvules cardiaques, d'abcès des reins, du foie et bien d'autres encore. Le patient se sent non seulement handicapé et démoralisé, mais souvent humilié par les détails de son supplice.

Le fonctionnement des reins et du foie est souvent perturbé, le cœur peut être le siège de lésions valvulaires ou de troubles de la conduction, l'appareil digestif multiplie les trahisons à l'égard de son propriétaire. Par ailleurs, les glandes surrénales et l'hypophyse connaissent parfois une diminution de leur niveau d'activité. Quand on ne peut plus endiguer l'infection bactérienne, c'est de nouveau la septicémie qui survient. Pendant tout ce temps, une malnutrition et une anémie continuent d'affaiblir les capacités du corps à combattre le processus de destruction en cours. La malnutrition est parfois aggravée par les pertes énormes de protéines au travers des reins lésés, ces derniers étant frappés d'une affection à progression rapide dont on ignore les causes et que l'on appelle néphropathie sidéenne. Trois à quatre mois après son déclenchement, cette néphropathie peut conduire à une insuffisance rénale mortelle.

Même sans infection directe, le cœur du sidéen se dilate parfois avec risque de défaillance ; dans d'autres cas encore, on voit se développer une arythmie qui entraîne parfois la mort subite. Le foie est également vulnérable, pas nécessairement du fait du

SIDA, mais parce que le patient a souvent contracté en même temps une hépatite B. Le cytomégalovirus, une tuberculose à MAI et plusieurs autres champignons ont en effet une prédilection pour le foie. Cet infortuné organe souffre non seulement de la maladie mais encore des traitements médicamenteux puisque la toxicité de ceux-ci affecte son fonctionnement. L'autopsie des personnes décédées du SIDA révèle que, dans 85 % des cas, le foie présente une anomalie.

Le tube digestif constitue sur toute sa longueur un vaste tunnel dont les circonvolutions fournissent d'innombrables occasions de nuire aux différents prédateurs qui prospèrent dans le sillage du SIDA. Depuis l'herpès jusqu'au large éventail d'ulcérations et d'infections de la bouche et des zones qui l'entourent, en passant par des plaies suintantes et des problèmes d'incontinence fécale, le délabrement gagne tellement d'organes qu'il amplifie les tourments des derniers mois, au point d'entraver l'alimentation et la digestion et d'entraîner une diarrhée liquide impossible à contenir, à la fois motif de détresse et obstacle au maintien d'une bonne hygiène de l'anus et du rectum, désormais à vif. Il est bien difficile d'imaginer qu'on puisse tirer une parcelle de dignité d'une telle mort. Et pourtant, l'indignité apporte quelquefois des moments de noblesse qui, pour un instant, triomphent de la réalité de l'angoisse et qui naissent de sources si profondes qu'on ne peut que s'en émerveiller, tant ils dépassent l'entendement.

Il faut un système immunitaire intact pour résister aux infections mais aussi pour empêcher la croissance de tumeurs. En l'absence d'une défense efficace, certains processus malins trouvent un environnement propice à leur développement. Le VIH favorise particulièrement une forme de cancer autrefois si rare que je ne l'avais pour ma part rencontrée qu'une seule fois – chez un vieil immigré russe – au cours de la quarantaine d'années écoulées depuis l'obtention de mon diplôme de médecin. La fréquence de cette tumeur maligne, le sarcome de Kaposi, qui s'élevait naguère à 0,2 % de la population américaine dans son ensemble, atteint aujourd'hui plus de 20 % des malades du SIDA. C'est, et de loin, la tumeur qui accompagne le plus souvent la maladie et, pour des raisons qui restent obscures, elle frappe davantage les homosexuels (de 40 à 45 %) que les toxicomanes (2 à 3 %) ou les hémophiles (1 %). Qui plus est, ces chiffres ne concernent que les individus pour lesquels un diagnostic a été établi de leur vivant. Après autopsie, on découvre une multiplication par trois ou par quatre de la fréquence du sarcome de Kaposi, notamment chez les homosexuels.

En 1879, Moritz Kaposi, professeur de dermatologie à la faculté de médecine de l'université de Vienne, décrivit une affection qu'il appela « sarcome pigmentaire multiple » constitué de nodules d'un brun rougeâtre ou bleuâtre qui commencent aux mains et aux pieds pour progresser le long des extrémités jusqu'à atteindre le tronc et la tête. Selon son rapport, il arrive un moment où les lésions augmentent, s'ulcèrent et s'étendent aux organes internes. « La fièvre, dit-il, des diarrhées sanguinolentes, une hémoptysie [expectorations de sang] et un marasme s'installent à ce stade et sont suivis par la mort. A l'autopsie, on trouve un grand nombre de nodules similaires dans les poumons, le foie, la rate, le cœur et le système intestinal. »

Le mot sarcome provient du grec *sarx*, qui signifie « peau », et *oma,* qui veut dire « tumeur ». Ces excroissances ont pour origine le même type de cellules qui produit le tissu conjonctif, les muscles et les os. En dépit des avertissements de Kaposi, selon lequel « le pronostic est grave (…) et l'on ne peut éviter l'issue fatale par extirpation locale ou générale ni par l'administration d'arsenic [traitement du cancer fort en vogue à l'époque] », les médecins ont sous-estimé pendant un siècle le danger de cette tumeur maligne si rare.

Comme on connaissait la lenteur avec laquelle progressait le sarcome de Kaposi – il lui fallait, calculait-on, de « trois à huit ans et plus » –, les livres de médecine ultérieurs employaient le plus souvent le terme d'« indolent » pour caractériser cette progression. Or on transmettait par là un message erroné sur la nature fondamentalement mortelle de la maladie, même si certains responsables continuaient de décrire ses manifestations meurtrières telles que des saignements intestinaux abondants. En fait, le terme « indolent » figure dans les premiers articles parus en 1981 aux États-Unis et en Grande-Bretagne concernant le développement du sarcome de Kaposi chez les homosexuels.

Cette maladie, que l'on considérait généralement au point mort, avait soudain montré une telle agressivité que l'auteur de l'article américain estima devoir rappeler à ses lecteurs que son développement s'était parfois révélé « fulgurant, avec des complications viscérales importantes » ; l'article publié en Grande-Bretagne étayait ce point de vue, auquel il donnait un caractère d'urgence en soulignant que « la moitié de nos patients sont morts dans les vingt mois qui suivirent le diagnostic ». De toute évidence, il s'agissait là d'une nouvelle forme de sarcome de Kaposi, bien plus préoccupante que les avertissements de Kaposi lui-même ne l'avaient laissé présager.

Des dizaines d'années avant que cette maladie ne s'associe dans l'esprit des médecins à l'infection du VIH, on la retrouvait déjà trop souvent en compagnie de différentes formes du cancer appelé lymphome pour pouvoir conclure à une simple coïncidence. A l'heure actuelle, le sarcome de Kaposi et le lymphome, qu'ils soient concomitants ou pas, constituent les deux principales affections malignes qui frappent le malade du SIDA. En dehors des raisons liées à l'immunodéficience, on n'a pas encore pu élucider le rapport entre les deux. Le lymphome lié au SIDA, qui attaque dans la plupart des cas le système nerveux central, l'appareil digestif, le foie ou la moelle osseuse, n'est pas moins agressif que le sarcome de Kaposi.

Contrairement aux autres fléaux qui se sont abattus sur l'humanité, le VIH dispose d'un éventail de possibilités de nuire apparemment sans limites. Le cancer du pancréas ne peut compter que sur un nombre déterminé d'armes pour tuer ; en cas d'insuffisance cardiaque ou rénale, des événements bien précis s'enchaînent ; une grave attaque prend pour cible un seul point du cerveau et engage ainsi sa victime sur un chemin de détérioration bien balisé. Or, il n'en va pas de même pour le VIH, qui semble doté de ressources infinies. Tout se passe comme si un organe après l'autre prêtait le flanc aux attaques d'un vaste assortiment de microbes et de cancers. Le seul résultat que l'on retrouve d'une façon prévisible et systématique à l'autopsie est un important affaiblissement du tissu lymphatique appartenant au système immunitaire. A la table de dissection, même les membres de l'équipe de l'unité du SIDA constatent avec étonnement les zones touchées par des complications inattendues ainsi que le degré de dévastation des tissus de leur patient.

Une insuffisance respiratoire, une septicémie, une destruction, par tumeur ou par infection, des tissus du cerveau, telles sont les causes immédiates les plus courantes de la mort. Certains patients sont victimes d'hémorragie cérébrale ou pulmonaire, voire digestive, d'autres succombent à une tuberculose généralisée ou à un sarcome ; les organes lâchent, les tissus saignent, l'infection règne sur tout l'organisme. Puis, pour compléter le tableau, il existe invariablement une malnutrition et, en dépit des efforts fournis pour la combattre, elle conduit à l'inanition. Une unité de soins pour les malades du SIDA en phase terminale est peuplée d'hommes et de femmes émaciés, spectraux ; leurs yeux rétrécis et enfoncés dans des orbites caverneuses ont un regard terne, leur visage est sans expression et leur corps ratatiné par la fragilité d'une vieillesse prématurée. La plupart d'entre eux se trouvent dans un état situé au-delà du courage. Le virus leur a volé leur jeunesse et il va leur voler le reste de leur vie.

Les médecins pratiquant des autopsies distinguent deux entités expliquant la cause d'un décès : ils se réfèrent à la cause rapprochée du décès et à sa cause immédiate. Pour tous ces jeunes gens, la cause rapprochée du décès sera le SIDA tandis que la cause immédiate précise semble avoir fort peu d'importance, tant il est vrai que tous connaissent une quantité de souffrance identique, même si la qualité, elle, peut varier. Il y a peu, j'ai discuté de ces problèmes avec le docteur Peter Selwyn, un des nombreux professeurs à l'université de Yale dont le dévouement sans partage pour les malades du SIDA a inspiré bien des internes et des étudiants de notre faculté. Malgré les importantes contributions qu'il a apportées à la compréhension actuelle de l'infection du virus, c'est un homme réservé qui exprime de grandes idées en peu de mots. Il déclara simplement : « A mon avis, mes patients meurent lorsque leur heure est venue. » Affirmation qui, introduite en plein milieu des complexités biomédicales qui avaient rempli notre longue discussion sur la biologie moléculaire et l'organisation des soins, pouvait paraître tout à fait grotesque. Et pourtant, elle voulait dire quelque chose. A la fin, me dit-il, il y a tellement de choses qui vont mal qu'il arrive un moment où les forces amoindries de la vie pantelante semblent tout simplement céder. La mort survient au cours d'une septicémie, de la défaillance de divers organes, une malnutrition et une confusion mentale, le tout en même temps. Peter Selwyn sait de quoi il parle, car il en a été le témoin maintes et maintes fois.

Me voilà maintenant à des centaines de kilomètres de l'hôpital, par un de ces imprévisibles après-midi d'automne lorsque, sous le bleu d'un ciel sans nuages, tout est à sa place, chose si rare. L'été qui vient de mourir fut pluvieux et peut-être est-ce pour cela que les collines environnant la ferme de mon ami ont revêtu ces couleurs flamboyantes dont le spectacle dépasse et submerge presque l'âme du citadin que je suis. La nature se fait douce en toute inconscience, de la même façon qu'elle peut devenir cruelle. A de tels moments, il semble qu'aucun autre jour ne pourra jamais rivaliser avec l'impossible splendeur de celui-ci, et déjà j'éprouve une nostalgie pour cet aujourd'hui en même temps que je le vis. Je suis envahi par l'urgence de mémoriser l'image de chaque arbre car je sais que leur splendeur pâlira dès demain et ne réapparaîtra plus jamais à l'identique. Lorsqu'une chose est belle et agréable, il faudrait capturer son image et la conserver précieusement pour que jamais son souvenir ni les sensations éprouvées ne s'effacent.

Je suis assis dans la cuisine ensoleillée de la ferme de John Seidman, construite il y a un siècle au milieu de huit hectares de terre fertile près de Lomontville, dans le nord de l'État de New York. C'est dans une des chambres situées à l'étage que David Rounds, le meilleur ami de John Seidman, est mort dans les bras de celui-ci à la suite d'une longue et pénible maladie. Davantage que de bons amis, John et David partageaient un de ces amours qui sont faits pour durer, mais le cancer en décida autrement. Alors que leur avenir à tous deux semblait assuré, David a quitté John ainsi que nous tous qui l'aimions chacun à notre façon. Seulement deux ans auparavant, David avait remporté un prix récompensant le meilleur second rôle au théâtre (le Tony Award) et la carrière théâtrale de John semblait de plus en plus prometteuse. Dans cette ferme, le chagrin devait séjourner longtemps avant que la vie ne reprenne son rythme normal.

Je connais John Seidman depuis presque vingt ans, et Sarah, ma femme, a partagé une maison avec lui et David bien avant que je ne le rencontre moi-même. C'est un ami si proche de la famille que mes deux plus jeunes enfants l'appellent « oncle ». Et pourtant, il existe tout un pan de sa vie que ni lui ni moi n'avons jamais évoqué et dont je ne sais pratiquement rien. En ce jour splendide, juste avant que la magnificence éphémère de l'automne ne s'efface, assis l'un près de l'autre, nous parlons de la mort et du SIDA.

John en a beaucoup trop vu. En effet, la perte de David semble n'avoir été qu'un prélude à une succession de chagrins amenés par la maladie, l'étiolement et la disparition d'amis, de collègues de théâtre ou de simples relations. Au cours des dix ans qui viennent de s'écouler, John a parcouru encore et encore le même cycle : découverte de la séropositivité, progression de la maladie, soins attentifs prodigués au malade, descente vers la phase terminale, la mort. La quarantaine, il est un témoin de la tragédie, comme il y en a eu beaucoup d'autres dont bon nombre sont déjà morts. Les jeunes hommes et les quelques jeunes femmes qui se sont soutenus jusqu'à la tombe ont été fauchés dans les années les plus productives de leur vie : ce qui aurait pu et dû être est désormais perdu.

Nous parlons de Kent Griswold, ami de John mort en 1990 de toxoplasmose et d'un trio au nom tristement familier : le cytomégalovirus, le *Mycobacterium intracellulare* et plusieurs attaques de pneumocystose. Je voulais savoir s'il pouvait y avoir de la dignité dans une telle mort. Peut-on sauver quelque chose de ce qui fut jadis, ramener à lui-même un homme ayant traversé tant d'épreuves lorsqu'il approche de sa dernière heure ? John réfléchit longuement avant de me donner une réponse : non qu'il n'eût jamais envisagé la question auparavant mais parce qu'il voulait s'assurer que je comprendrais son propos. Cette quête de la dignité, chose insaisissable, peut n'avoir aucun sens, me dit-il, pour le mourant, qui a déjà mené sa bataille et, comme il arrive si souvent près de la fin, son entourage n'arrive à déceler chez lui aucune pensée consciente. La dignité est quelque chose dont les survivants s'emparent ; c'est dans leur esprit qu'elle existe, si toutefois elle existe.

Ceux qui restent cherchent une dignité dans la maladie pour ne pas avoir une mauvaise opinion d'eux-mêmes. Nous essayons peut-être de racheter l'incapacité de nos amis mourants d'atteindre une certaine dignité en la leur imposant. C'est notre seule victoire possible sur le mécanisme effroyable de cette mort. Avec une maladie comme le SIDA, il faut affronter le chagrin de voir un ami cher perdre sa singularité, ce qui le rendait unique. A la fin, il ressemble seulement à la dernière personne que vous avez accompagnée dans la même épreuve. On ressent la tristesse de voir quelqu'un perdre sa personnalité pour devenir un modèle clinique.

Lorsqu'on parle de « bonne mort », dans quelle mesure cette mort est-elle bonne pour le mourant et dans quelle mesure pour la personne qui l'aide ? Les deux sont évidemment liées, mais la question est de savoir comment. Je pense que ce concept ne fonctionne pas très bien pour le mourant. Une « bonne mort » ne peut être que relative et, dans les faits, cela signifie réduire le gâchis. On ne peut guère faire plus qu'essayer de préserver l'ordre alentour, de maintenir l'absence de douleur, d'empêcher la solitude du mourant. Mais, en abordant ces moments ultimes, je pense que même le besoin de présence n'est qu'une supposition de notre part.

Rétrospectivement et pour cruel que cela paraisse, l'expérience m'a enseigné que le seul moyen dont on dispose pour savoir si l'on a aidé quelqu'un à mieux mourir est de voir si on a des regrets, le sentiment d'avoir laissé quelque chose d'inachevé. Si l'on peut dire en son âme et conscience que l'on n'a manqué aucune occasion de faire ce qu'on pouvait, c'est qu'on a fait le mieux possible. Mais, même cela, en tant que réussite absolue, n'a de valeur absolue que pour soi-même. En fin de compte, ce qui vous reste c'est une situation qui ne rend personne heureux. Le fait est que vous avez perdu quelqu'un. Il est impossible d'en tirer un sentiment positif.

Le seul lien qu'il faille absolument croire indestructible dans la mort c'est l'amour. Si c'est ce que l'on pense apporter dans ces moments mystérieux qui conduisent à la mort, c'est l'amour, je suppose, qui rend une mort « bonne », si tant est que cela soit possible. Mais il s'agit d'une qualité tellement subjective.

Pendant ses dernières semaines à l'hôpital, Kent ne se trouva jamais seul. Quelle que soit l'assistance que ses amis pouvaient ou ne pouvaient lui fournir lors de ses derniers moments, il reste hors de doute que leur présence constante le soutint au-delà de ce que le personnel soignant, si dévoué fût-il, aurait pu lui donner. On ne peut observer des homosexuels malades du SIDA sans être frappé par la façon dont un cercle d'amis, pas nécessairement tous homosexuels, se rassemblent presque inéluctablement comme une famille autour du malade et endosse les responsabilités qui reviendraient en d'autres circonstances à l'épouse ou aux parents. Le docteur Alvin Novick, l'un des premiers militants de la lutte contre le SIDA et parmi les plus respectés, a appelé ce phénomène d'engagement collectif le *caregiving surround,* l'entourage qui prodigue des soins. Il s'agit d'un acte collectif d'amour, mais pas uniquement de cela. John décrit le phénomène en ces termes :

> Le SIDA touche des gens, particulièrement dans le cas des homosexuels, qui ont créé leur famille par affinité consciente. Nous avons choisi les individus qui constituent notre famille. Le sens des responsabilités que nous éprouvons les uns envers les autres ne repose pas sur les conventions sociales. Puisque, dans de nombreux cas, la famille traditionnelle nous a rejetés, la famille affinitaire prend toute son importance.

> Dans une grande mesure, la société a le sentiment que ce qui nous arrive est juste, que c'est une sorte de punition du ciel pour nos péchés et notre mode de vie anormal. Si bien qu'il y va de notre intérêt collectif de ne pas laisser quelqu'un seul face à ce jugement. Ceux d'entre nous qui souffrent d'une forme quelconque de dégoût de soi peuvent facilement prendre le SIDA pour une forme de châtiment, mais même ceux qui n'en souffrent pas ont conscience de l'emprise de cette idée dans la société. Négliger nos amis qui doivent affronter eux-mêmes la maladie revient, en quelque sorte, à les abandonner au jugement du monde hétérosexuel traditionnel.

Selon John, les dernières semaines de la vie de Kent s'apparentaient à celles de tant d'autres malades du SIDA, et de tant de personnes victimes de maladies qui grignotent lentement les forces déclinantes de la vie. Après les longs mois de lutte forcée contre les problèmes qui surgirent l'un après l'autre, il semblait ne plus se rendre compte que chaque nouvelle complication s'accompagnait d'une diminution de sa maîtrise des choses. En même temps qu'il renonça à comprendre, il cessa de lutter contre les assauts successifs, comme si la résistance n'avait plus beaucoup de sens, comme s'il n'y avait plus de raison de s'accrocher. Peut-être que l'effort nécessaire pour saisir le sens des événements sapait trop ses forces déjà gravement entamées.

Du coup, les péripéties d'un nouvel assaut perdirent pour lui toute importance, tout caractère d'urgence. Il y a ceux qui interpréteraient une telle indifférence comme une acceptation de son sort de la part d'un malade à bout de souffle. Le mot *acceptation* évoque toutefois l'idée d'un accueil actif : ne s'agit-il pas plutôt de la reconnaissance de la défaite, de l'aveu involontaire que le temps est venu d'arrêter le combat ? La plupart des mourants, non seulement les malades du SIDA mais tous ceux qui souffrent d'une longue maladie, semblent ne pas se rendre compte d'avoir atteint ce stade. On en rencontre certes quelques-uns dont les facultés mentales restent suffisamment intactes pour leur permettre de décider de la fin en toute conscience mais, bien plus souvent, la chute dans un état de sensibilité diminuée ou même de coma résout la question à leur place. Nous avons là l'étape sur le chemin de la mort dans laquelle William Osler et Lewis Thomas ne voyaient que sérénité. Pour la plupart des gens cependant, cet état arrivera bien trop tard pour apporter un tant soit peu de consolation à ceux qui veillent à leur chevet.

Lorsqu'il était moins malade, Kent parlait parfois de sa préoccupation concernant le degré de souffrance physique qu'il serait capable d'endurer, et les épreuves qui risquaient de marquer ses derniers jours. Il exprimait le désir de déterminer ce moment critique où il pourrait sciemment se décider à continuer ou non le combat. Personne de son entourage ne sait si ce vœu a été exaucé.

Par l'entremise d'un ami influent, Kent avait réussi à obtenir une grande chambre privée dans l'hôpital et, dans ce vaste espace, il semblait chaque jour plus petit, presque perdu. Comme le dit

John : « Il rétrécissait de plus en plus sous les draps. » Même quand il allait mieux, il avait besoin d'aide pour aller jusqu'aux toilettes ; le reste du temps, il ne pouvait quitter son lit. Certes, il n'avait jamais été corpulent, mais il semblait désormais disparaître totalement. Tandis que John me décrit cet étiolement, je repense à Thomas Browne, qui observa son ami mourant parcourir le même chemin il y a trois cent cinquante ans de cela : « Il en vint presque à être réduit à la moitié de lui-même et laissa derrière lui une bonne partie qu'il ne put emmener dans la tombe. »

A cause de la toxoplasmose, Kent était de moins moins conscient, au point de ne plus comprendre ce qui se passait autour de lui. La rétinite causée par le cytomégalovirus entraîna la cécité d'un œil, puis des deux. Son état s'était déjà tellement aggravé que l'on ne parvenait plus à déchiffrer ses expressions : était-ce un sourire ou une grimace qui déformait les coins de sa bouche silencieuse ? John ne l'exprime que trop bien : « On perd toute forme de communication quand quelqu'un est diminué à ce point. » Le corps du mourant, en particulier son visage, avait pris une couleur très foncée.

Déjà à un stade antérieur de sa maladie, Kent s'était prononcé clairement contre tout traitement agressif à partir du moment où on savait qu'il serait inutile. Avec cette ligne directrice en tête, son entourage consulta les médecins et ils essayèrent ensemble de prendre les meilleures décisions face à chaque nouveau problème qui surgissait. Puis, il n'y en eut plus à prendre : désormais, toute intervention serait manifestement inutile. Selon les termes de Peter Selwyn, l'heure de Kent était venue.

Puisque Kent avait de moins en moins conscience d'une gêne physique, quelle qu'elle fût, on ne voyait plus la nécessité de lui donner des soins médicaux d'aucune sorte. « Notre mission, explique John, s'est limitée à l'entourer, juste pour qu'il ressente un contact humain, au moins dans la mesure où il le pouvait. Le plus important pour nous était de ne pas le laisser seul. » A la fin, Kent glissa dans la mort. Et c'est là que John arrive à la fin de son récit :

> Je n'étais pas en ville quand il est mort, j'étais venu passer quelques jours à la ferme. Dès mon arrivée à la gare routière de New York,

j'ai interrogé mon répondeur depuis une cabine téléphonique. Il y avait un message disant que Kent n'était plus ; ça m'a fichu un coup. La dernière fois que je l'avais vu, on se demandait presque s'il était encore en vie ; en tout cas, il ne s'agissait plus de Kent tel qu'on l'avait connu. Et même si l'on s'attendait à le voir mourir d'un moment à l'autre, l'idée qu'il soit effectivement mort... Je suppose que le choc venait du fait que, après tout le temps que j'avais passé avec lui, j'ai dû apprendre la nouvelle de cette horrible façon, écoutant mon répondeur dans cette sinistre cabine téléphonique.

Kent mourut parmi les compagnons qui l'avaient soutenu au cours de ses deux dernières années. Fils unique d'un couple âgé décédé des années auparavant, il n'était pas un de ces nombreux homosexuels et toxicomanes rejetés par leur famille. Sans le dévouement de ses amis, sa mort ainsi que sa vie seraient vite tombées dans l'oubli.

Que l'on ne se trompe pas sur le sens du passage précédent : ce n'est pas mon propos d'affirmer que peu de familles traditionnelles s'occupent de leurs enfants (ou époux) atteints du SIDA. Il en va tout autrement, comme l'atteste Gerald Friedland, qui fait état de la réunion des parents, des mères en particulier, autour de leurs enfants, qu'ils soient homosexuels ou toxicomanes, dont ils avaient rejeté auparavant la vie et les amis. Bien sûr, il ne s'agit pas dans tous les cas de déracinés, d'individus en rupture de ban, et c'est pourquoi il n'est pas si rare de voir un jeune malade du SIDA passer ses derniers mois entouré des soins attentifs de ses parents, de ses frères et sœurs, parfois accompagné d'un petit groupe d'amis ou du compagnon. Signalons toutefois qu'une personne issue des couches moyennes a généralement moins de mal à s'absenter de son travail ou à venir d'un domicile éloigné qu'un résident du ghetto ou d'un quartier immigré pour qui un jour d'absence signifie non seulement l'amputation de son salaire mais parfois le risque de perdre son emploi déjà mal payé. On m'a raconté le cas de mères de famille dont quatre enfants se meurent à la fois du SIDA : la cruauté du virus atteint des sommets qui dépassent l'imagination.

Des mères, des épouses, des maris, des compagnons, des frères, les sœurs et des amis veillent au chevet de ces jeunes mourants, faisant ce qu'ils peuvent pour amortir les assauts de la mort et de ses souillures. Comme par le passé, quand un enfant était atteint d'une maladie mortelle, on entend le murmure des voix des parents, parfois à peine audible dans le silence qui précède le départ d'une vie. Ce sont des mots tendres d'encouragement, ce sont des prières. Les paroles prononcées par le roi David tandis qu'il pleure sur le corps de son fils, Absalon le rebelle, éloigné de lui pendant tant d'années, ont été répétées maintes et maintes fois dans toutes les langues du monde :

Mon fils Absalon !
Mon fils ! mon fils !
Que ne suis-je mort à ta place !
Absalon mon fils ! mon fils !

Gerald Friedland évoque l'« inversion du cycle normal de la vie » qui fait que les parents assistent désormais aux obsèques de leurs enfants. Cette aberration des siècles antérieurs resurgit au moment même où l'on avait conclu, avec autosatisfaction, que la science en était venu à bout. Non seulement le virus fonctionne à l'envers, mais la logique fondamentale de la nature selon laquelle les jeunes doivent enterrer les vieux s'inverse elle aussi. Voilà enfin une leçon symbolique que l'on peut trouver dans la thérapie qui, pour le moment, offre le meilleur moyen d'empêcher la propagation du VIH : avec l'AZT et d'autres médicaments, on essaie d'arrêter la transcriptase inverse et, par là, le renversement absurde du cycle de la vie. On y réussit en partie, mais pas autant qu'on le voudrait, et la mort continue à poursuivre des jeunes, voire des très jeunes, alors que leurs aînés ne peuvent que pleurer dans l'impuissance.

Quelle dignité, quel sens arracher à une mort pareille ? Personne ne le saura en dehors de ceux qui ont entouré de leur vie cette autre vie qui vient de s'éteindre. Les jeunes gens qui prodiguent les soins hospitaliers – je pense non seulement aux médecins et aux infirmières mais à l'ensemble de ce personnel dévoué – à ces autres jeunes gens qui meurent s'étonnent sans doute de l'existence d'une telle générosité dans un monde qu'on leur a toujours dit cynique. Leurs actions quotidiennes démentent ce cynisme ; eux aussi sont à leur façon des héros. Cet héroïsme est bien de notre temps, mais il tient aussi à la profession qu'ils ont choisie, celle où il s'agit de triompher de ses peurs et de vaincre son sentiment de vulnérabilité pour le bien des victimes du SIDA. Ils s'abstiennent d'émettre des jugements moraux, ils ne font aucune distinction entre classes sociales ni entre les modes de transmission de l'infection et ils se moquent de l'appartenance du malade à un prétendu groupe à risque. Camus résume très bien le phénomène : « Ce qui est vrai des maux du monde est vrai aussi de la peste. Cela peut servir à grandir quelques-uns [1]. »

Au milieu des rumeurs qui circulent concernant des médecins ou des chirurgiens atteints de la phobie du SIDA (20 % au moins des internes des hôpitaux américains interrogés se déclarent prêts à soigner les malades du SIDA, mais ils avouent préférer ne pas le faire s'ils ont le choix), il est réconfortant de savoir que les victimes du fléau se trouvent en de si bonnes mains. Pour nos enfants qui soignent nos enfants frappés par le virus VIH, le fardeau est alourdi par la douleur supplémentaire de devoir assister à la mort d'hommes et de femmes de leur âge, ou ayant à peine dix ans de plus qu'eux. Dans cette injustice réside la source du reproche le plus outré que nous puissions faire à cette nature insensée dont les tâtonnements aveugles créèrent le VIH, à savoir qu'elle nous prive d'un grand nombre des écheveaux qui devaient permettre de tisser notre avenir. Face à ces légions emportées par le SIDA, il convient de rappeler les mots écrits il y a soixante-dix ans par le neurochirurgien Harvey Cushing lorsqu'il pleurait ses compagnons martyrs de la première guerre mondiale, « doublement morts puisqu'ils étaient morts si jeunes ».

---

1. Albert Camus, *La Peste,* Gallimard, 1947, p. 142.

10

MALIN CANCER

Il était une fois un petit ramoneur qui s'appelait Tom. Comme ce prénom est court et que tu l'as sans doute déjà entendu, tu n'auras pas de mal à t'en souvenir. Tom vivait dans une grande ville du Nord, où il y avait beaucoup de cheminées à ramoner ainsi que beaucoup d'argent que Tom pouvait gagner et que son maître pouvait dépenser. Il ne savait ni lire ni écrire et il ne s'en souciait pas ; il ne se lavait jamais, car il n'y avait pas d'eau dans la cour où il demeurait. On ne lui avait jamais appris à réciter ses prières. Il n'avait jamais entendu parler de Dieu ni de Jésus, sauf dans des expressions que tu n'as jamais entendues et qu'il aurait été préférable que lui non plus n'entendît jamais. La moitié du temps, il pleurait et l'autre moitié, il riait. Il pleurait quand il devait monter dans les sombres conduits, écorchant ses pauvres genoux et coudes ; et quand il avait de la suie dans les yeux, ce qui lui arrivait tous les jours de la semaine ; et quand il n'avait pas assez à manger, ce qui était aussi le cas tous le jours de la semaine.

Ainsi débute *The Water Babies,* livre classique pour enfants écrit en 1863 par Charles Kingsley. Tom était ce que la petite noblesse anglaise appelait par euphémisme un *climbing boy* (« garçon grimpeur »). Ses fonctions n'imposaient pas de formation prolongée et aucune condition n'était requise pour entrer dans ce métier. La plupart des nouvelles recrues avaient entre quatre et dix ans au moment de se lancer dans cette triste activité. Tous les jours, le travail commençait en toute simplicité : « Après un gémissement ou deux et un coup de pied de son maître, Tom pénétrait dans l'âtre et de là montait dans la cheminée. »

Les cheminées en question ressemblaient assez peu à celles construites postérieurement, qui s'élevaient droites. Déjà à l'époque de Kingsley, c'est-à-dire au milieu du dix-neuvième siècle, leur conduit s'érigeait de façon plus directe qu'en 1775, année où le chirurgien britannique Percivall Pott commença à se soucier des dangers qu'elles représentaient. De son temps en effet, non seulement les cheminées étaient tortueuses et irrégulières, mais elles présentaient l'inconvénient de s'avancer horizontalement sur de petites distances avant de reprendre l'orientation verticale prévue. Conséquence de tous ces méandres structurels : il y avait énormément de coins et de recoins ainsi que de surfaces planes où la suie pouvait se déposer. Pis encore, les contorsions auxquelles devait se livrer le ramoneur pour progresser dans le conduit rendaient à peu près inévitables les multiples éraflures qui couvraient certains endroits de son corps, surtout ceux qui faisaient saillie ou qui pendaient.

J'emploie à dessein ce dernier mot car, le plus souvent, le petit grimpeur accomplissait sa tâche sans que la moindre couche de vêtements ne protège sa peau des parois crasseuses : il était tout simplement nu. Une solide ficelle du métier – ou du moins les patrons la considéraient comme telle – justifiait cette nudité. Compte tenu du faible diamètre du conduit – il mesurait entre 30 et 60 centimètres –, à quoi bon, raisonnaient-ils, se donner tant de mal pour trouver les garçons les plus petits et les plus maigres qui soient s'ils devaient ensuite mettre des habits qui feraient perdre un espace si précieux ? C'est dans cet esprit que chaque maître recrutait les enfants les plus minuscules possible, leur apprenait les rudiments du ramonage et les projetait dans la cheminée tous les matins à coups de pied dans leur derrière noirci, tout en leur criant l'ordre, une fois qu'ils se trouvaient à l'intérieur, d'entamer les travaux de la journée.

Circonstance aggravante : les habitudes personnelles des pauvres ramoneurs eux-mêmes. Issus comme ils l'étaient des couches les plus défavorisées de la société anglaise, on ne leur avait jamais inculqué la valeur de l'hygiène corporelle. En outre, beaucoup de ces malheureux, qui avaient pénétré dans tant de foyers, n'avaient jamais connu de vie de famille. Pas de mains maternelles pour les guider tendrement ni même pour les tirer par les oreilles dans un bain chaud. Pour l'essentiel, c'étaient des gamins des rues abandonnés à leur sort. Les particules goudronneuses restaient concentrées des mois durant dans les plis de leur scrotum, où elles grignotaient impitoyablement leur vie cependant que la cruauté de leur maître rongeait leur âme.

Percivall Pott, qui vécut de 1714 à 1788, fut le chirurgien londonien le plus éminent de sa génération et il en savait long sur la vie difficile des jeunes ramoneurs anglais. Il en parla dans les termes suivants : « Le sort de ces gens paraît singulièrement affreux. Dès leur plus jeune enfance, ils sont souvent traités avec une brutalité extrême et frisent la mort par la faim et le froid ; ils sont forcés à monter dans une cheminée étroite et parfois chaude qui les meurtrit, qui les brûle et qui menace de les asphyxier et, quand ils arrivent à la puberté, ils sont sujets à une maladie répugnante, douloureuse et fatale. » Ces lignes, rédigées en 1775, figurent dans une courte partie d'un texte beaucoup plus long de Pott intitulé « Observations chirurgicales relatives aux cataractes, aux polypes du nez, au cancer du scrotum, aux différents types de hernies et à la modification des orteils et des pieds ». On y trouve la toute première description connue d'une tumeur maligne d'origine professionnelle. L'affection en question mettait des années à se développer, mais elle faisait dans certains cas son apparition dès l'âge de la puberté. Dans la première décennie du dix-neuvième siècle, un enfant sur huit en souffrait.

Pas de doute : Pott décrivait ce que l'on désigne aujourd'hui sous le nom d'épithélioma spinocellulaire. Il observait sur le scrotum de ces jeunes patients « une plaie superficielle, douloureuse, déchiquetée et laide dont les bords sont durs et boursouflés. Les gens du métier l'appellent la verrue de la suie (…). Elle s'achemine par le canal spermatique pour atteindre l'abdomen (…).

Lorsqu'elle y parvient, elle attaque certains des viscères, puis elle amorce rapidement sa douloureuse œuvre de destruction ».

Pott savait bien que, en dehors des rares cas où l'on procédait à l'excision chirurgicale dès un stade précoce, le cancer du scrotum tuait la totalité de ses victimes. En effet, il avait à maintes reprises essayé de le guérir par la chirurgie, ce qui, à cette époque épouvantable qui précède l'invention de l'anesthésie, obligeait à attacher à la table un garçon hurlant et à le faire assujettir par des assistants à la poigne d'acier. Ne pouvaient prétendre à cette opération que ceux chez qui le processus d'ulcération se limitait encore à un seul côté.

L'intervention chirurgicale représentait une agression non moindre pour la *psyché* que pour le *soma,* étant donné qu'elle consistait à découper le plus vite possible un testicule et la moitié du scrotum du malheureux adolescent. On traitait par la suite le tissu qui saignait en lui appliquant directement un fer chauffé au rouge. Et, puisque toute tentative pour recoudre les blessures affreusement carbonisées provoquait fatalement une infection purulente, il fallait laisser ouverte la région concernée pour que puissent s'écouler fluides et déchets pendant les longs mois de guérison.

Les résultats obtenus ne justifiaient pourtant pas toujours le supplice infligé. L'évolution à long terme des patients, que Pott suivait de près, le décourageait fortement : « Mais si, dans certains cas, les plaies ont gentiment cicatrisé à la suite de l'opération, et que le patient a pu quitter l'hôpital apparemment en bonne santé, on le voit généralement revenir, quelques mois plus tard, soit affecté par quelque maladie de l'autre testicule, ou des glandes de l'aine, soit manifestant une telle pâleur, une telle perte de force et des douleurs internes si intenses et fréquentes que l'on ne peut que conclure à la maladie de certains des viscères, suivie peu de temps après par une mort douloureuse. » Si l'usage que fait Pott de la virgule peut paraître excessif, sa description du phénomène ne l'est absolument pas. Il serait plus juste de lui reprocher d'avoir atténué dans ses propos les affres que connurent ses patients avant leur décès.

Pott comprenait que ce terrible messager de la mort commençait sous la forme d'une grosseur anormale limitée à un endroit précis, comme une tumeur qui n'entamait que plus tard la progression rampante d'ulcération par laquelle elle s'infiltrait inexorablement dans les structures qui l'entouraient. Il publia ses études de cas à une époque propice à la formulation d'une thèse évoquant l'influence de corps étrangers qui s'insinuent dans l'organisme, car certains théoriciens éminents avaient introduit depuis peu l'idée selon laquelle le tissu vivant ne pouvait remplir ses fonctions normales en l'absence d'un stimulus, appelé alors « irritation ». Entre l'énoncé de ce principe et l'affirmation que l'état morbide des organes affectés tient à leur inflammation partielle ou totale, c'est-à-dire à un surplus d'irritation, il n'y avait qu'un pas à franchir. Pott soutenait donc qu'il fallait attribuer le cancer des parties des ramoneurs à l'inflammation occasionnée par l'action chimique de la suie.

De nos jours, rares sont ceux qui refusent de prendre au sérieux l'avertissement du *surgeon general* (plus haute autorité médicale des États-Unis) qui accompagne chaque publicité pour les cigarettes. Aucun Américain instruit n'ignore les propriétés cancérigènes des goudrons et des résines et la plupart des habitants du pays comprennent qu'elles s'expliquent par l'irritation chimique que produit dans les tissus vivants le contact permanent avec les substances incriminées. Mais, pour évident que puisse paraître aujourd'hui le rôle de l'irritation chronique dans la maladie, les médecins n'en ont pas toujours eu conscience. A l'époque où Percivall Pott choisit d'aller au-delà de la simple description clinique du cancer du scrotum et d'affirmer sa conviction que celui-ci traduit une réaction très spécifique à la suie, la théorie de l'irritation et de l'inflammation s'appuyait encore sur des bases fragiles et, de fait, elle sera en bonne partie rejetée par la suite. Les ramoneurs appelaient peut-être leur maladie la « verrue de la suie », mais ils ne semblaient pas saisir qu'ils auraient pu s'en protéger en se lavant de temps en temps. Ils acceptaient comme inévitable qu'un certain nombre d'entre eux en seraient un jour atteints et en mourraient effroyablement : c'étaient les risques du métier.

La thèse de Pott quant aux origines du cancer est aussitôt reconnue. Elle incite le parlement anglais à voter l'interdiction de prendre en apprentissage un ramoneur de moins de huit ans et l'obligation de lui donner un bain au moins une fois par semaine. En 1842, l'âge minimum pour l'exercice du métier est porté à vingt et un ans. Malheureusement, les infractions sont tellement fréquentes que vingt ans plus tard, au moment où Charles Kingsley écrit *The Water Babies,* de nombreux mineurs continuent à grimper dans les cheminées.

Dès l'époque d'Hippocrate et même avant, les médecins grecs comprenaient bien la façon dont une excroissance maligne accomplit son implacable travail de destruction de la vie. Ils donnèrent un nom très précis aux ulcérations et aux gonflements durs qu'ils voyaient si souvent sur le sein ou sortant de l'anus ou du vagin, nom suggéré par ce que percevaient leurs yeux et leurs doigts. Afin de les distinguer des gonflements ordinaires, qu'ils appelaient *oncos,* ils appliquaient le terme *karkinos,* ou « crabe », dérivé, curieusement, d'une racine indo-européenne qui veut dire « dur ». *Oma* étant un suffixe qui se réfère au mot « tumeur », ils parlaient de *karkinoma* pour désigner une excroissance tumorale maligne. Plusieurs siècles après, le mot latin pour crabe, *cancer,* entra en usage. Quant au terme *oncos,* on en vint à l'appliquer aux tumeurs de n'importe quelle catégorie, d'où l'autre nom actuel de la cancérologie, oncologie.

On attribuait le *karkinoma* à la stagnation dans le corps de l'excès d'un liquide hypothétique appelé la bile noire, ou *melan kholos* (de *melas,* « noir », et *kholos,* « bile »). Les Grecs ne pratiquant pas la dissection, les cancers qu'ils voyaient étaient des excroissances malignes et ulcérées du sein ou de la peau, ou encore des tumeurs du rectum ou de l'appareil génital féminin qui s'étaient dilatées au point de sortir des orifices du corps. Ainsi, l'explication fantasque de leur source trouvait confirmation dans l'observation courante des cancéreux, qui souffraient effectivement de mélancolie, et pour cause.

Les mots *karkinos* et *karkinoma* avaient leur origine, à l'instar de tant d'autres termes médicaux grecs, dans le regard et le toucher. Comme l'exprima au deuxième siècle Galien, grand commentateur et codificateur de la médecine grecque, cette dure masse rampante, ulcérée au centre, qui s'infiltre si souvent dans les seins des femmes rappelle « exactement les pattes d'un crabe qui s'étendent dans tous les sens à partir de toutes les parties de son corps ». Or ce n'est pas seulement les pattes qui s'enfoncent de plus en plus dans la chair de la victime, mais le centre même qui y creuse son chemin.

L'image est celle d'un parasite qui avance insidieusement en plantant les pinces pointues de ses tentacules dans les tissus de sa proie. Ses extrémités repoussent sans cesse les limites de leur emprise maligne tandis que sa détestable partie centrale s'applique à trouer, à ronger la vie, ne pouvant digérer que ce qu'elle a préalablement décomposé. Processus silencieux qui n'a pas de début identifiable et qui ne s'achève que le jour où le spoliateur aura consumé les derniers restes des forces vitales de son hôte.

Jusqu'à la deuxième moitié du dix-neuvième siècle, on pensait que le cancer accomplissait furtivement sa besogne, que sa force menaçante se déployait sous le couvert de la nuit, qu'il ne faisait sentir sa première piqûre que lorsque l'infiltration meurtrière avait déjà suffoqué trop de tissus sains pour que les défenses débordées de son hôte puissent se reconstituer. Et le bourreau de régurgiter sous forme de gangrène maligne toute la vie qu'il avait tranquillement mastiquée et avalée.

Cette interprétation n'a plus cours aujourd'hui, car on a fini par découvrir un visage tout autre à l'ennemi héréditaire en le regardant à travers la lentille de la science actuelle. Le cancer, loin d'être un adversaire clandestin, se révèle en fait un fou furieux qui s'enivre dans une maléfique exubérance d'assassin. Se propageant à partir d'un point central, il mène sans retenue, sans interruption, sa campagne de terre brûlée au cours de laquelle il ne respecte aucune règle, n'obéit à aucun ordre et anéantit toute résistance dans une débauche de destruction homicide. Ces cellules se comportent comme les membres d'une horde barbare déchaînée qui, sans chef ni encadrement, poursuit fanatiquement un unique but : celui de dévaster tout ce qu'elle trouve. Voilà ce que les chercheurs en médecine appellent *autonomie*. Par leur forme et leur taux de multiplication, les cellules meurtrières bafouent toute norme de bienséance à l'intérieur de l'animal dont les substances nutritives l'alimentent, avant de succomber à leur tour à cette atrocité en pleine expansion qui a surgi de leur protoplasme. On peut dire en ce sens que le cancer n'est pas un parasite. Galien avait tort de le caractériser comme étant *praeter naturam,* ou « extérieur à la nature ». Les premières cellules cancéreuses sont les enfants bâtards de parents qui ne se doutent de rien et qui les rejettent à la fin parce qu'ils les trouvent laids, déformés et totalement indisciplinés. Dans la communauté des tissus vivants, la multitude effrénée de marginaux qu'est le cancer agit comme une bande d'adolescents qui refusent de se ranger ; ce sont les jeunes délinquants de la société cellulaire.

Il convient de considérer le cancer comme une perturbation de la croissance, comme la résultante d'un processus en plusieurs stades d'un développement qui a mal tourné. Dans des conditions ordinaires, il y a un renouvellement constant des cellules normales au fur et à mesure de leur mort, non seulement en raison de la reproduction de celles, plus jeunes, qui leur survivent, mais aussi grâce à un groupe de géniteurs qui se reproduisent activement et que l'on appelle les cellules-souches. Il s'agit de formes encore peu développées mais dotées d'un énorme potentiel de création tissulaire. La maturation normale des rejetons des cellules-souches exige de passer par une série d'étapes. Se rapprochant de la maturité, ils perdent leur capacité de prolifération rapide au même rythme que s'affirme leur aptitude à remplir les fonctions qu'ils ont à assumer à l'âge adulte. C'est ainsi qu'une cellule pleinement développée de la paroi intestinale réussit beaucoup mieux à absorber des éléments nutritifs rencontrés dans la cavité de l'intestin qu'à se reproduire, ou qu'une cellule thyroïdienne arrivée à maturité se montre tout à fait efficace dans la sécrétion d'hormones alors qu'elle est moins portée à se reproduire que dans sa jeunesse. L'analogie avec le comportement social de tout un organisme, comme celui de l'homme, s'impose irrésistiblement.

Une cellule tumorale se définit comme celle qui, à un moment donné, a été privée de sa capacité de *différenciation,* terme scientifique qui dénote le processus qui permet aux cellules de progresser vers une maturité saine. L'assemblage de cellules jeunes et anormales qui résulte de cette perte de capacité s'appelle un néoplasme, d'après le mot grec signifiant « nouvelle formation ». A l'époque moderne, on utilise ce mot comme synonyme de tumeur. Une tumeur dont les cellules ont cessé de se développer lors d'une étape tardive de maturation est la moins dangereuse, d'où sa désignation de bénigne. Bien différenciée, elle a conservé relativement peu de sa force de reproduction anarchique ; sous le microscope, elle ressemble beaucoup à l'adulte qu'elle était censée devenir. Elle se développe lentement, n'envahit pas les tissus alentour ni ne se déplace vers d'autres régions du corps, se trouve souvent enveloppée dans une capsule fibreuse spéciale et n'a presque jamais la capacité de tuer son hôte.

Il en va différemment d'un néoplasme malin, ou cancer. Là, une influence, ou une conjonction d'influences – génétiques, environnementales ou autres –, a servi de déclic ; elle s'est ingérée tellement tôt dans le processus de maturation que le progrès des cellules s'est bloqué à un stade où elles gardent encore une capacité infinie de reproduction. Des cellules-souches normales continuent d'essayer de produire une progéniture normale, mais celle-ci se voit condamnée à un arrêt de croissance : elle ne parvient jamais à une maturité qui lui permettrait de fonctionner comme il faut ou de s'apparenter un tant soit peu aux formes développées qu'elle devait assumer. Les cellules cancéreuses prennent déjà ce pli lorsqu'elles sont trop jeunes pour avoir assimilé les règles de la société dans laquelle elles vivent. Et, comme dans le cas de tant d'individus qui manquent de maturité, tout ce qu'elles font est excessif et en décalage avec les besoins ou les obligations de leurs voisins.

En raison même de cet état adolescent, la cellule cancéreuse s'abstient de certaines des activités métaboliques les plus compliquées qu'assure le tissu développé non malin. Dans l'intestin, par exemple, elle ne facilite pas la digestion comme le ferait son homologue adulte, au niveau du poumon, elle ne participe pas à la respiration. On pourrait en dire autant de l'immense majorité des autres formations malignes. Les cellules malignes se concentrent sur la reproduction plutôt que sur les tâches qu'un tissu doit impérativement accomplir sous peine de mettre en péril la survie de l'organisme. Les bâtards issus de leur « fornication » hyperactive (quoique asexuée) se trouvent dépourvus des moyens de faire autre chose que créer des ennuis et rendre la

vie difficile à la communauté laborieuse avec laquelle ils coha-
bitent. Comme leurs parents, ils se reproduisent mais, à la différence d'eux, ils sont incapables de produire. Ils prennent pour
victime une société sage, tranquille, conformiste.

Les cellules cancéreuses n'ont même pas la correction de
mourir au moment prévu. Tout l'univers naturel voit dans la mort
l'étape finale du processus de maturation normale ; les cellules
malignes, elles, n'atteignent pas ce stade : leur longévité ne
connaît pas de bornes. Ce qui vaut pour les fibroblastes du docteur Hayflick[1] ne s'applique pas à la population cellulaire d'une
formation maligne. Les cellules cancéreuses cultivées en laboratoire font preuve d'une capacité illimitée à se développer et à
générer de nouvelles tumeurs. Pour emprunter le langage des
chercheurs, elles sont « immortalisées ». Cette association de la
mort retardée et de la naissance anarchique constitue la viola-
tion la plus grave dont la malignité se rend coupable à l'égard
de l'ordre naturel des choses. Elle explique pourquoi un cancer,
contrairement à du tissu normal, continue à croître tout au long
de sa vie.

Ignorant toute règle, le cancer est amoral ; ne connaissant que
l'objectif de destruction de la vie, il est immoral. Cette foule
d'adolescents inadaptés se déchaîne, sans loi ni discipline, contre
la société dont elle est issue. Casser : voilà sa consigne. Dès lors
que l'on n'arrive pas à en aider les membres à devenir adultes,
tout acte, quel qu'il soit, visant à les faire arrêter, à les éloigner
ou à favoriser leur destruction mérite encouragement.

Il arrive un jour où le territoire d'origine ne suffit plus : la
bande fait des petits qui envahissent d'autres quartiers de la ville
et qui, enhardis par le manque de résistance à leurs dépréda-
tions, ravagent l'ensemble de la collectivité. En fin de parcours
cependant, il n'y a pas de victoire. Lorsque le cancer tue sa victime, il s'anéantit lui-même. Il naît avec un désir de mort.

A tous points de vue, le cancer est anticonformiste. Mais,
contrairement à certains individus de ce type, qui forcent tout
de même l'admiration, la cellule maligne n'a absolument rien

---

1. *Cf.* page 101.

pour se racheter. Elle met tout en œuvre non seulement pour se désolidariser de la communauté de cellules qui l'a mise au monde, mais pour la détruire. Afin d'éviter à tout prix d'être confondue avec les adultes conformistes de sa famille, elle conserve une apparence et même une forme distinctes qui attestent son immaturité : on parle à cet égard d'anaplasie. La cellule anaplasique donne naissance à des enfants anaplasiques.

Or, en dépit de ses efforts considérables, le cancer parvient rarement à changer d'aspect au point de devenir méconnaissable en tant que membre de sa tribu d'origine. En dehors des cas les plus extrêmes, il suffit d'observer attentivement le tissu malade placé sous le microscope pour en déterminer l'ascendance. Ainsi donc, on peut identifier un cancer de l'intestin comme tel parce qu'il garde encore certaines caractéristiques qui trahissent ses origines. Même loin de chez lui, comme lorsque le sang transporte ses cellules jusqu'au foie, le cancer a un visage qui ne trompe guère, et ce quel que soit le degré d'anaplasie. Oui, même le cancer, ce renégat sans remords qui est parti rejoindre l'équivalent biologique des escadrons de la mort, conserve malgré tout quelques marques de sa famille et des devoirs qu'elle lui imposait autrefois.

C'est le duo de l'autonomie et de l'anaplasie qui définit la conception moderne du cancer. Les cellules cancéreuses, qu'on les trouve « laides, déformées et totalement indisciplinées » ou qu'on les caractérise, avec des accents plus universitaires, d'« anaplasiques » et d'« autonomes », font bien plus de mal que ce que laisserait entendre le terme scientifique *malin*. En fait, on viserait plus juste en disant *malveillant,* mot qui souligne davantage l'intention de nuire.

La difformité et la laideur de la cellule cancéreuse se manifestent surtout dans l'affreuse irrégularité de sa morphologie. Alors que l'apparence d'une cellule normale ne se distingue guère de celle de ces voisines, les cellules faisant partie d'une population cancéreuse prennent des formes et des dimensions hétéroclites et désordonnées. Elles peuvent se renfler, s'aplatir, s'allonger, s'arrondir ou démontrer par quelque autre moyen leur individualité, leur refus de se plier aux normes, quelles qu'elles soient. Il s'agit là d'un état d'interruption des communications et des liens de dépendance réciproque entre cellules. C'est que la série d'événements évoquée plus haut, dans laquelle se modifient les caractéristiques génétiques de la cellule maligne, a eu lieu, et tous les autres aspects de la maladie en découlent. Certaines des altérations dues à l'environnement, au mode de vie ou à d'autres causes sont désormais connues, certaines sont encore à l'étude et quelques-unes échappent sans doute à l'attention des hommes.

L'apparence chaotique des cellules qui forment la communauté maligne et l'irrégularité de leur taille ne témoignent pourtant pas forcément d'un phénomène complètement anarchique. Dans certains cancers, on découvre même que toutes les cellules adoptent une configuration uniforme qui semble correspondre à un élément de leur volonté collective. Tout se passe comme si elles tenaient à souligner par là leur refus de se conformer à la dysharmonie habituelle dans cette maladie en reproduisant des myriades d'entités identiques, telles des millions de petites pommes vénéneuses d'une similitude monotone mais tout à fait différentes de leur tissu d'origine. On le voit, même le caractère imprévisible des tumeurs malignes fausse toutes les prévisions.

Le noyau de la cellule cancéreuse dépasse en volume et en importance celui des parents mûrs et sa difformité égale parfois celle de la cellule elle-même. L'emprise qu'il exerce sur le protoplasme l'entourant est renforcée par l'avidité avec laquelle il absorbe les colorants ordinaires utilisés en laboratoire, ce qui explique son aspect sombre et sinistre. Sorte de mauvais œil, le noyau révèle son indépendance désordonnée d'une autre façon encore. Au lieu de se diviser proprement en deux moitiés symétriques au cours du processus de reproduction appelé mitose, les chromosomes (composants du noyau porteurs d'ADN) s'alignent selon des dispositions bizarres dans une folle tentative pour se multiplier sans précision ni responsabilité. Dans certains cancers, la mitose se réalise à une telle vitesse qu'un bref examen au microscope permet de voir un nombre de cellules en voie de reproduction nettement plus élevé que celui que l'on observerait dans du tissu développé normal, chacune paraissant d'ailleurs s'y prendre de manière originale. On ne s'étonnera donc pas que la progéniture qui survit à la reproduction s'adapte si mal à l'environnement structuré et cohérent que constitue le tissu des organes dont elle devait à l'origine faire partie. Telles sont la pugnacité et l'altérité de ces nouvelles masses de cellules qui, non contentes d'envahir le territoire d'autrui, en écartent brutalement les paisibles habitants à mesure qu'elles étendent leurs conquêtes dans tous les sens.

En un mot, le cancer est une maladie asociale. S'étant soustraits aux devoirs qui régissent le comportement des cellules non malignes, les tissus ainsi constitués visent à établir d'impitoyables rapports de force avec leurs organes d'accueil ; il est impossible de circonscrire leurs empiétements à la zone où ils ont vu le jour. Un développement sans entraves et sans fil conducteur permet au cancer de pénétrer dans des structures voisines, puis de les engloutir, de les empêcher de fonctionner et d'étouffer leur vitalité. De cette façon et grâce à la destruction des organes dont sont issues les cellules-souches, les armées de cellules cancéreuses rendent l'individu de plus en plus malade en se régalant des éléments nutritifs destinés à le sustenter et, enfin, le tuent.

S'il débute comme un phénomène microscopique, le processus de croissance maligne continue inévitablement, dès lors qu'il est bien enclenché, jusqu'à devenir visible à l'œil nu ou littéralement palpable. Pendant un certain temps, la masse grandissante reste éventuellement trop petite ou trop circonscrite pour occasionner des symptômes mais, au bout d'un moment, la victime s'aperçoit qu'il se passe quelque chose de fâcheux. Or, à ce stade, la malignité a probablement déjà atteint de telles proportions qu'elle ne se laisse plus guérir. Surtout dans certains organes solides, le cancer peut prendre des dimensions considérables avant de faire sentir sa présence. C'est, bien entendu, pour cette raison que la maladie a acquis sa réputation légendaire d'assassin silencieux.

Considérons le rein : au moment où il révèle pour la première fois le degré de sa morbidité en faisant passer du sang dans l'urine ou en provoquant des douleurs sourdes au flanc du malade, on y découvrira probablement la présence d'une tumeur déjà énorme. Tout effort du chirurgien pour y remédier est forcément condamné d'avance, la tumeur ayant désormais gagné les tissus qui l'entourent. Sur toute une zone, l'aspect normal de l'organe – brun, lisse, symétrique – a fait place à une hideuse protubérance lobulaire, dure et grise, qui a réussi à se frayer un passage jusqu'à la surface, à envahir la graisse contiguë et à annexer tous les tissus se trouvant à proximité, si bien que le tout forme un seul plissement monstrueux d'agressivité concentrée. Les chirurgiens réservent au cancer, parmi toutes les maladies qu'ils traitent, la désignation d'« ennemi ».

Cette structure visible et le caractère d'envahisseur du cancer ne constituent que deux de ses multiples formes d'indiscipline. Signalons un de ses comportements particulièrement traîtres, à savoir la manière dont il semble déjouer les défenses qu'érige habituellement le corps contre tout tissu qu'il soupçonne de ne pas lui appartenir. En théorie au moins, un système immunitaire en bon état devrait pouvoir détecter la nature foncièrement étrangère de cellules cancéreuses et les détruire comme il le ferait face à un virus. Il y parvient d'ailleurs en partie, et nombre de chercheurs estiment que les tissus fabriquent en permanence des cancers que ce mécanisme anéantit tout aussi continuellement. Quant aux néoplasmes malins cliniquement observables, ils se développent dans ces rares cas où le système de vigilance se relâche. Exemple qui étaye cette hypothèse : la fréquence de tumeurs telles que le lymphome ou le sarcome de Kaposi chez les malades du SIDA. Globalement, l'incidence de formations malignes est à peu près deux cents fois plus forte chez les individus dont les défenses immunitaires sont compromises que dans le reste de la population ; s'agissant de la maladie de Kaposi, il faut encore doubler ce pourcentage. C'est pourquoi l'étude de l'immunité tumorale, notamment en vue de renforcer les réactions du corps aux antigènes que peut produire le cancer, compte aujourd'hui parmi les domaines les plus prometteurs de la recherche biomédicale. Mais, en dépit des quelques résultats encourageants obtenus, les cellules cibles continuent pour l'essentiel à l'emporter sur les scientifiques.

Les cellules normales ont besoin d'un mélange complexe d'éléments nutritifs et de facteurs de développement pour pouvoir rester viables et fonctionner efficacement. Dans les tissus du corps entier, elles baignent dans un bouillon nourricier, le liquide extracellulaire, qui se restaure et se nettoie constamment en échangeant des substances avec le sang. Le plasma sanguin constitue en fait 20 % du liquide extracellulaire du corps, presque tout le reste se trouvant entre les cellules, d'où sa caractérisation de *liquide interstitiel.* Ce fluide salé représente 15 % environ du poids du corps ; chez un individu de soixante-huit kilos, les tissus en absorbent plus de dix litres. Au dix-neuvième siècle, Claude Bernard introduisit l'expression *milieu intérieur* pour caractériser la fonction de cet environnement interne dans lequel vivent les cellules. On pourrait pratiquement imaginer que les tout premiers groupes de cellules préhistoriques, lors de leur transformation en organismes complexes dans les fonds marins dont elles se nourrissaient, se remplirent et s'entourèrent d'un peu d'eau de mer afin de continuer à en tirer leur nourriture. Or on dénombre parmi les particularités des tissus malins leur faible dépendance à l'égard des facteurs de nutrition et de croissance que fournit le liquide extracellulaire. Ainsi affranchis de leur environnement, ils peuvent se développer et envahir même des régions situées à l'écart des grandes lignes de ravitaillement.

Mais chaque unité cellulaire a beau se tirer d'affaire avec peu de nourriture, l'augmentation anarchique de cette population de cellules malignes atteint de telles proportions que, en peu de temps, la demande en vient à excéder l'offre disponible. Autrement dit, une masse tumorale peut très bien exiger des quantités de nourriture chaque fois plus importantes tandis que les cellules qui la composent en utilisent individuellement moins que des cellules normales. En cas de développement rapide de la tumeur, l'apport sanguin ne suffit bientôt plus à remplacer les aliments consommés, d'autant que de nouveaux vaisseaux ne se créent généralement pas assez vite pour suivre ce rythme.

Résultat de cette inadéquation, une partie de la tumeur en expansion meurt littéralement d'inanition et de manque d'oxygène dans certains cas. Voilà pourquoi un cancer s'accompagne souvent d'ulcérations et de saignements et qu'il produit des dépôts épais et visqueux de tissu nécrosé (du mot grec *nekrô-sis,* qui signifie « mortification ») en son centre ou sur sa périphérie. Jusqu'à il y a moins de cent ans, lorsque la mastectomie devint une opération courante, la conséquence la plus redoutée d'une tumeur maligne du sein n'était pas la mort mais les plaies fétides et suppurantes qu'elle provoquait en rongeant les parois thoraciques de sa victime. De là le surnom que donnèrent les Anciens au *karkinoma :* la « mort puante ».

Vers la fin du dix-huitième siècle, Giambattista Morgagni, auteur d'un ouvrage d'anatomie pathologique qui fit date, qualifiait de « sale maladie » le cancer qu'il voyait chez ses patients au moment de leur autopsie. Même assez récemment, alors que les connaissances en la matière avaient beaucoup progressé, les tumeurs malignes passaient encore pour la source d'une déchéance répugnante et du dégoût de soi, abomination humiliante qu'il fallait dissimuler sous des euphémismes et des mensonges. Que d'histoires n'a-t-on pas entendues à propos de femmes atteintes d'un cancer du sein qui se retirèrent de la vie sociale et s'enfermèrent chez elles pour vivre leurs derniers mois en recluses, coupées parfois même de leur propre famille ! A une époque aussi proche de nous que celle de ma formation, voici une trentaine d'années, il me fut donné de rencontrer de telles femmes. On avait fini par les convaincre de s'adresser à l'hôpital, tant leur situation était devenue insupportable. De toutes les raisons qui font que l'on hésite encore aujourd'hui à prononcer le mot *cancer* en présence du patient cancéreux ou de sa famille, l'héritage de cette image odieuse est celui que notre génération a eu le plus de mal à chasser.

Non seulement un cancer en plein développement peut s'infiltrer dans un organe solide comme le foie ou le rein au point de ne lui laisser qu'une quantité de tissu insuffisante pour bien remplir sa mission ; non seulement il parvient à obstruer une structure creuse telle que l'intestin et, de ce fait, à rendre impossible une bonne alimentation ; non seulement une simple petite masse cancéreuse est en mesure – c'est le cas de certaines tumeurs du cerveau – de détruire un centre vital sans le concours duquel des fonctions indispensables à la vie s'arrêtent obligatoirement ; non seulement il érode de petits vaisseaux sanguins ou s'ulcère suffisamment pour provoquer à terme une grave anémie, comme il arrive souvent quand il touche l'estomac ou le côlon ; non seulement il réussit, à cause de sa taille, à entraver l'écoulement d'effluents riches en bactéries et à entraîner une pneumonie et une insuffisance respiratoire, causes fréquentes de mort chez les victimes du cancer du poumon ; non seulement il dispose de plusieurs façons d'affamer son hôte jusqu'à la malnutrition ; non seulement un cancer peut tout cela, mais il a encore d'autres moyens de tuer. Cette énumération se limite après tout aux conséquences potentiellement mortelles d'une extension de la tumeur initiale, sans que celle-ci quitte l'organe où elle a vu le jour, c'est-à-dire aux ravages qu'elle fait dans son pays d'origine. Mais le cancer puise en outre dans un arsenal qui lui permet de sortir de la catégorie des affections localisées et d'attaquer une grande variété de tissus situés loin de sa source.

Ce mécanisme a reçu le nom de *métastase*. En grec, la préposition *meta* dénote un changement de lieu ou de condition alors que *stasis* exprime la notion de position. Introduit dès les écrits d'Hippocrate pour désigner le passage d'une forme de fièvre à une autre, le mot *métastase* a connu par la suite une application plus limitative à la migration d'éléments d'une tumeur. A l'époque moderne, il a fini par incarner le trait fondamental de la malignité, à savoir que le cancer est un néoplasme capable de partir de chez lui et de se déplacer ailleurs. Une métastase représente en substance la transplantation d'un échantillon de la tumeur initiale dans une autre structure ou même une partie lointaine du corps.

Cette faculté métastatique du cancer est à la fois sa caractéristique la plus frappante et la plus dangereuse. S'il n'avait pas cette mobilité, les chirurgiens seraient à même de guérir toutes les tumeurs malignes hormis celles qui touchent des organes vitaux et que l'on ne pourrait retirer sans mettre en péril la vie de la personne. Pour effectuer son voyage, la tumeur doit percer par érosion la paroi d'un vaisseau sanguin ou lymphatique, puis certaines de ses cellules doivent se détacher et pénétrer dans le liquide en mouvement. Que ce soit individuellement ou amassées dans un embole, les cellules sont alors transportées vers un autre tissu où elles s'implantent et se développent. En fonction du sens de la circulation ou du flux lymphatique ainsi que de plusieurs autres facteurs qui restent à élucider, certains cancers semblent se loger de préférence dans des organes précis. C'est ainsi qu'un cancer du sein donne selon toute probabilité des métastases à la moelle osseuse, aux poumons, au foie et, bien sûr, aux ganglions lymphatiques axillaires ; de même, la migration d'un cancer de la prostate a souvent les os pour destination. Les os, tout comme le foie et le rein, constituent en fait les sites les plus courants de dépôts métastatiques, et ce indépendamment de l'organe d'origine de la tumeur.

Les cellules tumorales qui prennent ainsi la route doivent être suffisamment robustes pour résister aux aléas du voyage. Les simples dangers mécaniques d'une circulation cahotante augmentent le risque de destruction par le système immunitaire de l'hôte. A supposer qu'elles sortent indemnes de leur voyage, elles auront à fonder un nouveau foyer et à s'assurer une source stable d'approvisionnement. En clair, le bout de cancer transplanté ne peut mettre sur pied une colonie viable que s'il parvient à susciter le développement de nouveaux vaisseaux sanguins minuscules capables de satisfaire ses besoins.

Condition tellement difficile à remplir en vérité que rares sont les cellules migratoires qui réussissent en fin de parcours à coloniser quelque contrée lointaine. Par exemple, lorsque l'on injecte expérimentalement des cellules tumorales dans des souris, on constate que seule une sur mille survit plus de vingt-quatre heures ; seulement une sur cent mille cellules entrées dans la circulation atteint vivante un autre organe et une proportion beaucoup plus faible encore d'entre elles parvient à s'implanter. S'il n'y avait pas d'obstacles de ce genre, des métastases apparaîtraient massivement dès qu'un cancer aurait grossi au point de pouvoir se dépouiller d'un grand nombre de cellules et de les faire passer dans le sang.

Grâce à cette double force d'invasion locale et de métastase lointaine, le cancer arrive peu à peu à perturber le fonctionnement des différents tissus du corps. Des organes tubulaires se bouchent, des processus métaboliques s'enrayent, des vaisseaux sanguins subissent une telle érosion qu'il se produit des saignements, parfois de grande ampleur ; des centres vitaux sont détruits et de délicats équilibres biochimiques compromis. Vient finalement le jour où la vie elle-même ne peut plus se maintenir.

Le cancer dispose en outre de moyens moins directs pour saper les forces de ceux chez qui il se développe sans rencontrer de résistance : il s'agit le plus souvent des conséquences de l'affaiblissement, de l'insuffisance de l'apport alimentaire et de la prédisposition à l'infection que le processus malin entraîne dans son sillage. En particulier, la dénutrition constitue un phénomène tellement courant que l'on a inventé une expression pour en désigner les effets, la *cachexie cancéreuse ;* ce premier mot veut dire « mauvaise constitution » en grec, ce qui correspond parfaitement à la situation de la victime d'un cancer déjà avancé. La cachexie se signale par la faiblesse, le manque d'appétit, des altérations métaboliques et le dépérissement des muscles ainsi que d'autres tissus.

Or, puisque l'on constate une cachexie cancéreuse même chez des individus dont la maladie reste encore localisée et peu développée, il est clair que l'on ne saurait l'expliquer entièrement par la consommation vorace des ressources de l'hôte que s'autorise le cancer. Car, si une tumeur parvient incontestablement à priver son hôte de certaines substances nutritives fondamentales, on court néanmoins le risque d'une simplification excessive à vouloir réduire à une question de parasitisme les raisons complexes de cette capacité d'épuisement des provisions. Par exemple, la modification du goût ou des effets locaux de la tumeur tels qu'une obstruction ou des difficultés de déglutition contribuent parfois à diminuer l'absorption d'éléments nutritifs, comme le font du reste la chimiothérapie et la radiothérapie. De nombreuses études de personnes atteintes de tumeurs malignes révèlent ainsi plusieurs types d'anomalies dans l'utilisation des glucides, des lipides et des protéines dont on ignore la cause précise. On trouve même des tumeurs qui paraissent en mesure de faire augmenter la dépense d'énergie du malade et donc de renforcer son incapacité à maintenir un poids normal. Circonstance aggravante, certaines tumeurs malignes et même quelques-uns des globules blancs de l'hôte (monocytes) libèrent, comme on l'a découvert, une substance portant le nom approprié de *cachectine* qui réduit l'appétit en agissant directement sur le centre alimentaire du cerveau. Mais la cachectine n'est pas le seul agent de ce type. Très probablement, de nombreuses tumeurs ont les moyens de sécréter des substances hormonoïdes qui modifient de façon généralisée la nutrition, l'immunité et d'autres fonctions vitales, modifications que l'on attribuait jusqu'il y a peu à l'effet parasite de la tumeur en elle-même.

La dénutrition occasionne des troubles qui dépassent de loin la simple perte de poids et la fatigue. Alors qu'un corps sain s'adapte à la sous-alimentation en utilisant ses propres glucides comme principale source d'énergie, le cancer bloque ce processus et, ce faisant, oblige l'organisme à consommer ses protéines. Non seulement cette consommation abusive et la diminution de l'apport alimentaire font fondre les muscles, mais la baisse du niveau protéique qui en découle contribue au mauvais fonctionnement des organes et des systèmes d'enzymes. Il n'est pas à exclure qu'elle porte sérieusement atteinte aux réponses immunitaires ; on a d'ailleurs tout lieu de croire que l'une des substances libérées par les cellules tumorales les déprime encore. Cette immunosuppression peut certes favoriser le développement du cancer, du moins en théorie, mais c'est là une conséquence assurément moins fâcheuse que le risque d'infection qu'elle entraîne, surtout si la chimiothérapie ou la radiothérapie viennent amplifier ses effets.

Une pneumonie et des abcès, tout comme des infections urinaire ou d'autres régions, constituent dans bien des cas la cause immédiate du décès des cancéreux, une septicémie en étant souvent le point final. Comme l'extrême affaiblissement qu'induit une cachexie grave empêche le patient de tousser et de respirer normalement, la pneumonie et l'aspiration des vomissements deviennent fréquentes. Les dernières heures s'accompagnent donc parfois de ces respirations profondes, sorte de gargouillis qui sont l'une des formes du râle d'agonie et qui se distinguent totalement de l'aboiement de mort d'un James McCarty.

Vers la fin, la diminution du volume du sang en circulation et des liquides extracellulaires aboutit souvent à une baisse progressive de la pression artérielle. Même si l'hypotension ne plonge pas le malade dans un état de choc, elle peut provoquer une insuffisance hépatique ou rénale ; pour loin que les organes concernés se trouvent parfois de la tumeur, ils succombent néanmoins au manque chronique d'oxygène et de substances nutritives. Et, puisque bon nombre de cancéreux font partie du troisième âge, les différentes formes d'épuisement des ressources déclenchent dans beaucoup de cas une attaque cérébrale, un infarctus du myocarde ou une insuffisance cardiaque. Enfin et bien évidemment, la présence d'une maladie métabolique généralisée telle que le diabète complique énormément le tableau clinique.

Je n'ai évoqué jusqu'ici que les cancers qui commencent sous la forme d'une tumeur d'abord circonscrite à un organe ou tissu donné. Mais il existe également un groupe plus restreint d'affections malignes qui connaissent dès le départ une extension généralisée ou qui se développent dans des sites multiples d'un type précis de tissu, en particulier dans les systèmes sanguin et lymphatique. Ainsi, une leucémie est un cancer des tissus qui assurent la production de globules blancs et un lymphome est une tumeur maligne des ganglions lymphatiques et des structures analogues. L'une et l'autre de ces maladies laissent le patient à la merci des infections, cause principale de décès dans ces cas.

L'une des formes courantes du lymphome est la maladie de Hodgkin : je ne peux la citer sans attirer l'attention sur une réussite remarquable que l'on est en droit de juger à maints égards exemplaire des progrès enregistrés au cours de ces dernières décennies dans le domaine biomédical. Il y a trente ans, la quasi-totalité des patients atteints de cette maladie en mouraient, à moins, bien sûr, qu'ils ne succombent à une autre affection apparue au cours du long intervalle séparant le diagnostic de la phase terminale. Depuis, en revanche, une compréhension de plus en plus précise de la manière dont la maladie se développe dans les ganglions lymphatiques ainsi que les résultats thérapeutiques obtenus par la chimiothérapie et la radiothérapie à forte énergie ont rendu possible une survie de cinq ans, sans maladie, chez 70 % environ des patients, chiffre qui monte jusqu'à 95 % dans le cas des sujets dont on a découvert la maladie lorsqu'elle n'avait pas encore pris une grande extension ; quant au taux de récidive à l'expiration de ce délai, il est faible et en diminution régulière. Tant et si bien que non seulement la maladie de Hodgkin mais les lymphomes en général comptent aujourd'hui parmi les cancers les plus guérissables.

Ces nouveaux horizons qui s'ouvrent aux malades atteints de lymphome ne représentent pas la seule percée accomplie dans le traitement du cancer. Il convient aussi de citer la leucémie infantile. Quatre enfants leucémiques sur cinq souffrent d'une forme de cette affection appelée la leucémie lymphoblastique : autrefois, celle-ci avait invariablement une issue fatale tandis qu'aujourd'hui, dans 60 % des cas aigus, les enfants connaissent cinq années de rémission continue ; la plupart d'entre eux se trouvent en voie de guérison. Certes, on connaît pour l'instant peu de succès aussi éclatants que ceux que montrent ces deux derniers exemples, mais la tendance générale de la lutte contre le cancer s'annonce suffisamment favorable pour justifier un prudent optimisme. La recherche fondamentale, de nouveaux modes d'interprétation des phénomènes cliniques des maladies, l'application novatrice de la pharmacologie et de la biophysique, la volonté que manifestent des patients de mieux en mieux informés de participer à des essais sur grande échelle de traitements prometteurs, tous ces facteurs concourent aux transformations radicales intervenues depuis les années soixante.

En 1930, année de ma naissance, seul un individu sur cinq chez qui on avait diagnostiqué le cancer survivait pendant cinq ans. Une décennie plus tard, ce taux était passé à un sur quatre. L'effet de la capacité de recherche dont fait preuve la biomédecine moderne se fit sentir dès les années soixante, époque où l'on comptait déjà un tiers de patients survivant à la maladie. A l'heure actuelle, 40 % de cancéreux sont encore en vie cinq ans après l'établissement du diagnostic ; qui plus est, dès lors que l'on prend en considération la présence dans les statistiques de personnes dont le décès n'est aucunement lié au cancer, comme dans le cas d'une maladie cardiaque ou d'une attaque cérébrale, on arrive au chiffre approximatif de 50 % de survivants. On sait par ailleurs que ceux qui franchissent le cap des cinq ans sans retomber malades ont de fortes chances de ne plus connaître de récidive de la maladie. La quasi-totalité des progrès affichés dans ce domaine sont dus à la fois au fait que la maladie est diagnostiquée plus tôt que par le passé et au développement de nouvelles formes de traitement, fruit des facteurs énumérés dans le paragraphe précédent. Ces améliorations thérapeutiques ainsi que la promesse de réussite des méthodes originales qui s'élaborent de façon presque ininterrompue autorisent l'espoir des cancéreux à l'heure actuelle. De façon paradoxale et parfois tragique, cet espoir se trouve justement à l'origine de certains des dilemmes les plus chargés de risques que malades et médecins doivent aujourd'hui résoudre.

Ma carrière de clinicien s'étend sur une période pendant laquelle la communauté des chercheurs éprouvait pour la première fois une attente réaliste d'un traitement possible des affections malignes, traitement fondé sur une compréhension de la biologie cellulaire plutôt que sur les simplifications séculaires de la chirurgie. Plus on en apprenait sur la cellule cancéreuse, plus on élaborait de nouveaux moyens capables d'endiguer son avancée dévastatrice. Toutefois, l'optimisme né des réussites thérapeutiques enregistrées se teintait peu à peu d'une attitude de suffisance que les faits des dossiers médicaux ne justifient guère, attitude qui se traduit par le principe que voici : il faut poursuivre le traitement jusqu'à preuve de son inefficacité définitive, à tout le moins aux yeux du médecin qui le prescrit.

Or les frontières de cette inutilité n'ont jamais été nettes et on aurait probablement tort d'espérer qu'elles le deviennent un jour. C'est peut-être pour cette raison que, parmi les médecins, une conviction – il s'agit en fait de bien plus qu'une simple conviction car beaucoup y voient désormais un devoir – gagne du terrain, à savoir que, si l'on court le danger de se tromper, il faut toujours que ce soit dans le sens de trop faire pour le patient plutôt que pas assez. Mais ce credo permet probablement de satisfaire moins les besoins du malade que ceux du médecin. La réussite même de ses thérapeutiques ésotériques amène très souvent ce dernier à se juger capable de réalisations dont il n'a guère les moyens et à s'imaginer comme le sauveur de ceux qui, si on les laissait décider par eux-mêmes, pourraient préférer renoncer à ce salut.

11

CANCER ET ESPÉRANCE

Un jeune médecin n'apprend pas de leçon plus importante que celle de ne jamais permettre à ses patients de perdre espoir, même quand leur mort paraît proche et inéluctable. Ce conseil si souvent donné sous-entend que la source de cet espoir n'est autre que le médecin lui-même et les moyens dont il dispose, qu'il appartient donc à ce dernier, et à lui seul, d'autoriser ou de modérer l'espoir du patient, voire de l'interdire. Il y a certes beaucoup de vrai dans cette hypothèse, mais la discussion ne s'arrête pas là. En effet, par-delà les milieux médicaux – et même les capacités de tel ou tel médecin, si généreux soit-il – se trouve le pouvoir on ne peut plus légitime du malade et de ses proches de se déterminer sur ce point. Dans ce chapitre et celui qui le suit, il sera question de personnes atteintes d'un cancer en phase terminale, des différents types d'espoirs qu'elles nourrissent et des cas où j'ai vu ceux-ci renforcés ou affaiblis, voire totalement anéantis.

Espoir, espérance, espérer sont des mots abstraits ; en fait, il s'agit non seulement de mots, mais d'une notion obscure dont le sens change pour chaque individu au gré des circonstances et des moments de la vie. Les hommes politiques n'ignorent assurément pas son emprise sur l'esprit des électeurs.

Le dictionnaire ne manque pas de définitions en la matière : « le fait d'attendre quelque chose avec confiance », « sentiment qui fait entrevoir comme probable la réalisation de ce que l'on désire », « aimer à croire » et d'autres encore. Pour la question qui nous intéresse ici, il convient de signaler tout particulièrement les expressions *contre toute espérance* et *fol espoir*. Car le médecin a pour obligation suprême de s'assurer que, en aucun cas, l'espoir qu'il peut donner à son patient ne relève du déraisonnable, de l'impossible.

L'espoir connaît une infinité de nuances, sinon de fond, au moins de forme : en témoigne la propension humaine à faire en sorte qu'un mot « signifie juste ce que j'ai décidé qu'il signifie, ni plus ni moins », comme le proclame d'un air méprisant Humpty Dumpty à Alice dans le célèbre livre de Lewis Carroll. [1] C'est peut-être Samuel Johnson qui résume le mieux le sens possible de ce concept lorsqu'il écrit : « L'espoir est lui-même une espèce de bonheur, et peut-être le plus grand bonheur que le monde puisse nous procurer. »

Mais toutes les définitions de l'espoir ou de l'espérance ont un point commun : elles se réfèrent à l'attente d'un bien qui n'est pas encore, à la perception d'un état futur dans lequel on atteindra un but désiré. Eric Cassell, médecin et humaniste, dans un passage pénétrant de son ouvrage *The Nature of Suffering,* décrit avec une grande sensibilité le visage que peut prendre l'espoir en cas de maladie grave : « On éprouve une peine intense dès lors que l'on se sent perdre l'avenir, le sien propre, celui de ses enfants, celui d'autres êtres chers. C'est dans cette dimension de l'existence que se situe l'espoir, qui est l'un des traits indispensables d'une vie réussie. »

J'estime pour ma part que, parmi les différentes sortes d'espoir que le médecin peut faire découvrir à son patient à la conclusion même de la vie, celui qui englobe tous les autres est l'assurance de pouvoir remporter encore une ultime victoire dont la promesse efface les souffrances et chagrins du présent. Trop souvent dans la profession médicale, on méconnaît les

---

1. Lewis Carroll, *De l'autre côté du miroir,* Fernand Hazan, 1948, p. 219.

ingrédients de l'espérance, que l'on réduit essentiellement à la guérison ou à la rémission. Ainsi, de nombreux praticiens jugent nécessaire de transmettre au cancéreux, par la parole ou par les actes, le message fallacieux qu'il peut s'attendre à vivre encore des mois et même des années sans réapparition des symptômes de sa maladie. Si l'on demandait à un médecin qui fait preuve par ailleurs de franchise et de sollicitude les raisons qui l'incitent à cette tromperie, il répondrait probablement : « Parce que je ne veux pas le priver du seul espoir qui lui reste. » Bien entendu, il agit avec les meilleures intentions, mais on connaît l'enfer qui en est pavé, en l'occurrence celui des souffrances affreuses que doit subir le malheureux qui s'y est égaré avant une mort inévitable.

C'est quelquefois pour entretenir son propre espoir que le médecin, se berçant d'illusions, préconise une ligne de conduite dont les chances de réussite sont trop faibles pour qu'elle soit justifiée. Au lieu de chercher les moyens d'aider le patient à admettre la dure réalité de sa fin imminente, il entraîne un être gravement malade dans un univers illusoire où l'on agit pour agir, l'important étant de nier la menace qui le guette. Nous avons là une des façons dont la profession médicale traduit le refus de toute la société actuelle d'accepter la puissance de la mort, voire la mort tout court. Dans de telles situations, le médecin fait une tentative, généralement inefficace, pour repousser les échéances en se servant de ce que William Bean de l'université d'Iowa, praticien éminent de la génération précédente, a appelé « le bruyant attirail de la médecine scientifique afin de maintenir une vague ombre de vie tandis que la flamme s'éteint peu à peu. On assiste alors aux manœuvres les plus extravagantes et les plus dérisoires qui soient ; leur objectif est d'assurer le fonctionnement de certaines traces représentatives de la vie et, par là, d'entraver et de contrecarrer temporairement la mort définitive ».

L'auteur se référait non seulement aux respirateurs et autres moyens de survie pour les mourants, mais à toute la gamme des ruses que l'on emploie pour ne pas devoir regarder en face la vérité, celle du triomphe inéluctable de la nature dans tous les cas. Il s'agit du fol espoir qui contredit toute attente réaliste. De celui auquel je cédai il y a quelques années quand on diagnostiqua un cancer du côlon aux métastases multiples chez mon propre frère.

A soixante-deux ans, Harvey Nuland était un homme en bonne santé qui, en dehors de quelques rares visites chez le médecin motivées par tel symptôme précis, se souciait assez peu d'une quelconque surveillance médicale. Il pesait au moins cinq kilos de trop, mais on ne l'aurait jamais dit obèse. De son travail de gérant associé dans un grand cabinet new-yorkais d'experts comptables, il retirait une immense satisfaction, en dépit des longues heures qu'il fallait y consacrer et de la grande responsabilité qu'il exigeait – ou peut-être à cause d'elles. Mais son activité professionnelle n'occupait pas le centre de sa vie ; le bonheur de mon frère venait surtout de sa famille. A son mariage, Harvey approchait déjà de la quarantaine et son premier enfant ne naquit que plusieurs années après. Ce fait, ajouté à la désorganisation que lui et moi avions connue pendant nos années d'enfance et d'adolescence, expliquait peut-être pourquoi la famille qu'il avait fondée comptait plus que toute autre chose pour lui : elle était d'autant plus une bénédiction qu'il avait dû l'attendre longtemps.

Un matin de novembre 1989, Harvey me téléphona pour m'informer que, depuis plusieurs semaines, des douleurs intestinales le gênaient et ses selles étaient irrégulières ; la veille, son médecin avait découvert une grosseur sur le côté droit de l'abdomen. En attendant de voir les radios à la fin de la journée, il tenait, disait-il, à me mettre au courant. Il s'efforçait de paraître calme, neutre, mais nous avions trop vécu ensemble pour que j'en sois dupe. Je parvins d'ailleurs tout aussi peu à le tromper par les quelques mots lénifiants que je réussis à prononcer : pour candide qu'il fût, il ne se laissa pas détourner de son angoisse. Si, comme tous les frères, chacun de nous devinait sans peine les vraies pensées de l'autre, j'étais seul à entrevoir la gravité probable du diagnostic attendu. Chez un homme de soixante-deux ans qui a des ennuis intestinaux et des antécédents familiaux de cancer de l'intestin, une masse douloureuse de ce type provient dans la plupart des cas d'une tumeur maligne partiellement obstruante... et vraisemblablement trop développée au moment où l'on en prend conscience pour qu'un traitement puisse avoir beaucoup d'effet.

La radio devait confirmer mes craintes ; Harvey fut admis dans un grand hôpital universitaire qu'il choisit lui-même parce que son travail l'avait mis en contact avec un membre de premier rang du service de gastro-entérologie de l'établissement. Le chirurgien que j'avais proposé étant en déplacement pour assister à un congrès, on jugea que, en l'absence d'une intervention rapide, l'occlusion risquait de devenir totale. Ce fut donc un chirurgien que je ne connaissais pas personnellement mais que le gastro-entérologue en question avait chaudement recommandé qui opéra mon frère. Il lui découvrit un très gros cancer de l'intestin qui avait envahi les tissus entourant le côlon ascendant ainsi que la quasi-totalité des ganglions lymphatiques de drainage. La tumeur avait essaimé en de nombreux tissus et parois dans la cavité abdominale, ses métastases avaient atteint le foie à une demi-douzaine d'endroits au bas mot et toute cette explosion meurtrière baignait dans un océan où foisonnaient des cellules malignes : les nouvelles n'auraient guère pu être pires alors que les symptômes ne se manifestaient que depuis quelques brèves semaines.

L'équipe chirurgicale avait réussi tant bien que mal à extraire la portion d'intestin où la tumeur s'était d'abord développée et donc à couper court à l'obstruction. Il fallut toutefois laisser intactes des masses cancéreuses situées dans de nombreux tissus et dans le foie. Pendant que Harvey se rétablissait doucement, je me posais sans arrêt la double question se rapportant à la franchise et au traitement. Il n'incombait qu'à moi de décider, étant donné que mon frère suivrait mes conseils. Mais comment rendre un jugement clinique objectif dans un cas qui concernait l'un des miens ? Je ne pouvais pourtant pas fuir ma responsabilité en me cachant derrière l'émotion du petit frère bouleversé par l'idée que son premier ami d'enfance allait sûrement mourir : c'eût été lâcher non seulement Harvey, mais sa femme Loretta et leurs deux enfants déjà grands.

Il ne fallait pas non plus compter sur les médecins de mon frère pour des conseils, ou même tout simplement un peu de compréhension, car ils s'étaient montrés froids, distants et égo-

centriques. Ils semblaient trop coupés de leurs propres sentiments pour pouvoir comprendre les nôtres. Quand je les voyais
se pavaner d'un air important de salle en salle au cours de leurs
visites hâtives, j'en étais presque à me féliciter des tragédies de
ma vie qui m'avaient empêché de devenir comme eux. L'observation pendant des dizaines d'années de ces grands spécialistes
universitaires que sont mes confrères m'avait convaincu de la
sensibilité de la majorité d'entre eux et de l'imperméabilité
affective de la minorité. Or, ici, on aurait dit plutôt que c'était
la minorité qui donnait le ton.

Ployant sous ce fardeau, je commis une série d'erreurs. Les
bonnes intentions qui présidaient à mes choix ne changent rien
au jugement que je porte sur eux rétrospectivement. Je me per-
suadai donc que, en disant la vérité à mon frère, je lui « ôterais
tout espoir », bref, je fis exactement ce contre quoi j'ai toujours
mis d'autres en garde.

Harvey avait des yeux très bleus, comme moi et mes quatre
enfants. C'est un héritage de ma mère. Or, chaque fois que je
rendis visite à mon frère au cours de la première de ces longues
semaines qui suivirent l'opération, je remarquai que ses pupilles
étaient devenues de petites pointes contractées par la morphine
ou quelque autre sédatif rendu indispensable par la douleur de
l'incision qui allait des côtes jusqu'au pubis. Bien que très
myope, il mit rarement ses lunettes pendant ce temps : je retrou-
vai dans ces yeux d'un bleu merveilleux le regard qui avait
disparu depuis l'époque où nous étions deux gosses du Bronx
qui jouaient au ballon pendant les quelques heures de liberté
que nous laissaient les petits boulots que nous faisions après
l'école. Étrangement, la maladie avait rendu à Harvey l'innocence des premières années de son adolescence ainsi que sa
confiance en autrui. Il ressemblait de nouveau à un petit garçon, à ce grand frère vers qui je m'étais si souvent tourné pour
obtenir assistance et conseils. Quant à moi, je restais, avec ma
santé de fer, un adulte. Je pris donc, dans les jours suivant
l'opération, la résolution de mettre mon frère à l'abri de
l'angoisse dont souffrent ceux qui se savent incurables. Avec
du recul, je me rends compte que je cherchais par là à me protéger également.

Il n'existait pas, à ma connaissance, de chimiothérapie ni d'immunothérapie capables d'endiguer la progression d'un cancer aussi avancé. A New Haven, je « consultai » mes confrères (euphémisme pour ce que je fis en réalité, c'est-à-dire tanner les cancérologues à la recherche d'un miracle). J'essayai plusieurs fois d'en discuter avec les médecins de mon frère : ce fut un exercice de frustration et une leçon d'arrogance médicale. J'avais cependant entendu parler d'un nouveau traitement expérimental qui associait deux agents de manière totalement originale. Le premier, le fluoro-uracile, a pour effet d'inhiber les processus métaboliques des cellules cancéreuses et l'autre, l'interféron, exerce une activité antitumorale par des moyens que l'on saisit encore mal. L'association de fluoro-uracile et d'interféron avait réduit la masse des tumeurs chez onze des dix-neuf sujets du seul groupe d'une certaine importance à avoir participé à l'expérience ; il n'avait guéri personne. Cette chimiothérapie avait produit toute une série d'effets secondaires importants et toxiques chez les patients et en avait même tué un.

Je m'adressai donc au médecin de l'hôpital qui avait déjà appliqué cette nouvelle association. Je laissai mes instincts de frère l'emporter sur mon jugement de chirurgien qui a consacré sa vie professionnelle aux personnes atteintes de maladies mortelles. Qu'est-ce qui m'avait pris de croire à l'existence d'une coïncidence médicale sans équivalent qui allait résoudre un problème que mon esprit rationnel savait parfaitement insoluble ? Est-ce que j'imaginais vraiment qu'une guérison possible – ou du moins un palliatif à peu près efficace – avait surgi miraculeusement au moment précis où l'on découvrit chez mon frère un cancer contre lequel aucun traitement connu ne pouvait rien ? Quelques années après, je ne suis plus très sûr de ce que je pensais au juste ; sans doute étais-je mû avant tout par mon incapacité à communiquer la vérité à Harvey.

Je n'avais tout simplement pas le courage de le regarder en face, de prononcer les mots qui s'imposaient ; ne supportant pas l'idée de lui faire mal, je troquai la perspective du bien-être qu'apporte parfois une mort qui suit son cours pour cette espérance trompeuse que je voulais lui insuffler.

Dans ses yeux bleus confiants de petit garçon, j'avais vu une demande de délivrance. Je ne me sentais évidemment pas à même de la lui donner, mais je me savais tout aussi incapable moralement de priver mon frère de l'illusion d'un remède possible. Si je l'informai de son cancer du côlon avec des métastases au foie, je préférai néanmoins me taire sur le grand nombre de métastases dans d'autres endroits et sur l'importance du liquide péritonéal. Je n'envisageai à aucun moment de lui faire part du pronostic dont je ne pouvais guère douter, à savoir qu'il ne survivrait pas jusqu'à l'été. A tout point de vue, j'étais revenu à ce dicton paternaliste et absurde des professeurs qui m'avaient formé une génération plus tôt : « Communiquer son optimisme, garder son pessimisme par-devers soi. »

Pendant tout ce temps, je guettai le regard et les propos de Harvey pour mieux me situer. Aucun médecin ayant traité des cancéreux ne sous-estime la puissance du mécanisme inconscient qu'on appelle la dénégation, amie et ennemie à la fois de tout être gravement malade. La dénégation protège en même temps qu'elle entrave, elle adoucit momentanément ce qu'elle rend plus difficile par la suite. Autant je félicite le travail entrepris par Elisabeth Kübler-Ross pour classifier les différentes réactions au diagnostic d'une maladie mortelle, autant je dois affirmer que certains patients, comme le sait tout clinicien expérimenté, ne dépassent jamais le stade de la dénégation, à tout le moins ouvertement, et que bien d'autres encore gardent un pied dedans jusqu'à la fin, et ce malgré tous les efforts du médecin pour élucider les problèmes à mesure qu'ils se présentent. Qui plus est, des explications de la vigueur de ce phénomène se heurtent fréquemment elles-mêmes à une dénégation. Harvey Nuland avait l'esprit vif et deux oreilles en parfait état de marche, sans compter la perspicacité qui caractérise souvent ceux qui ont l'habitude de l'adversité. Il n'empêche : encore et encore – en fait, jusqu'à ses derniers jours ou presque –, l'ampleur de sa dénégation ne cessa de m'abasourdir. Quelque chose en lui refusait l'évidence de ses sens. Sa volonté de vivre étouffait entièrement son désir de savoir.

La dénégation est l'un des deux facteurs qui compliquent infiniment la tâche du médecin ou des proches d'un mourant, qui, animés de bonnes intentions, essaient de le faire participer pleinement aux décisions qu'il importe de prendre sans tarder. Parmi les mourants qui comprennent bien le caractère inéluctable du processus morbide en cours, rares sont ceux qui acceptent de se soumettre à la souffrance de ces tentatives héroïques et éprouvantes pour repousser une fin qui semble proche. Or c'est justement lorsqu'ils ont le plus besoin de cette compréhension que la raison et la logique peuvent s'effondrer, souvent à cause de la dénégation. Voilà pourquoi un nombre étonnamment élevé d'entre eux refusent de faire face à une situation immédiate qu'ils avaient clairement prévue à l'époque où, étant encore en bonne santé, ils avaient signé un protocole interdisant tout effort important de réanimation. Oui, quand le jour arrive finalement, personne ne veut que sa vie se termine. Et l'esprit conscient se dérobe à cette réalité grâce à l'inconscient, qui en nie la proximité.

L'autre obstacle à la participation véritable du patient se situe dans le refus de certains d'exercer leur droit à l'autodétermination, c'est-à-dire leur droit de disposer d'eux-mêmes. Jay Katz, psychanalyste et juriste, emploie à cet égard l'expression *autonomie psychologique*. Or, épuisés par les ravages de leur maladie ou profondément bouleversés par l'imminence du désastre, beaucoup de patients ne veulent pas ou ne peuvent pas faire usage de ce droit. Ils ont besoin qu'on s'occupe d'eux et qu'on les soulage de leur responsabilité. Il est difficile, il faut l'avouer, de satisfaire ce besoin et l'on court ainsi le risque de faire de mauvais choix, mais le problème devient moins aigu à partir du moment où malade, famille et équipe médicale y réfléchissent de concert. A l'issue d'une telle réflexion, l'individu menacé peut bien décider de s'investir beaucoup plus activement qu'il n'avait cru possible auparavant. Si toutefois il préfère le contraire, c'est aussi un choix à respecter.

A vouloir faire le bien de Harvey, je finis par répondre à son attente et, de ce fait, par réaliser le fantasme qu'il nourrissait à mon égard et qui fut aussi le mien : être le petit frère intelligent qui avait été à la faculté de médecine et qui s'était hissé au rang de devin médical tout-puissant. Comment dès lors lui refuser une forme d'espérance dont il semblait avoir tellement besoin ?

J'allais mobiliser toutes les forces existantes de la médecine de pointe pour l'éloigner du bord du précipice. C'est l'image générale et quasi consciente qu'a tout médecin de son rôle, et le regard de mon frère me poussa à m'y conformer. Si j'avais eu plus de sagesse ou consulté des confrères désintéressés qui me connaissaient bien, j'aurais peut-être compris que ma mission d'espoir non seulement revenait à une tromperie mais encore, compte tenu de ce que l'on sait de la toxicité des médicaments expérimentaux, promettait assez sûrement de fournir une source supplémentaire d'angoisse pour nous tous.

Harvey eut besoin encore de trois hospitalisations au cours des dix mois de vie qui lui restèrent après l'opération. La première fois, on y procéda afin de surveiller le début de la chimiothérapie, puis, vers la fin, il dut retourner à l'hôpital parce que des dépôts tumoraux de plus en plus grands obstruaient de nouveau son intestin, cette fois-ci totalement. L'occlusion s'ouvrait spontanément, juste assez pour lui permettre de prendre par voie orale suffisamment de liquides pour éviter une nouvelle opération, mais pas pour maintenir son apport alimentaire antérieur, déjà très réduit. Cependant, pour difficile que fût ce dernier séjour à l'hôpital, c'est de celui qui le précéda que je garde le souvenir le plus lancinant.

Seth, le fils de Harvey, qui avait interrompu ses études afin de passer une année dans un kibboutz en Israël, était rentré à la maison pour s'occuper de son père, car ce dernier avait tenu à ce que sa femme Loretta continue son travail d'enseignante. Seth me téléphona un vendredi soir pour me dire que, depuis deux jours, son père se trouvait sur un brancard à l'extérieur de la salle de réanimation, où, frappé de plein fouet par la forte toxicité des médicaments, il entrait et sortait du coma. Mon neveu expliqua que lui, sa sœur Sara et leur mère se relayaient aux côtés de Harvey, qui ne se rendait pourtant pas toujours compte de leur présence. Si les effets toxiques des médicaments – nausées, diarrhée, suppression de la capacité de la moelle osseuse à produire des globules blancs – avaient posé des problèmes dès le départ, ils commençaient maintenant à atteindre des niveaux alarmants. De toute évidence, la situation n'était plus du tout maîtrisée. Le cancérologue qui suivait mon frère était parti en week-end et ses collègues stagiaires semblaient peu intéressés ou incapables de proposer autre chose qu'une perfusion intraveineuse.

Lors de mon arrivée à l'hôpital le lendemain matin, je constatai que tous les lits de la chaotique salle de réanimation étaient occupés. Dans l'étroit couloir extérieur, on avait entassé au moins sept brancards sur lesquels se trouvaient quelques-uns des êtres les plus malades qu'il m'ait été donné de voir dans un espace aussi réduit, atteints pour la plupart, à ce qu'il paraissait, du SIDA ou d'un cancer déjà avancé. Comme je passais avec précaution parmi les patients et leurs parents et amis, tous anxieux, je tombai tout d'un coup sur mon neveu, qui, abattu, se tenait à côté de son père sans connaissance. Assise au pied du chariot se trouvait ma nièce, qui regardait le sol, le dos voûté. Quand elle me vit, elle fit une faible tentative pour me sourire, mais les larmes coulèrent aussitôt sur ses joues.

Tout au long de ces trois jours où Harvey vacilla entre stupeur et conscience dans ce corridor encombré, sa température oscilla autour de 40°. En dépit des efforts vaillants des infirmières débordées pour donner un minimum de soins à chacun et malgré l'aide qu'il recevait de sa femme et de ses enfants, il avait passé de longues périodes étendu dans la mare diarrhéique qui, par moments, sortait à flots en réaction à l'effet ravageur des médicaments sur ses intestins. Même lorsqu'il reprenait connaissance, il n'était pas vraiment lucide et, la plupart du temps, il ne savait plus très bien ni où ni dans quel état il se trouvait.

Je m'adressai à l'interne harcelée, qui avait téléphoné maintes et maintes fois au bureau des admissions en vue de placer quelques-uns de ses patients dont le cas était grave. Elle accepta de faire une ultime tentative, se réjouissant sans doute de pouvoir invoquer mon statut de médecin pour obtenir un véritable lit pour l'un d'eux au moins. Elle dut tomber sur une employée influençable, car l'astuce marcha : en l'espace de deux heures, Harvey était monté à l'étage, où il bénéficierait de soins. Comme nous poussions son chariot à brancard vers l'ascenseur, je jetai un dernier regard en direction de l'endroit qu'il avait occupé. Juste à côté, un jeune homme éreinté à peine plus âgé que mon neveu se penchait sur un brancard ; il parlait doucement à son ami qui grelottait, autre jeune homme qui allait bientôt mourir du SIDA.

Harvey paya cher la promesse non tenue de l'espérance. Je lui avais donné l'occasion de tenter l'impossible, entreprise qui imposerait toutefois, je le savais bien, de grandes souffrances. Ayant à décider pour mon frère, j'avais oublié, ou du moins renié, les leçons apprises au cours de dizaines d'années d'expérience. Si Harvey était tombé malade trente ans plus tôt, époque antérieure à l'introduction de la chimiothérapie, il serait probablement mort à peu près au même stade où il mourut effectivement, victime de la même cachexie, de la même insuffisance hépatique et du même déséquilibre chimique chronique. Seule différence : il n'aurait pas subi les affres supplémentaires d'un traitement voué à l'échec et d'un espoir sans fondement que je n'avais pas eu le courage de lui enlever, ni à sa famille ni à moi-même. Dans d'autres situations, j'ai expliqué à des patients dont le cancer était déjà dans une phase avancée le risque considérable de toxicité à laquelle ils s'exposaient en acceptant certains traitements à l'issue douteuse : nombre d'entre eux ont préféré sagement y renoncer ; ils ont trouvé leur espoir ailleurs.

Lorsque Harvey se fut remis de cette expérience qui avait manqué le tuer, les métastases du foie, qui avaient au départ répondu au traitement au point de se réduire de moitié, augmentèrent de nouveau de volume. Devant cette recrudescence et le développement, en fait ininterrompu, des autres tumeurs, la conclusion s'imposait : cela n'avait plus grand sens de poursuivre la chimiothérapie. Harvey rentra chez lui pour mourir.

Ce fut à ce stade que nous fîmes appel à une unité de soins palliatifs. J'avais siégé au conseil d'administration de celle de l'État du Connecticut et nombre de mes patients atteints d'un cancer en phase terminale avaient bénéficié des soins que donnent les infirmières et médecins dévoués qui y travaillent. L'idée maîtresse est d'assurer le soulagement et le bien-être, concept qui englobe dans ce cas la vie du malade et de sa famille. L'établissement local s'attela sans tarder à la tâche : on montra à Loretta la meilleure façon d'organiser son foyer pour réduire au minimum la détresse de Harvey, on apprit à Seth à administrer des analgésiques et des antiémétiques ainsi qu'à aider son père à se déplacer dans la maison.

Une hospitalisation s'avéra encore nécessaire lorsque le développement continu du cancer eut fini par obstruer totalement l'intestin. La masse tumorale avait empiété sur tant de zones de l'intestin grêle que toute chirurgie aurait été vaine. Mais, précisément au moment où la situation paraissait désespérée, l'intestin s'ouvrit spontanément, juste assez pour permettre à Harvey de regagner la maison. Cette fois-ci, je demandai que ce soit le chirurgien que j'avais proposé au départ qui s'occupe de lui. Je lui serai à tout jamais reconnaissant pour nous avoir fait retrouver à tous un sentiment d'investissement et de gentillesse ainsi que notre bon sens.

Mais, malgré les visites fréquentes au centre et la sollicitude extrême de Seth, devenu entre-temps le fidèle compagnon et l'infirmier de son père, la douleur et la faiblesse grandissante constituaient pour ce dernier une épreuve constante. L'étroitesse du passage intestinal qui restait empêchait la rétention de plus d'une quantité minime de nourriture ; quant aux médicaments, il fallait désormais les administrer par suppositoire. Harvey avait déjà beaucoup maigri mais, à présent, sa cachexie s'aggravait rapidement.

Lors de mes visites, nous nous installions tous les deux sur le canapé et essayions de nous remonter mutuellement le moral. Les quelques occasions où nous nous trouvions seuls, nous discutions de Loretta et des enfants, de la vie qu'ils auraient après sa disparition. Nos conversations portaient parfois non pas sur l'avenir, qui n'existait plus pour lui, mais sur un passé lointain qui semblait être hier, quand deux garçons du Bronx parlaient yiddish avec leur grand-mère. Il n'y avait plus désormais de trace des petits agacements et des conflits qui surgissent de temps à autre dès lors que deux frères très volontaires se marient et que leurs chemins se séparent. Pendant ces dernières semaines, cela me faisait chaud au cœur de rappeler à Harvey les nombreuses crises que j'avais traversées longtemps auparavant, à une époque où il était le seul à savoir m'aider. Plus de vingt ans plus tôt en effet, j'avais tourné le dos à tout ce qui avait compté dans ma vie et je m'étais embarqué pour des rives mornes et lointaines dont je revenais uniquement parce qu'il était certain de mon retour. Quel que fût le détachement qui s'était parfois introduit dans notre relation, aucun des deux ne doutait un seul instant de l'amour que ressentait l'autre pour lui ; maintenant en revanche, nous avions besoin de l'exprimer. Je l'embrassais chaque fois que je repartais pour New Haven. La dernière fois fut deux jours avant que sa longue épreuve s'achève doucement dans le lit qu'il avait partagé avec Loretta pendant tant d'années.

Au cours des jours qui suivirent l'enterrement, j'allai tous les matins avec Seth et Sara pour réciter le *kaddish,* prière de deuil, à la synagogue où, moins de deux ans auparavant, j'avais pris part à un dîner organisé pour honorer Harvey au terme de son mandat de président de l'assemblée des fidèles. Je connaissais par cœur les mots de la prière car j'en avais souvent eu besoin depuis ce froid matin de décembre plus d'un demi-siècle plus tôt quand Harvey et moi, serrés devant la tombe encore ouverte de notre mère, les récitâmes pour la première fois.

A notre époque d'avancées technologiques dans le domaine biomédical, alors que l'on nous fait quotidiennement miroiter la promesse de nouveaux traitements miraculeux, la tentation est grande de vouloir nourrir un espoir thérapeutique, y compris dans des situations où le bon sens dicterait le contraire. Or susciter des espérances de ce type revient souvent à tromper les intéressés, tromperie qui se révèle finalement source de souffrances plutôt que de la victoire promise au départ.

Je ne suis pas le premier à affirmer que patients, parents et même médecins doivent, pour trouver l'espérance, prendre d'autres chemins, plus réalistes, que ceux qui passent par des traitements douteux et risqués. Face à une maladie entrée déjà dans une phase avancée, qu'il s'agisse du cancer ou de tout autre tueur déterminé, il convient de redéfinir l'espoir. Certains de mes patients les plus atteints m'ont appris les nombreuses formes que ce concept peut revêtir lorsque la mort ne fait plus de doute. J'aimerais pouvoir dire avoir connu beaucoup d'individus de ce genre mais, malheureusement, ils sont assez rares. Tous les patients gravement malades ou presque semblent vouloir tenter leur chance avec les faibles probabilités offertes par les cancérologues. Le plus souvent, ils en pâtissent, ils en dépérissent au cours de leurs derniers mois, puis ils meurent de toute façon après avoir augmenté le fardeau qu'eux-mêmes et ceux qui leur sont chers doivent porter jusqu'à la fin. Tout le monde a beau rêver d'une mort tranquille, l'instinct de survie reprend toujours le dessus.

Il y a une dizaine d'années, il m'a été donné de soigner un homme dont le désespoir et la panique face à tout traitement le poussèrent à chercher son espérance ailleurs que dans les efforts de la médecine. Renonçant à la possibilité de guérison, il se résigna à sa mort ou, en tout cas, il décida que, si miracle il devait y avoir, il viendrait du fond de lui-même et non pas d'un cancérologue enthousiaste.

Robert DeMatteis, avocat âgé de quarante-neuf ans et élu local d'une petite ville du Connecticut, avait une peur irrépressible des médecins. Quatorze ans plus tôt, quand je l'avais soigné pour les multiples blessures qu'il avait subies lors d'un accident de voiture, j'avais constaté avec étonnement son incapacité, pendant son hospitalisation, à supporter ne serait-ce que la gêne la plus minime ou même la perspective de devoir la subir. Le fait que sa femme Carolyn fût infirmière ne diminuait en rien l'angoisse qui montait en lui à la simple vue d'une blouse blanche qui approchait. Carolyn me dit un jour que, à cause de cette angoisse, il l'obligeait à remettre ses vêtements de ville avant de rentrer de l'hôpital où elle travaillait.

Bob DeMatteis n'était pas le genre d'homme à recevoir des ordres de quiconque. Il semblait se targuer de son caractère obstiné qui se traduisait entre autres par un mépris total de sa propre santé. D'ailleurs, cette attitude s'étendait à tout ce qui concernait son corps, à l'exception de son goût prononcé pour la bonne chère. En effet, ce colosse d'un mètre soixante-treize pesait cent quarante-cinq kilos. Aux yeux de sa famille, d'un large cercle d'amis et des nombreux habitants de sa ville qui s'adressaient à lui pour obtenir de l'aide, Bob DeMatteis était, sous ses dehors de misanthrope, un être chaleureux et sociable. Il n'en demeure pas moins que sa carrure imposante et la mine renfrognée qu'il arborait en permanence avaient pour effet d'effrayer les plus timorés. Aussi passionné dans l'amitié que dans l'inimitié, il s'attendait à être respecté. La qualité menaçante de sa voix grave et rauque transformait même ses expressions de tendresse en grognement.

A priori, on n'aurait pas cru Bob DeMatteis susceptible de reculer d'horreur à la vue d'une jeune femme munie d'une seringue. Cette crainte était pour lui objet de plaisanteries, mais elle faisait parfois obstacle au traitement qu'il lui fallait et, à plusieurs reprises au cours de l'hospitalisation consécutive à son accident, elle m'avait empêché de soigner ses plaies de façon optimale.

Compte tenu de ces souvenirs, je n'étais pas content lorsque, quatorze ans plus tard, son gastro-entérologue me téléphona par un après-midi de mai pour m'informer de l'admission de Bob DeMatteis, que l'on avait mis sous perfusion à la suite d'hémorragies rectales importantes. Quand j'arrivai, le patient me fournit des éléments qui me firent soupçonner que, avant cette hémorragie, des quantités très faibles de sang suintaient déjà depuis plusieurs mois. Il déclara souffrir depuis février de troubles abdominaux qui empiraient progressivement ; par ailleurs, il mentionna une modification légère mais indubitable de l'odeur de ses selles. Un mois plus tôt, lorsque sa femme avait enfin réussi, malgré ses protestations, à le traîner chez son gastro-entérologue, les radios faites par ce dernier montrèrent une érosion superficielle du duodénum, mais pas d'ulcère. Un certain épaississement était constaté au niveau de la valvule de Bauhin, endroit où l'intestin grêle s'abouche au côlon. Toutefois, l'absence de tumeur apparente avait rassuré le patient.

L'hémorragie s'étant arrêtée quelques heures après son admission à l'hôpital Yale-New Haven, il fut possible de procéder à un examen complet de son tube digestif. Nos efforts se concentrèrent sur le côlon plutôt que sur la partie supérieure en raison de l'épaississement visible sur les radios et d'un certain nombre de signes cliniquement décelables. Nous ne fûmes pas étonnés quand la coloscopie, examen visuel de l'intérieur du côlon, révéla la présence non pas d'un simple épaississement, mais d'une tumeur de la valvule de Bauhin.

Comme de bien entendu, Bob DeMatteis réagit hystériquement à la nouvelle de l'opération qu'il aurait à subir et à laquelle il dit s'opposer catégoriquement. Quand il se fut un peu calmé, il se mit à grogner, à se plaindre et même à lâcher quelques jurons, mais la patiente insistance de sa femme finit par vaincre ses réticences. Il n'empêche : je n'ai pas souvenir d'avoir emmené, pendant toute ma carrière, une personne plus terrifiée au bloc opératoire. Je m'arrange toujours pour être aux côtés du patient au moment où il est anesthésié, pour lui parler et lui tenir la main. Or, dans ce cas, je vécus une expérience totalement inédite à la suite de laquelle je dus me masser les doigts pendant plusieurs minutes avant de commencer mon travail : le temps qu'il fallut pour que l'anesthésie s'empare de lui, Bob DeMatteis les avait serrés jusqu'à les rendre insensibles.

Les résultats de l'opération me bouleversèrent. Alors que je m'étais attendu à trouver une tumeur relativement petite qui s'était ulcérée juste assez pour saigner, je découvris en fait – qu'il me soit permis de citer le rapport de l'anatomopathologiste – « un adénocarcinome primaire mal différencié, né dans le cæcum à côté de la valvule de Bauhin, caractérisé par une invasion transmurale du tissu adipeux péricolique, une importante participation lymphatique et vasculaire et des métastases de huit des dix-sept nodules lymphatiques ». Le centre de la tumeur était nécrosé et profondément ulcéré, d'où la forte hémorragie.

S'il n'y avait pas encore de signes manifestes de métastases éloignées, il s'agissait néanmoins d'un cancer de toute évidence très agressif. Vu l'invasion considérable des vaisseaux sanguins et lymphatiques, on avait la quasi-certitude de la présence de cellules cancéreuses dans la circulation générale. On pouvait fortement soupçonner l'existence de métastases dans le foie qui étaient soit trop microscopiques, soit trop profondes pour que l'on puisse les sentir mais qui ne tarderaient pas à se manifester. En un mot comme en cent, le pronostic était affligeant.

Mon patient parlait aussi carrément qu'il avait l'air direct et il repérait rapidement le moindre faux-fuyant. Il exigea donc qu'on lui dise sans ménagement et dans le détail ce qu'il devait affronter. Hormis mon comportement à l'égard de mon frère, j'ai toujours essayé de faciliter aux malades la formulation d'une demande de ce type. C'est pour cela que j'accueillis avec plaisir les questions de Bob DeMatteis, même si je craignais de m'en vouloir par la suite de la franchise brutale qu'il semblait solliciter ; je m'attendais en fait qu'il se déchaîne hystériquement, avant de sombrer dans une dépression profonde. J'avais tort.

L'explosion redoutée ne se produisit tout simplement pas. A la place, je rencontrai le calme, la raison et l'acceptation. Dès les débuts de leur relation, Bob DeMatteis avait assuré Carolyn (qui, encore aujourd'hui, dit ignorer pourquoi) qu'il ne pensait pas vivre jusqu'à cinquante ans : sa prophétie allait maintenant se réaliser. A l'issue de notre première conversation après l'opération, il savait qu'il mourrait de son cancer et il décida d'y céder sans intervention particulière. Il n'était pas croyant, mais il avait une foi inébranlable en lui-même qui devint à ce stade le gyroscope qui le stabilisa pendant le temps qui lui restait à vivre.

Or Bob DeMatteis n'avait pas compté avec les cancérologues. Étant donné l'état avancé de sa maladie – ou, de mon point de vue, en dépit de lui –, sa femme et son gastro-entérologue lui proposèrent de consulter un cancérologue. Cette perspective ne suscitait ni son enthousiasme ni le mien, mais il y consentit, ne serait-ce que pour satisfaire Carolyn, qui tenait à ce que toutes les possibilités soient explorées. A l'époque, et même aujourd'hui, plus de dix ans plus tard, je n'ai jamais eu connaissance d'une seule consultation en cancérologie qui ne finisse pas sur un avis favorable au traitement, à moins que la chirurgie eût lieu à un stade suffisamment précoce de la maladie pour permettre une guérison définitive. Le cas de Bob DeMatteis ne faisait pas exception, et Carolyn le convainquit de se soumettre à la chimiothérapie proposée.

Il fallut toutefois en retarder le début à cause d'un facteur qui ne joue pratiquement que chez les obèses, à savoir que la couche de graisse sous la peau du patient était trop épaisse pour que je puisse entreprendre de la refermer à l'issue de l'opération puisqu'elle risquait de dissimuler un abcès en profondeur. Afin de garantir la bonne cicatrisation de l'incision, je dus la laisser ouverte en attendant qu'elle se ressoude de haut en bas, processus incompatible avec la chimiothérapie. Quand elle put enfin démarrer, les métastases au foie de cette tumeur augmentant à vive allure avaient atteint une taille telle qu'elles purent être détectées lors des examens scintigraphiques.

Avant d'amorcer le traitement, le cancérologue rencontra Bob DeMatteis pour avoir, comme il l'expliquait dans la lettre qu'il m'adressa, « une discussion longue et franche » au cours de laquelle il « exposa en détail l'étendue des métastases et lui expliqua que, si la chimiothérapie ne donnait pas les résultats escomptés, il connaîtrait une aggravation rapide de son état et mourrait en l'espace de trois à six mois ». D'après lui, le patient « apprécia beaucoup cette franche discussion et eut une attitude d'optimisme prudent et réaliste ».

A ce stade, Bob DeMatteis avait déjà repris les neuf kilos perdus depuis l'opération et il n'avait plus de symptômes. En fait, il se sentait remarquablement bien. Il comprenait que les médicaments ne pouvaient le guérir et qu'ils étaient employés, comme l'exprimait le cancérologue, « à titre d'adjuvant ou préventif ». Or je soupçonne qu'il n'en attendait même pas tant ; il est plus vraisemblable qu'il s'y soit prêté uniquement pour sa femme et Lisa, leur fille de vingt ans.

Le traitement commença. Au bout de quinze jours, Bob DeMatteis présenta de la fièvre et une alternance de constipation et de diarrhée. L'effet corrosif des selles liquides mettait à vif la peau entre ses fesses corpulentes. Il fallut donc arrêter la chimiothérapie. On dut alors utiliser des sédatifs pour diminuer la douleur que provoquait l'augmentation des métastases au foie. Bientôt, le patient ne fut plus en mesure de se rendre à son bureau.

Ensuite tout se précipita : les métastases grossirent, la jaunisse se confirma à mesure que le tissu du foie cédait la place au cancer, une masse tumorale apparut dans le bassin du patient et ses jambes gonflèrent sous l'effet de l'œdème qui se produit quand l'envahissement tumoral obstrue les veines qui assurent normalement l'écoulement dans la partie inférieure du corps. Finalement, Bob DeMatteis eut du mal même à se déplacer dans la maison. En raison de l'activité professionnelle de sa femme, c'était sa fille Lisa qui restait là pour s'occuper de lui. Elle me dira quelques années plus tard : « Nous passions de longues nuits où nous parlions l'un de l'autre et chacun de lui-même. Les liens déjà forts entre nous se sont resserrés encore plus au cours de ces derniers mois. »

La veille de Noël, en début de soirée, je lui rendis une visite à son domicile. Bob DeMatteis habitait un quartier boisé perché sur les hauteurs de la ville dont il avait animé pendant si longtemps la vie politique. Depuis quelques heures, la neige tombait, comme pour exaucer le vœu de Noël d'un mourant. Pour Bob DeMatteis en effet, cette fête incarnait l'idée d'une jovialité typique de l'époque de Dickens, au début du dix-neuvième siècle ; c'était le moment où il était le centre d'une convivialité joyeuse. A cette occasion, chaque année depuis leur mariage, la maison de Bob et de Carolyn DeMatteis accueillait des convives de tous horizons qui avaient pour seul point commun le plaisir que leur hôte prenait en leur compagnie. Car celui-ci s'épanouissait surtout en société, d'autant plus qu'elle était pleine d'entrain. Son cœur s'enflait alors et son caractère devenait aussi généreux que ses rondeurs ; l'ambiance festive avait même raison de sa mine renfrognée. A Noël, Bob DeMatteis était Mr. Fezziwig et un Scrooge transformé tout à la fois. Il avait en fait pour coutume de réciter à sa femme et à sa fille – non pas de lire, mais de réciter de mémoire – *Un conte de Noël* juste au début de la saison des fêtes. Je ne m'étonnai pas d'apprendre que Dickens était son auteur favori ni que cette histoire était le livre de cet écrivain qu'il préférait.

Bob DeMatteis était décidé à ce que cette fête de Noël ne se distingue pas de celles qui l'avaient précédée. Quand une Carolyn au sourire courageux ouvrit la porte, j'entrai dans une maison préparée pour la plus gaie des soirées. Le couvert était mis pour au moins vingt-cinq personnes, des décorations pendaient partout et la base du sapin magnifiquement illuminé se cachait derrière des monceaux de cadeaux. Les invités ne devant arriver que dans une heure au plus tôt, Bob DeMatteis et moi-même avions amplement le temps de discuter des raisons de ma visite. J'étais venu lui conseiller une unité de soins palliatifs. En raison de l'aggravation rapide de son état, il y avait des limites à ce que Lisa pouvait faire toute seule pour son père.

Assis à côté de lui sur le lit d'hôpital qu'il avait loué, je lui pris finalement la main : ce geste allait me faciliter la tâche de communication. Nous étions deux hommes dont l'expérience de la vie était tout à fait dissemblable et l'un de nous avait presque épuisé son stock d'avenir. Mais, pour le peu de temps qui lui demeurait, Bob DeMatteis entrevoyait une espérance qui n'était qu'à lui, celle de rester fidèle à lui-même jusqu'à son dernier souffle et de savoir que l'on se souviendrait de lui pour la façon dont il avait vécu. D'où la nécessité de respecter une dernière fois la tradition de Noël. Après quoi, me dit-il, il serait prêt à se laisser aller aux soins des infirmières qui devaient l'accompagner jusqu'à ses derniers jours.

Au moment de prendre congé de cet homme singulier qui avait trouvé un courage dont je l'aurais cru incapable, c'était moi qui avait la gorge nouée. Bob DeMatteis avait hâte de commencer le travail laborieux consistant à s'habiller avant l'arrivée des convives, et ma présence ne faisait que lui rappeler ce qui l'attendait le lendemain de la fête. Comme je m'apprêtais à sortir dans la nuit enneigée, il m'interpella depuis la fenêtre de sa chambre afin de m'engager à la prudence sur les collines glissantes du quartier : « C'est dangereux, docteur, me cria-t-il, Noël n'est pas le moment de mourir. »

Ce soir-là, il fit en sorte que tout marche à merveille. Il demanda à sa femme de baisser l'éclairage afin d'empêcher ses amis de s'apercevoir de la gravité de sa jaunisse. Pendant le repas, il se plaça à la tête de la table joyeuse et bruyante où il feignit de manger ; depuis longtemps en effet, il ne pouvait plus absorber suffisamment de nourriture pour s'alimenter correctement. Toutes les deux heures au cours de cette longue soirée, il se traîna péniblement dans la cuisine pour que Carolyn puisse lui injecter la morphine qui calmerait sa douleur.

Lorsque tous les invités furent partis – tant d'amis de longue date qu'il ne reverrait plus jamais – et qu'il eut regagné son lit, sa femme lui demanda ses impressions de la soirée. Aujourd'hui encore, elle se souvient des mots précis qu'il prononça : « Peut-être l'un des meilleurs réveillons que j'aie connus de ma vie. » Et de rajouter : « Tu sais, Carolyn, il faut avoir vécu avant de mourir. »

Quatre jours plus tard, Bob DeMatteis s'inscrivit sur la liste d'attente de l'unité de soins palliatifs : ce n'était pas trop tôt. Outre les nausées, les vomissements, la douleur au foie et l'envahissement tumoral du bassin, il souffrait désormais d'une fièvre élevée. A la Saint-Sylvestre, sa température avait atteint les 41°. Il ne maîtrisait plus les accès de diarrhée liquide qui le prenaient souvent au dépourvu. La situation ne semblait guère pouvoir empirer : apparence trompeuse. Le 21 janvier, Bob DeMatteis fut transféré dans l'unité de soins palliatifs de Bradford, dans le Connecticut. A ce stade, son foie, qui normalement n'aurait pas dû descendre au-dessous des côtes inférieures, pouvait se sentir 25 centimètres plus bas, y compris à travers la paroi abdominale encore épaisse. La taille désormais énorme de l'organe était due essentiellement au cancer. Et, en dépit du degré extrême de malnutrition du patient, la fiche d'admission à l'unité souligne qu'« il restait obèse ».

Bob DeMatteis ne voulait certes pas abandonner la partie, mais il avoua tout de même le soulagement qu'il ressentit en entrant dans l'établissement. Ses angoisses et ses inquiétudes habituelles s'affirmèrent de nouveau et rendirent donc nécessaires de fortes doses de tranquillisants en plus de la morphine. Il n'arrivait plus à prendre par voie buccale que des quantités limitées de liquide ; à partir de son admission, il sembla s'affaiblir à vue d'œil. Et pourtant, il s'obstinait, malgré toutes les difficultés, à se lever pour uriner et il s'efforçait, avec peu de succès, de marcher. Il avait beau accepter la mort, il paraissait incapable de laisser partir la vie.

L'après-midi de son deuxième jour dans l'unité, il devint soudain encore plus agité qu'avant. Carolyn et Lisa se mirent à pleurer d'impuissance quand il dit souhaiter mourir sans plus tarder, à l'instant même. Les suppliant du regard, il tendit ses bras encore dodus et serra contre lui les deux femmes dans l'étreinte protectrice qu'elles connaissaient et qui leur rappelait les temps passés. Sa famille ainsi réunie, il implora : « Il faut que vous m'autorisiez à mourir. Sinon, je ne le ferai pas. » Il ne se contenterait de rien de moins, et ce fut seulement lorsqu'il reçut leur permission qu'il se calma. Quelques instants plus tard, il dit à Carolyn : « Je veux mourir. » Puis, dans un murmure : « Mais je veux vivre. » Après quoi il se tut.

Bob DeMatteis resta stuporeux pendant le gros de la journée suivante. Dans l'après-midi, il n'avait toujours pas parlé, mais Carolyn croyait qu'il pouvait encore entendre sa voix. Tout doucement, elle lui dit combien lui et sa vie avaient compté pour elle quand, tout à coup, elle vit se dessiner un large sourire sur son visage, comme si, les yeux fermés, il percevait quelque merveille. « Je ne sais pas ce que c'était, racontera-t-elle, mais, de toute façon, ça a dû être très beau. » Cinq minutes plus tard, il était mort.

Les funérailles prirent les proportions d'un événement public dans la petite ville de Bob DeMatteis. Le maire était présent et une garde d'honneur de la police porta le cercueil à l'église. On l'enterra avec une lettre d'adieu, écrite par sa fille, dans la poche de son veston. Comme la bière en cerisier descendait lentement dans la fosse, l'oncle de Carolyn remarqua que le couvercle était légèrement maculé à un endroit, là où les larmes de Lisa étaient tombées.

Bob DeMatteis repose dans un cimetière situé à une quinzaine de kilomètres de chez moi. Sur ce terrain onduleux de tombes bien entretenues, il n'y a ni stèles ni mausolées, seulement de simples pierres tombales qui rappellent l'égalité de tous dans la mort. Je me suis recueilli sur la tombe de Bob DeMatteis au cours de la rédaction de ces dernières pages pour rendre hommage à un homme qui avait trouvé un sens nouveau à sa vie quand il sut qu'il allait bientôt mourir. Un homme qui m'avait appris que l'espoir peut exister même là où le salut est impossible. Cette leçon, je devais l'oublier dix ans plus tard lorsque mon frère tomba malade, mais elle ne perd rien de sa vérité pour autant.

Pendant qu'il en avait encore les moyens, Bob DeMatteis prit des dispositions pour que fussent inscrits sur sa tombe les mots qu'il aimait par-dessus tous de son livre préféré de Dickens. Bien que Carolyn m'en eût informé, je n'étais pas préparé à l'effet qu'ils auraient sur moi. On pouvait lire, gravée sur la surface en granit de la pierre tombale, l'épitaphe pour laquelle Bob DeMatteis avait voulu que l'on se souvienne de lui : « Et tout le monde disait de lui qu'il avait l'art de fêter Noël. »

12

LES LEÇONS DE L'EXPÉRIENCE

Les rabbins terminent souvent la cérémonie funèbre par ces mots : « Que son souvenir serve de bénédiction. » Cette formulation particulière est inconnue des non-juifs, et j'ai cherché en vain son équivalent dans les églises. Cette pensée simple, si elle exprime un vœu de toute évidence universel, mérite que l'on s'y attarde davantage, et pas uniquement dans les lieux consacrés au culte.

L'espérance qui apporta une certaine paix à Bob DeMatteis se trouvait dans le souvenir qu'il laissa de lui-même et le sens que prendrait sa vie pour ceux qui lui survivaient. Cet homme avait constamment conscience non seulement de la durée limitée de toute vie, mais encore du risque permanent qu'elle s'arrête inopinément. C'était là qu'il fallait chercher le germe de son angoisse terrible devant tout ce qui avait trait au médical, mais aussi celui de l'acceptation de son sort le jour où il s'annonça.

Il n'est pas de dignité plus grande dans la mort que celle de la vie qui l'a précédée. Voilà un espoir qui se trouve à la portée de tous, et c'est le plus durable qui soit. Il réside dans le sens qu'a eu la vie de l'individu.

S'il existe d'autres sources d'espérance, beaucoup d'entre elles sont tout simplement inaccessibles. Dans mon travail de médecin, j'ai toujours promis à mes patients de faire tout mon possible pour leur assurer une mort facile, mais j'ai souvent vu fondre même cet espoir malgré toutes mes tentatives. Dans une unité de soins palliatifs aussi, où l'on ne recherche que le soulagement et la tranquillité, il arrive que l'on échoue. A l'instar de beaucoup de mes confrères, j'ai enfreint la loi plus d'une fois afin de faciliter le départ d'un patient car, autrement, je n'aurais pu tenir ma promesse, qu'elle fût explicite ou sous-entendue.

La promesse que l'on peut tenir et l'espérance que l'on peut donner sont qu'aucun être humain ne doit mourir dans la solitude. Des nombreuses formes de mort solitaire, la plus désolante est sûrement celle qui intervient lorsque la certitude de la fin a été occultée. Il s'agit une fois de plus du souci de « ne pas priver le malade du dernier espoir qui lui reste », souci qui empêche justement l'éclosion d'une espérance particulièrement rassurante. Tant que l'individu ignore l'imminence de sa mort ainsi que les conditions dans lesquelles elle aura lieu (qu'il est quand même possible de connaître jusqu'à un certain point), il ne peut participer à cette communion finale avec les êtres qui lui sont chers. Sans ce couronnement, cette conclusion d'une vie, peu importe que ces derniers se tiennent aux côtés du mourant : il restera isolé et délaissé. Car c'est la promesse d'un accompagnement spirituel qui, vers la fin, ranime l'espoir bien plus que ne le fait le soulagement de se savoir physiquement entouré au moment de s'éteindre.

Au fur et à mesure que ma grand-mère perdait ses moyens, ma tante Rose assumait progressivement la gestion de notre maisonnée et le maternage des deux garçons qui en faisaient partie. Même le rôle matriarcal au sein de la famille étendue lui incombait davantage chaque année, car Bubbeh était peu à peu contrainte d'y renoncer. Tous les matins de bonne heure, Rose partait à l'atelier de couture de la Trente-Septième Rue d'où elle revenait dix heures plus tard pour faire le ménage et préparer le dîner. Les juifs de l'Europe de l'Est ne connaissaient guère la cuisine légère et la préparation de notre repas du soir exigeait un grand déploiement d'efforts. Aujourd'hui, je me trouve loin, géographiquement et temporellement, du 2314 Morris Avenue, mais je revois encore très nettement ces jeudis soir où ma tante

Rose nettoyait et astiquait tous les coins et recoins de l'appartement en prévision du *shabbat,* avant de tomber, à bout de forces, dans son lit vers minuit. Puis, le lendemain à six heures, une nouvelle journée commençait pour elle.

Rose avait beau afficher une certaine dureté, sa manière était transparente. Elle avait des yeux bleus, marque de notre petite tribu, qui, après tout accès de colère, brillaient aussi inévitablement que le soleil qui suit une brève averse d'été. Un câlin suffisait toujours à la faire craquer et, à mesure que nous grandissions, nous nous rendions peu à peu compte que ce qui se cachait derrière son souci de paraître inflexible et exigeante à l'égard de ses deux neveux n'était autre que l'amour. Dans la plupart des cas, certes, Harvey et moi-même parvenions, à force de railleries, à lui faire abandonner les réprimandes que les aspects les moins admirables de notre comportement ne manquaient jamais de susciter, mais nous redoutions tout de même son blâme qui, à mon égard, se traduisait habituellement par des attaques en règle, souvent lancées dans un yiddish imagé, contre mon caractère et toute ma conception du monde. La tante Rose était mon petit surmoi tout droit sorti du *shtetl.* Harvey et moi l'adorions.

Au cours de ma deuxième année d'internat en chirurgie, Rose, désormais septuagénaire, fut atteinte d'un début de prurit généralisé sur tout le corps et, quelque temps après, du grossissement d'un des ganglions axillaires. Une biopsie révéla l'existence d'un lymphome agressif. Rose fut traitée par un hématologue d'une grande gentillesse qui obtint une forte rémission grâce à l'un des premiers agents de chimiothérapie essayés, le chlorambucil. Lorsque, au bout de quelques mois, il y eut une rechute de la maladie entraînant l'affaiblissement progressif de la patiente, Harvey et moi-même décidâmes, avec l'accord de notre cousine Arline, de convaincre l'hématologue qu'il ne fallait pas informer notre tante du diagnostic.

Et voilà que, sans nous en rendre compte, nous avions commis l'une des erreurs les plus graves qui soient dans le cas d'une maladie en phase terminale. Nous tous, Rose y compris, avions décidé à tort et en contradiction avec tous les principes qui avaient régi notre vie commune que mieux valait nous protéger de l'aveu ouvert d'une vérité douloureuse que rechercher un dernier moment d'union qui aurait pu nous procurer, par-delà cette réalité angoissante, un réconfort durable et même un peu de dignité. Nous nous privions de ce qui aurait dû être nôtre.

Rose savait indubitablement qu'elle mourait d'un cancer, mais ni nous ni elle ne l'évoquâmes jamais. Elle s'inquiétait pour nous et nous pour elle, chacun estimant que l'autre, ou les autres, s'effondrerait sous le poids de la réalité. Pour évidentes que fussent les perspectives, nous nous persuadâmes qu'elle les ignorait, tout en nous doutant du contraire, et elle fit sûrement de même à notre encontre. Nous étions en train de jouer ce drame classique qui assombrit si souvent les derniers jours d'un cancéreux : nous le savions, elle le savait ; nous savions qu'elle le savait, elle savait que nous le savions ; et personne n'osait en parler lorsque nous nous retrouvions. Sinistre mascarade qui continua jusqu'à la fin. Rose, comme nous tous, fut obligée de renoncer au rapprochement qui se serait réalisé si nous lui avions enfin dit tout ce que sa vie nous avait apporté. Dans ce sens, ma tante Rose mourut seule.

Cette solitude terrible se trouve au cœur de la nouvelle de Léon Tolstoï intitulée « La mort d'Ivan Illitch ». Surtout pour le clinicien, ce récit a quelque chose d'effrayant, tant en raison de son exactitude troublante qu'à cause de la leçon qu'elle donne. Tolstoï semble presque avoir été animé d'une connaissance innée qui dépassait forcément celle qu'il aurait pu acquérir au cours d'une vie. Comment expliquer autrement l'intuition dont il fait preuve quant à la solitude exacerbée d'une mort sur laquelle on se tait quand il décrit ainsi le sentiment du malade : « Tourné contre le mur, seul dans une grande ville, au milieu de parents et d'amis, seul comme on ne peut l'être ni dans les profondeurs sous-marines, ni en aucun point du globe (...) »[1] ? Cette effroyable connaissance, Ivan Illitch ne pouvait la partager avec personne ; il « était obligé de vivre au bord du gouffre, sans personne pour le comprendre ou s'apitoyer sur son sort... »[2]

Ivan Illitch n'était pas entouré de personnes qui l'aimaient et

1. Léon Tolstoï, *La Mort d'Ivan Illitch,* Stock, 1976, p. 81.
2. *Ibid.,* p. 49.

c'est peut-être pour cela qu'il finit par souhaiter, du moins un peu, devenir un objet de pitié, état sans grâce dans lequel peu d'individus tomberaient volontairement à la fin de leurs jours. La tentative de sa femme pour lui dissimuler la vérité s'expliquait vraisemblablement par son refus déterminé de faire face aux conséquences affectives qu'aurait une telle révélation. Mais, qu'une tromperie de ce type naisse du mépris ou d'un souci malencontreux d'épargner la victime, elle contraint toujours celle-ci à résoudre seul le problème de sa disparition. Dans le cas de l'épouse d'Ivan Illitch, c'était une attitude de condescendance qui l'amena à considérer que l'un et l'autre auraient moins à souffrir de cette mort s'ils n'en parlaient jamais. Or elle se souciait surtout d'elle-même et non pas de son mari, dont la maladie mortelle la gênait au fond et dérangeait même tout son ménage. Dans cette ambiance, Ivan Illitch ne pouvait se convaincre de faire un esclandre car il en redoutait le résultat :

Rien ne le faisait souffrir comme le mensonge, ce mensonge généralement admis et adopté qu'il était malade, mais point mourant, qu'il lui suffisait de se soigner, de rester tranquille, pour que tout s'arrangeât pour le mieux. Et cependant Ivan Illitch se rendait parfaitement compte que les soins médicaux ne pouvaient avoir qu'un résultat : des douleurs artificiellement entretenues et la mort... A quoi bon mentir, à quoi bon lui cacher ce qu'il n'ignorait pas, ce que nul n'ignorait, pourquoi lui faire jouer de force cette comédie et lui dissimuler la gravité de son état ?...
Le mensonge... Un mensonge commis aux approches du terme fatal, un mensonge qui devait ravaler l'instant solennel de la mort au niveau de leurs visites, de leurs réceptions, de leurs rideaux, de l'esturgeon qu'on servait à dîner !... Rien ne tourmentait Ivan Illitch comme cette ridicule fausse monnaie.
Et, fait étrange, plus d'une fois, en les voyant jouer à leur jeu de dupes, il avait été sur le point de leur crier ;
« Assez de mensonges !... Vous savez que je me meurs, et je le sais autant que vous !... Cessez donc de mentir !...
Mais jamais il n'avait eu le courage de le faire. [3]

---

3. *Ibid.*, p. 64-65.

Il est de nos jours un autre élément qui concourt souvent à isoler le patient gravement malade : je ne trouve pas de mot plus approprié pour le caractériser que l'*inutilité*. La poursuite d'un traitement en dépit de ses faibles chances de réussite peut paraître héroïque à certains mais, dans bien des cas, elle aboutit, sans qu'on le veuille, à desservir le patient. En effet, cette obstination fait disparaître le critère de la franchise et révèle un schisme profond entre les intérêts du malade et de sa famille d'une part et ceux des médecins d'autre part.

Selon la philosophie d'Hippocrate, rien n'a plus d'importance pour le médecin que le bien du patient qui lui demande de le soigner. Si nous vivons actuellement une époque où les besoins de la société dans son ensemble entrent parfois en conflit avec le jugement du médecin concernant les intérêts du malade, il n'en demeure pas moins évident que l'objectif premier des soins médicaux est de vaincre la maladie et de soulager la souffrance. Tout étudiant en médecine apprend très tôt qu'il faut parfois imposer provisoirement une douleur encore plus grande au patient afin de lui permettre de guérir et peu de gens mettraient en cause la nécessité de cette pratique. Le principe s'applique tout particulièrement à la centaine d'affections que regroupe le cancer et pour lesquelles les combinaisons diverses de chirurgie, de radiothérapie et de chimiothérapie produisent, sinon des complications ouvertes, du moins des périodes d'extrême affaiblissement et d'autres désagréments temporaires. L'individu chez qui on a diagnostiqué une affection maligne mais potentiellement curable ne devrait pas baisser les bras dès lors qu'une forme prometteuse de traitement offre la possibilité d'en diminuer les ravages ou de l'éliminer entièrement. Faire le contraire relève non pas du stoïcisme, mais de la folie.

Encore une fois, le dilemme qu'il importe de résoudre dans cette situation réside dans le langage. Ce sont des mots tels que « potentiellement curable » ou « prometteuse » qui compliquent la tâche de communication ; c'est dans ces formulations en apparence si claires mais en réalité très ambiguës que l'on voit les signes du gouffre qui sépare souvent les buts du médecin de ceux des personnes qu'il traite. Quitte à alourdir ces pages d'un récit autobiographique supplémentaire, je retracerai ma propre évolution professionnelle afin de mettre en lumière la progression subtile par laquelle un jeune étudiant en médecine mû exclusivement par le désir de soigner les malades se transforme à son insu en incarnation parfaite de l'efficacité biomédicale.

Avant même d'atteindre l'âge de dix ans, je connaissais bien l'espérance (j'emploie ce mot à dessein) qu'apporte la présence d'un médecin à une famille inquiète. Plusieurs urgences effrayantes ponctuèrent en effet la longue maladie de ma mère, y compris pendant les années précédant sa descente vers la mort. Rien que le fait d'apprendre que quelqu'un était parti à la pharmacie pour appeler le médecin et que celui-ci allait bientôt arriver suffisait à modifier l'ambiance de notre petit appartement, qui passait alors de l'impuissance terrifiée à l'assurance d'un remède possible à cette situation affreuse. Cet homme – celui qui franchissait le seuil de la porte le sourire aux lèvres, rayonnant de compétence, qui appelait chacun de nous par son prénom, qui comprenait que, plus que tout, nous avions besoin qu'il nous rassure et qui y parvenait déjà par sa simple présence –, cet homme était celui que je voulais devenir.

J'avais à l'origine le projet de m'installer comme généraliste dans le Bronx. Au cours de ma première année à la faculté de médecine, j'étudiai le fonctionnement du corps humain ; l'année d'après, j'appris la manière dont il tombe malade. En troisième et en quatrième années, je commençai à être en mesure d'interpréter les histoires que me racontaient mes patients et à me pencher sur les indices physiques et chimiques que livraient leurs maladies, ce mélange de renseignements apparents et occultes que l'anatomopathologiste du dix-huitième siècle Giambattista Morgagni appelait « les cris des organes souffrants ». Afin de pouvoir les entendre, j'étudiai les différentes façons d'écouter et d'observer mes patients. On m'enseigna à examiner des orifices, à lire des radiographies, à chercher un sens dans la composition du sang et de toutes sortes de produits d'élimination. Avec le temps, je savais exactement les analyses qu'il convenait d'effectuer, à partir des indices les plus évidents, pour cerner les altérations cachées qui caractérisent toute maladie. Ce processus a reçu le nom de physiopathologie. C'est la maîtrise de ses cheminements tortueux qui permet dans chaque cas précis de découvrir le mode de dérèglement des mécanismes normaux de la vie et de la santé. Comprendre la physiopathologie, c'est détenir la clé du diagnostic, sans lequel il ne peut y avoir de guérison. Face à une maladie grave, le médecin a toujours pour mission de diagnostiquer, puis de concevoir le traitement adéquat et de le mener à bien. Cette mission, cette quête, je l'appelle l'Énigme, mot que j'écris avec une majuscule initiale pour insister sur sa primauté par rapport à toute autre considération. La satisfaction que procure la résolution de l'Énigme constitue sa propre récompense. Force motrice qui anime les spécialistes les mieux formés de la médecine, c'est l'aune à laquelle tout médecin mesure ses propres capacités, la composante fondamentale de l'estime qu'il a de lui-même en tant que professionnel.

A la fin de mes études de médecine, j'avais découvert des dimensions insoupçonnées de la recherche diagnostique et des défis sans cesse renouvelés dans le domaine du traitement. Mon but était désormais de cerner au plus près l'évolution d'un processus pathologique afin d'être en mesure de choisir les meilleures armes pour le combattre : tantôt l'ablation, tantôt la réparation, tantôt la modification biochimique ou toute autre modalité parmi celles qui voient régulièrement le jour. Six années d'internat m'avaient mis en situation d'aborder chaque aspect de l'Énigme, qui s'était convertie entre-temps en la passion de ma vie. J'étais devenu une fidèle reproduction de mes professeurs.

J'avais désormais abandonné mon projet de devenir médecin de quartier dans le Bronx ou tout autre endroit similaire. Je n'oubliai certes pas qu'il fallait être pour mes patients ce que le généraliste avait été pour ma famille, mais je me rends compte aujourd'hui que l'image de ce dernier n'était plus celle que j'admirais plus que tout. L'Énigme m'absorbait totalement et la source de mon inspiration était le médecin qui parvenait le mieux à la résoudre.

Tout au long de ma vie professionnelle, j'ai tâché, comme le font à mon avis l'immense majorité des praticiens, de me rendre digne du médecin dont l'exemple m'avait incité à embrasser cette carrière. Mais à côté de cet exemple se trouve une autre image plus puissante, celle du défi qui pousse à agir, qui encourage chaque médecin à chercher sans relâche à parfaire ses compétences, qui débouche sur la quête acharnée d'un diagnostic et d'une guérison, qui a permis les progrès époustouflants de la médecine clinique de cette fin de siècle. Or ce défi-là, qui prend le pas sur tous les autres, ne concerne pas foncièrement le bien-être de l'individu mais plutôt la solution de l'Énigme que pose sa maladie.

Le médecin s'efforce en permanence de traiter ses patients avec cette empathie qui constitue un élément si vital de leur rétablissement et de les orienter vers des décisions qui, à ses yeux, permettront de soulager leur souffrance. Mais cet effort ne suffit pas à entretenir et à élargir ses compétences, ni même à maintenir la flamme de son enthousiasme. Non : c'est l'Énigme qui anime les plus doués et les plus dévoués de nos praticiens.

Hippocrate, dans l'un des préceptes, dit : « Là où il y a amour pour l'humanité, il y a aussi amour pour l'art de la médecine. » Phrase qui n'a rien perdu de sa validité ; d'ailleurs, dans le cas contraire, la tâche qui consiste à soigner ses prochains se convertirait rapidement en calvaire. Il n'empêche que, pour le médecin, les satisfactions les plus fortes viennent non pas du travail de son cœur mais de celui de son esprit : c'est là que la passion est le plus intense. J'ai fini par prendre conscience de cette vérité et même de sa nécessité. Le médecin doit tenir compte de cette dimension de son propre comportement à chaque fois qu'il s'occupe d'un de ses semblables ; le patient, quant à lui, doit comprendre que la quête de la solution de l'Énigme n'est pas toujours en accord avec son intérêt au crépuscule de sa vie.

Aucun spécialiste ne peut nier que, à un moment ou à un autre, il lui est arrivé de persuader un patient de subir les conséquences de mesures diagnostiques ou thérapeutiques à un stade tellement avancé de la maladie que l'on aurait peut-être mieux fait de laisser l'Énigme sans solution. Souvent vers la fin, s'il avait le recul nécessaire, le médecin reconnaîtrait éventuellement que ses décisions et ses conseils traduisent son incapacité à se détourner de l'Énigme, à s'avouer vaincu tant qu'il entrevoit la possibilité la plus infime de la résoudre. En dépit de sa bienveillance et de sa sollicitude à l'égard de ses patients, il laisse ces qualités de côté, tant l'Énigme le séduit et l'affaiblit aussi longtemps qu'il n'y trouve pas de solution.

Les malades ont souvent une admiration quasi religieuse pour leur médecin : ils créent avec lui une relation de transfert, au sens psychanalytique du terme ; ils s'appliquent à lui faire plaisir ou, tout au moins, à ne pas le contrarier. Dans l'esprit de certains, le médecin sait toujours ce qu'il fait, et le superspécialiste qui s'occupe des cas les plus graves à l'hôpital ne connaît tout simplement pas l'incertitude. Ces patients sont persuadés – surtout lorsque le médecin en question manie des technologies de pointe – que le choix du traitement conseillé repose forcément sur de solides fondements scientifiques.

Or le patient a souvent des raisons légitimes pour ne plus continuer la lutte quand il n'existe qu'une faible possibilité de survie. Certaines sont philosophiques ou religieuses, d'autres ont un caractère pratique et d'autres encore reflètent la conviction que, dès lors qu'il faut mener une lutte acharnée pour se rétablir, le jeu n'en vaut pas la chandelle. Comme me le dit un jour une infirmière en cancérologie d'une grande perspicacité : « Il y a des personnes pour qui même la certitude de s'en tirer au bout de plusieurs semaines de détresse ne justifie pas le prix physique et affectif qu'elles devront payer pour y arriver. »

Pendant que j'écris ces lignes, j'ai sur mon bureau le dossier médical de Mlle Hazel Welch, une dame de quatre-vingt-douze ans qui vivait dans le service de convalescence d'une résidence pour personnes âgées située à huit kilomètres environ de l'hôpital Yale-New Haven. Bien que mentalement alerte, Mlle Welch avait besoin des soins infirmiers dispensés dans ce service parce que l'obstruction par artériosclérose des artères de ses jambes avait évolué au point de l'empêcher désormais de marcher sans assistance. A l'époque de l'affection aiguë pour laquelle je la soignais, elle figurait sur la liste des candidats semi-volontaires pour une amputation, en l'occurrence celle d'un des orteils du pied gauche, qui se gangrenait. Elle prenait des anti-inflammatoires pour son arthrite et sa leucémie chronique se trouvait dans un stade de rémission. « Un pivot par ci, une roue par là, aujourd'hui un pignon, demain un ressort » étaient en train de lâcher et Thomas Jefferson m'aurait probablement conseillé de renoncer à la folle entreprise de vouloir empêcher toute la machine de s'arrêter entièrement.

Le 23 février 1978, au tout début de l'après-midi, Mlle Welch s'effondra sans connaissance en présence de l'une des aides-soignantes. L'ambulance la transporta aussitôt au service des urgences de l'hôpital Yale-New Haven, où l'on découvrit que sa tension artérielle n'était plus mesurable : l'examen physique laissa soupçonner une grave péritonite. A la suite d'une perfusion rapide, elle se ranima suffisamment pour que l'on puisse faire des radios, qui révélèrent l'existence d'une quantité importante d'air libre dans sa cavité abdominale. Pas de doute : son tube digestif était perforé, selon toute vraisemblance en raison d'un ulcère du duodénum, juste au-delà de l'estomac.

Mlle Welch, de nouveau consciente et parfaitement lucide, refusa de se faire opérer. Elle m'affirma, avec son fort accent de la Nouvelle-Angleterre, que son séjour sur notre planète avait « assez duré comme ça, jeune homme » et qu'elle ne tenait pas à le prolonger davantage. Elle n'avait plus personne, dit-elle, pour qui cela valait la peine de vivre : dans son dossier figurait, dans le blanc laissé à côté des mots « parent proche », le nom d'un fiduciaire de la Connecticut National Bank. Pour moi, qui me trouvais en parfaite santé et chaleureusement entouré de ma famille et de mes amis, cette décision ne rimait à rien. Debout à côté de son chariot, je sortis tous les arguments dont je disposais pour la convaincre que, compte tenu de la lucidité extraordinaire de son esprit et des succès remportés sur sa leucémie, elle avait encore de belles années devant elle. J'avouai en toute sincérité que, en raison de l'état de son athérosclérose et de sa péritonite, elle n'aurait qu'une chance sur trois de se remettre de la chirurgie qui s'imposait. Puis d'ajouter : « Mais une sur trois, Mlle Welch, vaut bien plus qu'une mort certaine, car c'est ce qui vous attend si vous ne consentez pas à l'opération. » Mon point de vue me semblait relever de l'évidence et j'avais du mal à imaginer qu'une personne aussi manifestement sensée puisse ne pas y souscrire. Or ma patiente resta campée sur ses positions. Je la laissai seule en espérant qu'elle y réfléchirait encore ; cependant, ses chances de survie diminuaient avec chaque minute qui passait.

Je revins un quart d'heure plus tard. Elle se trouvait en position semi-assise sur le chariot, d'où elle me jeta le genre de mau-

vais regard que l'on réserve d'habitude à un méchant petit garçon. Tendant la main pour prendre la mienne, elle me regarda
droit dans les yeux, comme pour me confier une mission capitale dont j'aurais à assumer seul l'entière responsabilité en cas
d'échec. « D'accord, dit-elle, je le ferai, mais seulement parce
que je vous fais confiance. » Tout d'un coup, mes certitudes se
mirent à chanceler.

L'opération me révéla une perforation duodénale tellement
béante que sa réparation exigeait une intervention chirurgicale
bien plus importante que prévu. L'estomac s'était séparé presque
totalement du duodénum – on aurait dit le résultat d'une explosion – et l'abdomen de Mlle Welch regorgeait de suc digestif
corrosif et de morceaux entiers du déjeuner qu'elle avait pris
quelques minutes avant son effondrement. Je fis le nécessaire,
refermai l'abdomen et laissai transporter ma patiente dans l'unité
de réanimation chirurgicale. Puisqu'elle n'était plus en mesure
de respirer, l'intubation trachéale fut poursuivie pendant plusieurs jours.

Alors que, vers la fin de la semaine, l'état de Mlle Welch
s'améliorait, elle n'était pas suffisamment alerte pour se rendre
compte de ce qui se passait autour d'elle. Mais elle reprit enfin
ses esprits et, jusqu'au moment où, deux jours plus tard, on put
retirer le tube d'entre ses cordes vocales, elle me mitraillait du
regard sans interruption au cours de mes deux visites quotidiennes. Quand elle eut retrouvé la parole, elle ne tarda pas à
me faire comprendre le sale tour que je lui avais joué en l'empêchant de mourir comme elle le souhaitait. Je la laissai fulminer,
convaincu que j'étais d'avoir bien fait. D'ailleurs, la preuve
vivante se trouvait sous mes yeux : Mlle Welch n'avait-elle pas
survécu ? Toutefois, elle ne l'entendait pas de cette oreille et elle
m'accusa vertement de trahison pour avoir minimisé les difficultés qui allaient suivre l'opération. En effet, sachant qu'elle
aurait refusé cette chirurgie vitale si je l'avais avertie des souffrances qui attendent à ce stade beaucoup de personnes âgées
atteintes d'artériosclérose, je m'étais attaché à dédramatiser cet
aspect du problème. Mais maintenant, dit-elle, elle avait trop
enduré pour garder encore sa confiance en moi ; elle était évidemment de ceux dont la survie ne justifiait pas cette épreuve,

épreuve que je n'avais pas annoncée en toute sincérité. Ayant agi pour son bien, du moins tel que je le concevais, j'étais pourtant condamné pour un paternalisme de la pire espèce : j'avais retenu des informations de peur que ma patiente les utilise pour prendre une décision que je jugeais mauvaise.

Quinze jours après son retour à la résidence, Mlle Welch eut une attaque cérébrale violente dont elle mourut en moins de vingt-quatre heures. Conformément aux instructions qu'elle avait données par écrit en présence de son fiduciaire dès sa sortie de l'hôpital, on ne tenta rien qui dépassât les soins infirmiers. En effet, elle avait précisé noir sur blanc qu'elle ne voulait pas que se reproduise son expérience récente. Pour ma part, je soupçonne que, outre l'effet traumatisant de sa péritonite et de la chirurgie, qui avait certainement augmenté les risques d'attaque cérébrale, sa colère opiniâtre devant ma tromperie bien intentionnée avait également joué un rôle. Mais peut-être le facteur décisif de sa mort fut-il tout simplement qu'elle ne tenait plus à continuer de vivre, vœu dont mon opération avait empêché la réalisation. J'avais triomphé de l'Énigme mais perdu la bataille du traitement humain des patients.

Une prise en compte sérieuse des éléments présentés dans le chapitre de cet ouvrage consacré au vieillissement m'aurait pourtant fait hésiter à conseiller une intervention chirurgicale. Pour Mlle Welch, l'épreuve ne se justifiait pas malgré le succès éventuel de l'opération, mais je n'avais pas eu la sagesse de me rendre à cette évidence. Il n'en va plus de même aujourd'hui. Si c'était à refaire, ou si je pouvais revivre un autre incident semblable de ma carrière professionnelle, je prêterais une oreille plus attentive aux propos de ma patiente et je lui demanderais moins d'écouter les miens. Mon but avait été de vaincre l'Énigme, le sien de profiter de cette maladie inopinée pour mourir de façon clémente. Elle avait capitulé uniquement pour me faire plaisir.

Le paragraphe que vous venez de lire contient un mensonge. J'y laisse entendre que j'aurais agi différemment tandis que je sais pertinemment que j'aurais procédé exactement de la même façon, sous peine de me faire mépriser par mes confrères. C'est dans des cas de ce type que le moraliste qui entreprend de juger les actes du praticien manque sa cible car, à la distance où il se trouve, il est incapable de voir les tranchées où se déroule le combat. La déontologie chirurgicale veut que l'on ne laisse pas mourir un patient tel que Mlle Welch dès lors qu'une opération relativement simple pourra la sauver : celui qui ose enfreindre cette règle primordiale, et pour louables que soient ses intentions, le fait à ses risques et périls. Du point de vue de n'importe quel chirurgien, j'avais pris une décision rigoureusement clinique dans laquelle l'éthique ne devait pas entrer en ligne de compte. Si j'avais cédé aux instances de Mlle Welch, j'aurais eu à justifier mon choix et ses conséquences lors de la réunion hebdomadaire du service de chirurgie, choix dont personne ne se serait avisé d'attribuer la responsabilité à ma patiente : mes confrères inflexibles auraient vu dans la mort de celle-ci le résultat d'une lourde erreur de jugement et peut-être même d'une grave faute professionnelle, compte tenu de mon devoir de protéger la vie. Ils n'auraient pas manqué de me critiquer sévèrement pour n'avoir su passer outre à un souhait en apparence aussi peu sensé ; la pièce aurait résonné de phrases comme celles-ci : « Le fait qu'une vieille dame veuille mourir nous oblige-t-il à nous en rendre complices ? Un chirurgien ne doit prendre que des décisions cliniques et, en l'occurrence, la bonne décision était celle d'opérer. Laissons au clergé le soin du moralisme ! » Voilà le genre de pression auquel je n'aurai pas la présomption de me prétendre insensible. D'une façon ou d'une autre, le credo du sauvetage qui anime la médecine de pointe finit par l'emporter, et il en est presque toujours ainsi.

Le traitement appliqué à Mlle Welch correspondait non pas à ses objectifs mais aux miens et au code consacré de mon domaine de spécialisation. Je me lançai dans une entreprise inutile qui la priva de cette espérance particulière à laquelle elle tenait, celle de pouvoir un jour saisir l'occasion appropriée pour quitter tranquillement ce bas monde. Les infirmières et moi-même avions les moyens, en dépit du fait qu'elle n'avait plus de famille, de veiller à ce qu'elle ne meure pas dans la solitude, du moins pour autant que cela soit possible à des étrangers bienveillants à l'égard d'une vieille personne sans amis. Au lieu de quoi elle subit le sort de tant de ceux qui meurent à l'hôpital, une mort éloignée de la réalité précisément à cause de la bio-technologie et de la professionnalisation censées permettre le retour à une vie qui ait un sens.

Les bips et les grincements des moniteurs, le sifflement des respirateurs et des matelas à air, le clignotement multicolore des témoins lumineux, toute la panoplie technologique représente le fond audiovisuel de pratiques qui ôtent à l'individu la tranquillité qu'il est en droit d'attendre et qui le coupent de ces rares êtres qui ne veulent pas le laisser mourir tout seul. C'est ainsi que cette biotechnologie conçue pour nourrir l'espoir l'anéantit dans les faits et interdit aux survivants de garder intacts ces derniers souvenirs qui devraient appartenir à ceux qui accompagnent le mourant à la fin de ses jours.

Toute percée scientifique ou clinique a des répercussions cul-turelles et parfois symboliques. A titre d'exemple, on peut consi-dérer que l'invention du stéthoscope en 1816 amorça le proces-sus par lequel le médecin commença à s'éloigner du patient. Certains observateurs de l'époque comptaient d'ailleurs cette séparation parmi les avantages de cette invention, étant donné que, encore aujourd'hui, peu de cliniciens acceptent volontiers de plaquer l'oreille contre la poitrine d'un malade. La possibi-lité qu'il offre d'éviter cette situation gênante ainsi que sa valeur en tant que symbole de prestige constituent encore de nos jours l'une des raisons inexprimées de la grande faveur dont bénéfi-cie le stéthoscope. Il suffit de passer quelques heures en com-pagnie d'un jeune interne pendant ses visites pour se faire une idée des multiples rôles que joue cet emblème d'autorité et de détachement pendant à son cou.

Du point de vue purement clinique, il ne s'agit que d'un ins-trument de plus permettant de transmettre le son ; de même, on pourrait concevoir un service de réanimation comme un palais des merveilles technologiques dans lequel on isole les malades pour mieux pouvoir les soigner. Cette enceinte isolée représente en effet la forme consommée du refus de notre société d'accep-ter le caractère naturel ou même la nécessité de la mort. Pour de nombreux mourants, la claustration au milieu d'étrangers qu'impose le service de réanimation détruit leur espoir d'échap-per à l'abandon pendant leurs dernières heures. Car ils *sont* abandonnés entre les mains d'un personnel hautement spécialisé, muni des meilleures intentions, mais qui les connaît à peine.

A l'heure actuelle, on vise surtout à cacher la mort aux regards. Philippe Ariès, dans son analyse classique des rites se rapportant à la mort, désigne ce phénomène moderne sous le nom de « mort invisible ». Mourir, fait-il remarquer, est laid et sale, et notre époque supporte de moins en moins la laideur et la saleté. Voilà pourquoi il faut évacuer la mort, l'enfermer dans des lieux bien isolés :

> [C'est] la mort cachée à l'hôpital, commencée très timidement dans les années 1930-1940, généralisée à partir de 1950 (…) les sens ne supportent plus les odeurs et les spectacles qui, encore au début du XIXᵉ siècle, faisaient partie, avec la souffrance et la maladie, de la quotidienneté. Les séquelles physiologiques sont sorties de la quotidienneté pour passer dans le monde aseptisé de l'hygiène, de la médecine et de la moralité, au début confondues. Ce monde a un modèle exemplaire, l'hôpital et sa discipline cellulaire (…).
>
> (…) sans qu'on l'avoue toujours, ce dernier a offert aux familles l'asile où elles ont pu cacher le malade inconvenant, que ni le monde ni elles-mêmes ne pouvaient plus supporter (…) il devient le lieu de la mort solitaire (…). [4]

Aux États-Unis, 80 % des décès ont lieu aujourd'hui à l'hôpital. Cette proportion a régulièrement augmenté depuis 1949, date à laquelle elle se situait autour de 50 %, pour atteindre 61 % en 1958 et 70 % en 1977. On ne saurait expliquer cette hausse exclusivement par l'accroissement du nombre des malades nécessitant des soins poussés que seul l'hôpital peut fournir. Car ici, le symbolisme culturel de la séquestration des mourants n'a pas moins de poids que la perspective strictement clinique de leur donner un large accès au personnel et aux équipements les plus performants ; dans le cas de la plupart des malades, il s'agit même du facteur prédominant.

La mort solitaire est désormais tellement reconnue comme telle que notre société a commencé à s'y opposer, et c'est tant

---

4. Philippe Ariès, *L'Homme devant la mort*, Seuil, 1977, t. 2, p. 280.

mieux. Depuis la sagesse des textes juridiques jusqu'à la philosophie discutable d'associations en faveur du suicide, il existe un large éventail d'options qui, au fond, ont le même objectif : rendre à l'individu l'espoir que les derniers moments de sa vie seront guidés non pas par des bio-ingénieurs mais par ceux qui le connaissent en tant qu'être humain.

Cet espoir, cette assurance qu'il n'y aura pas d'efforts déraisonnables, équivaut à une affirmation de l'idée selon laquelle la dignité à rechercher dans la mort d'un homme vient du regard que portent les autres sur la vie qu'il a menée. Il s'agit d'une dignité qui procède d'une existence épanouie et de l'acceptation de sa propre disparition comme processus nécessaire de la nature qui permet à l'espèce humaine de se prolonger dans les enfants, les siens comme ceux des autres. C'est en même temps une façon de reconnaître que la vie se termine effectivement par la mort et non par les tentatives menées pour la prévenir. Notre société est tellement éblouie par les merveilles de la science moderne qu'elle se trompe d'objet. Or c'est la mort qui compte ; c'est elle la protagoniste du drame du mourant. Quant au chef plein de panache de l'escadron des sauveteurs, il n'est qu'un simple spectateur, relégué de surcroît aux derniers rangs.

D'autres époques voyaient l'heure de la mort, pour autant que la situation l'autorisait, comme une occasion de consécration spirituelle et d'une ultime communion avec ceux qui survivaient au mourant. Ce dernier n'attendait pas moins que cela et on pouvait difficilement le lui refuser. Au moment de son effacement et après les affres qui, vraisemblablement, l'avaient précédé, c'était sa consolation et celle de ses proches. Pour beaucoup, cette communion fondait non seulement le sentiment d'assister à une bonne mort mais l'espérance qu'ils retiraient de leur croyance en Dieu et dans l'au-delà.

Étrange ironie du sort que l'obligation dans laquelle je me vois de rappeler, dans cette tentative pour redéfinir l'espoir, ce qui en fut jusqu'il y a peu le lieu privilégié. En effet, les mourants se tournent moins aujourd'hui qu'à tout autre moment de ce millénaire vers Dieu et la promesse d'une vie après la mort. Mais, de toute façon, il n'appartient pas aux professionnels de santé ni aux sceptiques de mettre en cause la foi de quelqu'un d'autre, surtout quand c'est celui-ci qui va au-devant de l'Éternel ; il arrive même parfois que des agnostiques ou des athées trouvent en pareil cas un réconfort dans la religion et ce retournement mérite notre respect. Combien de fois, en tant que jeune chirurgien, n'ai-je entendu un médecin ou une infirmière se moquer du sacrement de l'extrême onction – « Autant lui annoncer qu'il va bientôt mourir » – et puis hésiter à appeler le curé dont le patient, pour peu qu'il eût su la vérité, aurait préféré la présence à celle du docteur ! Il y a quelques années, mon hôpital tenait une liste des malades gravement atteints, dite « liste de danger ». A chaque fois que l'on y inscrivait le nom d'un catholique, on convoquait automatiquement son prêtre. Parmi les nombreuses raisons de la disparition d'une classification de ce type, il convient notamment de souligner la réticence officielle à « effrayer » le patient en laissant pénétrer dans sa chambre un homme en soutane puisque, dans bien des cas, il s'agit là de la première indication de la gravité de son état. C'est par de telles astuces que la hiérarchie hospitalière a fermé la porte à l'espérance, au point de détourner la foi religieuse pour parvenir à ses fins.

Pourtant, l'espoir que nourrit un mourant dépend quelquefois de la réalisation d'un rêve des plus modestes, comme celui de vivre jusqu'à ce que sa petite-fille obtienne son diplôme ou de participer à des vacances investies d'une importance particulière. La littérature spécialisée présente de nombreux exemples de la puissance de pareilles espérances, qui permettent au malade non seulement de se maintenir en vie pour la durée requise mais de conserver pendant ce temps son optimisme. Tout médecin ainsi que nombre de profanes peuvent témoigner de cas où l'individu a survécu des semaines durant et contrairement à tous les pronostics afin d'assister à une dernière fête de Noël ou d'attendre le retour d'un être cher qui était parti à l'étranger.

La leçon à en tirer, on la connaît bien. L'espoir ne réside pas uniquement dans la perspective d'une guérison ou même d'une simple rémission du mal présent. Pour le mourant, cette perspective sera inévitablement démentie à la longue et même la promesse d'un peu de soulagement se révèle souvent illusoire. Pour ma part, j'ai la conviction que, quand mon jour viendra et dans la mesure du possible, on ne me laissera pas souffrir ni subir des efforts inutiles de prolongation de la vie, qu'on ne m'abandonnera pas à une mort solitaire. C'est là que je chercherai mon espérance ; d'ailleurs, je la cherche déjà dans la manière dont j'essaie de vivre pour que ceux qui m'apprécient profitent de mon séjour sur terre et gardent des souvenirs réconfortants de l'importance que nous avons eue l'un pour l'autre.

Certains la trouveront dans la foi, dans leur croyance dans un au-delà, d'autres la fonderont sur l'attente d'un événement ou d'une grande réalisation, d'autres encore la nourriront grâce au sentiment qu'ils ont de disposer des moyens leur permettant de choisir le moment de leur mort ou même de se la donner librement. Mais, quelle que soit la forme qu'elle revêt, chacun doit définir l'espérance à sa façon.

Il est un mode d'abandon particulier que l'on voit très souvent dans le cas de cancéreux en phase terminale et qui mérite ici un moment d'attention : je veux parler de l'abandon de la part des médecins. Ces derniers jettent rarement l'éponge de bon cœur. Tant qu'ils entrevoient la possibilité de résoudre l'Énigme, ils s'acharnent, si bien qu'il faut parfois l'intervention de la famille ou du patient pour les faire renoncer à une entreprise vouée à l'échec. Mais, dès lors qu'ils se rendent compte qu'il n'y a plus d'Énigme sur laquelle se concentrer, beaucoup de médecins sentent le sol se dérober sous leurs pieds. Au fur et à mesure que le siège de la citadelle se prolonge et que, l'un après l'autre, les traitements montrent leur inefficacité, l'enthousiasme commence à fléchir. C'est alors que le médecin a tendance à disparaître, à s'absenter affectivement, voire physiquement.

On a avancé de nombreuses hypothèses pour expliquer cet abandon du patient pour qui il n'y a plus d'espoir. Certaines études réalisées concluent que, de toutes les professions, la médecine est celle qui attire potentiellement le plus d'individus angoissés eux-mêmes par la mort. On devient médecin parce que la capacité de guérir donne un pouvoir sur cette mort que l'on redoute tant ; or toute perte de ce pouvoir constitue une telle menace que l'on doit s'en détourner, en même temps que du malade qui l'incarne. Le médecin est un « battant » : c'est ainsi qu'il a pu survivre à une concurrence effrénée pour se former, obtenir son diplôme et conquérir sa position. A l'instar d'autres individus doués, il a régulièrement besoin de voir ses compétences reconnues. Par conséquent, tout revers qu'il essuie ébrèche sérieusement son image de marque, chose que pardonnent difficilement les membres de cette profession on ne peut plus égocentrique.

Une autre composante de la personnalité de nombreux médecins, liée sans doute à la peur de l'échec, m'a souvent frappé : un besoin de maîtrise qui dépasse le niveau que la plupart des gens jugeraient raisonnable. Lorsqu'une personne de ce type voit la situation lui échapper, elle se sent perdue et réagit particulièrement mal aux conséquences de cette impuissance. Soucieux de garder son pouvoir, le médecin se persuade, généralement sans s'en rendre compte, qu'il comprend bien mieux que le patient l'action qu'il faut entreprendre. Il se borne à transmettre la quantité d'informations qu'il juge indispensable et, ce faisant, il influence les prises de décision de son patient par un moyen dont il refuse de reconnaître le caractère intéressé. Voilà justement le genre de paternalisme sur lequel reposait mon erreur à l'égard de Mlle Welch.

L'incapacité de faire face aux conséquences d'une perte de maîtrise conduit parfois le médecin à tourner le dos à une situation où son pouvoir ne s'exerce plus : il s'agit sûrement là d'un élément de cette abdication de responsabilité que l'on constate souvent vers la fin de la vie du patient. Grâce à la formulation structurée qu'il croit déceler dans l'Énigme et à la manière systématique dont il s'efforce de la résoudre, le médecin ordonne le chaos et se dote d'un pouvoir sur la maladie, la nature et son propre univers personnel. Mais, à partir du moment où l'Énigme n'est plus, le malade l'intéresse de moins en moins, voire plus du tout. Assister sereinement au triomphe des forces indomptables de la nature, ce serait accepter sa propre impuissance.

Ou alors, ayant perdu la bataille, le médecin réaffirme tout de même un peu d'autorité dans ce sens qu'il exerce une influence sur le processus de la mort, notamment en en maîtrisant la durée et en déterminant le moment précis de la fin. Il prive ainsi le mourant et ses proches du pouvoir qui devrait être le leur. A l'heure actuelle, de nombreux patients hospitalisés ne meurent en effet que lorsque le médecin le décide. J'estime que, par-delà la curiosité intellectuelle et le désir de relever des défis sans lesquels il ne peut y avoir de recherches sérieuses, le fantasme de dominer la nature se trouve au cœur même de la science moderne. La profession médicale a beau s'appuyer sur l'art et la philosophie, elle est devenue dans une large mesure une affaire de sciences appliquées qui visent à cette conquête. Le but véritable du scientifique est non seulement la connaissance pour la connaissance mais la connaissance comme moyen de vaincre tout ce qui, dans l'environnement, lui semble hostile. Chaque patient décédé vient rappeler au médecin les limites de sa maîtrise et de celle de l'humanité face aux forces naturelles, limites qui ne s'effaceront jamais. La nature l'emporte toujours à la fin, et la survie de notre espèce exige qu'il en soit ainsi.

Cette nécessité de la victoire finale de la nature était comprise et acceptée par les générations qui précédèrent la nôtre. Les médecins reconnaissaient plus facilement qu'aujourd'hui les signes de la défaite et les niaient avec moins d'arrogance que leurs homologues actuels. Depuis, cette humilité a disparu et, avec elle, une part de l'autorité morale dont bénéficiait autrefois le corps médical. L'augmentation spectaculaire des connaissances scientifiques nous empêche d'admettre facilement que, malgré tout, on continue de maîtriser moins de choses qu'on ne voudrait. Se gonflant de vanité, les médecins s'estiment tout-puissants en raison de leur science et, donc, seuls habilités à juger du bon usage à faire de leurs compétences. A la modestie qu'aurait dû apporter un surplus de connaissances se substitue l'outrecuidance médicale : puisque nous savons et pouvons tant, il n'y a pas de limites à ce qu'il faut essayer, *et ce aujourd'hui même, pour ce patient-ci !*

Plus le médecin est spécialisé et plus on peut parier que la solution de l'Énigme constitue sa principale motivation. On doit beaucoup à cette obsession : les grandes avancées cliniques dont tous les patients profitent, mais aussi la déception que l'on ressent en découvrant que le médecin n'est pas en mesure de combler les espérances nourries à son égard et que l'on avait peut-être tort de lui en demander tant. Intellectuellement, l'Énigme l'attire tel un aimant ; humainement, elle lui pèse comme un fardeau.

Les cancérologues comptent parmi les médecins les plus déterminés, prêts comme ils sont à faire une ultime tentative afin de repousser l'inéluctable : on les retrouve souvent sur les barricades alors que les autres insurgés ont déjà replié leur étendard. De même que beaucoup d'autres spécialistes, ils sont capables de compassion et de bonté ; face au patient, il leur arrive souvent d'aborder en détail des traitements et des complications, d'exposer des stratégies et de tisser des liens forts avec le malade et ses proches. Mais, en dépit de ces vertus, ils parviennent rarement à une compréhension authentique de la nature spirituelle de ceux qu'ils soignent ou de leurs réactions subjectives à la menace permanente qui pèse sur eux. Constat navrant, cette remarque s'applique à l'immense majorité des spécialistes qui s'occupent des maladies les plus complexes. Quand je repense aujourd'hui à mes trente ans d'exercice, je m'aperçois que je suis devenu davantage le technicien qui résout des problèmes que le médecin du Bronx qui n'a d'autre désir que de secourir ses patients.

Mais, s'il ne faut plus attendre l'impossible de son médecin, à quoi se fier en tant que patient pour prendre des décisions rationnelles ? Notons d'abord que ce même médecin peut encore guider et conseiller. En fait, les renseignements qu'il donne revêtent d'autant plus d'importance que l'on apprend à s'en servir pour comprendre soi-même la physiopathologie qu'il connaît si bien. Le spécialiste, à partir du moment où il a conscience de ne plus pouvoir dominer le jugement du patient, sera moins enclin à s'exprimer de manière à conditionner les décisions à prendre. C'est pourquoi tout patient a intérêt à étudier sa maladie et à la connaître suffisamment bien pour pouvoir se rendre compte du jour où l'opportunité de poursuivre le traitement ne sera plus justifiée. Cette éducation commence par la connaissance du fonctionnement normal du corps, prélude utile à la découverte des dérèglements auxquels il est sujet. Le cancer représente de toute évidence un processus qui se prête particulièrement bien à cet usage, et il n'y a aucune raison pour que l'immense majorité des gens ne puissent pas atteindre ce niveau de compréhension.

Dans mon analyse de l'Énigme, je n'ai rien dit jusqu'ici du type de praticien qui en subit moins l'emprise que le spécialiste.

Or la relation qui se crée entre le patient et son médecin de famille restera le fondement même de la guérison, ce qu'il est d'ailleurs depuis l'époque où Hippocrate mit par écrit ses réflexions sur le sujet. Et, lorsque la guérison devient impossible, cette relation revêt une importance inestimable.

Les pouvoirs publics feraient bien de revaloriser cette médecine de famille et les soins de santé primaires qui devraient former le socle de tout système de santé. Il importe de donner aux facultés de médecine et aux hôpitaux les finances dont ils ont besoin pour assurer une solide formation dans ce domaine et d'encourager le dévouement de jeunes gens de talent. Parmi les innombrables avantages possibles d'un tel système, je soulignerais avant tout l'effet humanisant qu'il aurait sur la façon dont on meurt. Le patient doit tant endurer à l'heure de la mort qu'il serait mal inspiré de rendre cette épreuve plus pénible encore en s'adressant exclusivement à des étrangers spécialisés alors qu'il pourrait s'en remettre à celui qui a maintes fois montré sa sensibilité au cours des années où il l'a traité.

Quand on avance vers la mort, on n'éprouve pas que douleur et chagrin. Le regret figure parmi les fardeaux les plus lourds à porter. Pour inévitable que soit la mort et pour probables que soient les souffrances qui la précèdent, surtout dans le cas du cancer, il est certains bagages presque obligatoires pour ce dernier voyage mais dont on peut en partie se délester à condition de s'y prendre à l'avance. Il s'agit, bien sûr, des conflits non résolus, des blessures non cicatrisées, des aptitudes non réalisées, des promesses non tenues, des années que l'on ne connaîtra jamais. Pour la quasi-totalité des hommes, il restera des dossiers en suspens. Seuls les plus vieux échappent à cette règle, et encore…

Pour paradoxal que cela puisse paraître, on devrait peut-être se réjouir de l'existence même d'affaires non réglées. Il n'y a guère que celui qui, en apparence vivant, mais en fait mort depuis longtemps – état d'inertie peu enviable – qui n'a pas « des promesses à tenir et des kilomètres à parcourir avant de s'endormir ». Au sage conseil indiquant qu'il convient de vivre chaque jour comme si c'était le dernier, ajoutons qu'il faut le vivre comme si on allait demeurer éternellement sur terre.

On évitera encore une charge inutile en se rappelant l'avertissement de Robert Burns quant aux plans les mieux élaborés du monde. Car la mort correspond rarement, voire jamais, aux projections que l'on fait à son sujet. Chacun veut « y passer » comme il faut, dans les règles modernes de l'*ars moriendi* et la beauté des derniers moments de la vie. Depuis que l'homme laisse des traces écrites, il consigne son désir d'une fin idéalisée que d'aucuns appellent la « bonne mort ». Or nul n'a de bonnes raisons d'y compter. Il y a certes des écueils à éviter dans les décisions à prendre et des formes d'espérance à rechercher mais, au-delà, il faut se pardonner de ne pas être à la hauteur de quelque image préconçue de la mort idéale.

La nature a une tâche à accomplir, et pour ce faire elle utilise la méthode qui semble la mieux appropriée pour l'individu qu'elle a créé : tel est sujet aux maladies du cœur, tel autre à l'attaque cérébrale et tel autre encore au cancer, que ce soit au terme d'un long séjour sur terre ou après une période que l'on jugera trop courte. L'économie animale constitue le cadre dans lequel chaque génération cède la place à la suivante. Sur l'implacable force des cycles naturels, il ne peut y avoir de victoire durable.

Le jour venu, quand on ne doute plus d'être parvenu à ce stade où, comme le dit Browning, nos « pieds marchent sur le chemin de tout être en chair et en os », il incombe à chacun de se souvenir que ce destin touche non seulement l'homme mais toute forme de vie. La nature a ses propres plans en la matière et, en dépit des astuces que l'on invente pour en retarder l'exécution, on ne peut les annuler. Même le suicide participe du cycle ; peut-être la force qui y pousse fait-elle partie d'un vaste dessein, exemple supplémentaire des lois immuables de la nature et de son économie animale. C'est dans ce sens qu'il convient de comprendre les propos que Shakespeare prête à Jules César : « De tous les miracles dont j'entends parler, le plus étrange est la peur ; puisque la mort est une fin nécessaire, qui vient quand elle vient. »[5]

---

5. William Shakespeare, *Jules César, in Œuvres complètes,* Gallimard, coll. « La Pléiade », t. 2, acte II, scène II.

ÉPILOGUE

Je m'intéresse plus au microcosme qu'au macrocosme ; je me passionne davantage pour la vie d'un homme que pour la mort d'une étoile, pour le parcours d'une femme sur la terre plutôt que pour la trajectoire d'une comète dans le ciel. S'il existe un Dieu, il est présent tout autant dans la création de chaque individu que dans celle de l'univers. La condition humaine, voilà le mystère qui frappe mon imagination, non pas l'état du cosmos.

La compréhension de cette condition est l'œuvre de ma vie. Tout au long de celle-ci, qui entre actuellement dans sa septième décennie, j'ai connu chagrins et triomphes ; quelquefois, il me semble avoir eu plus que ma part des uns et des autres, mais cette impression traduit probablement la tendance – commune à tous les hommes – à investir sa propre expérience d'un statut universel, à y voir une vie plus grande que nature, vécue plus intensément que toutes les autres.

Il est impossible de savoir s'il s'agit là de ma dernière décennie ou si d'autres lui succéderont, la bonne santé n'ayant jamais rien garanti. La seule certitude que j'aie concernant ma mort relève de l'un de ces désirs que nous partageons tous : celui de s'éteindre sans souffrances. Il y a ceux qui rêvent d'une mort rapide, voire subite, et ceux qui veulent mourir au terme d'une maladie brève et dépourvue d'angoisse, en compagnie des êtres et des choses auxquels ils tiennent. Je suis de ceux-là et je soupçonne que la majorité des gens en diraient autant.

Or, malheureusement, espoir ne rime point dans mon cas avec prévision. J'ai vu trop de décès pour pouvoir me faire des illusions sur la possibilité d'obtenir la fin que j'appelle de mes vœux. A l'instar de la plupart des gens, j'aurai vraisemblablement à souffrir de la détresse physique et morale qui accompagne beaucoup de maladies mortelles ; comme eux, j'aggraverai probablement le désarroi douloureux de mes derniers mois par mon indécision : tenir bon ou me rendre, suivre un traitement agressif ou me contenter d'un traitement palliatif, lutter en vue de gagner un sursis ou abandonner définitivement la partie. Ce sont là les deux côtés du miroir qui se présente à tous ceux dont la maladie s'annonce mortelle. Le côté dans lequel on choisit de se regarder pendant ses derniers jours devrait, en tout état de cause, renvoyer le reflet d'une résolution tranquille, mais même cela est loin d'être acquis.

J'ai écrit ce livre autant pour moi-même que pour mes lecteurs. En faisant défiler quelques-uns des cavaliers de la mort, j'ai voulu rappeler des choses que j'ai vues et les porter à la connaissance d'autrui. S'il ne sert à rien de scruter tous les rangs de ces troupes meurtrières, trop nombreuses pour que l'on en supporte le spectacle, il n'en demeure pas moins qu'elles utilisent toutes des armes peu ou prou semblables à celles passées en revue dans ces pages.

A partir du moment où l'on se familiarise avec eux, ces cavaliers seront-ils un peu moins effrayants qu'avant ? Les décisions qui s'imposent pourront-elles être prises dans un climat moins lourd de non-dits, d'angoisses et d'espérances infondées ? Souhaitons-le. Pour chacun, il y a peut-être une mort qui convient : il faut la rechercher, tout en acceptant que, le jour venu, elle échappera probablement à l'emprise des hommes. Mais, si la maladie que la nature inflige finalement à l'individu établit le contexte général de la mort, il importe, dans la mesure du possible, de faire de ses propres choix l'élément déterminant de la façon dont on s'efface. Rilke écrivait :

Ô Seigneur, donne à chacun sa propre mort,
Celle qui procède de la vie
Dans laquelle il connut amour, sens et peine.

Le poète s'exprime sous forme de prière et, comme c'est le cas de toutes les prières, il n'est pas toujours possible d'exaucer celle-ci, même pas pour Dieu. Chez trop de personnes en effet, la mort s'accomplit d'une manière qui réduit à néant toutes les tentatives de maîtrise et aucun niveau de savoir ni de sagesse n'y changera quoi que ce soit. Au cours de l'extinction d'un être aimé ou de soi-même, il est bon de se rappeler qu'il existe encore beaucoup trop de situations qui excluent tout choix, en dépit du concours de la puissance redoutable et des actions les plus nobles de la science biomédicale moderne. Lorsque l'on dit de la masse des hommes qu'ils sont condamnés à mal mourir, on ne porte pas de jugement sur eux mais uniquement sur la nature de ce qui les tue.

Les gens, dans leur immense majorité, ne quittent pas la vie de la façon de leur choix. Autrefois, on croyait dans l'idée de l'*ars moriendi,* cet art de mourir. Il s'agit d'époques où la seule attitude possible face à une mort imminente consistait à la laisser venir ; dès lors que certains symptômes se manifestaient, il n'y avait pas d'autre recours que de mourir le mieux possible, en paix avec Dieu. Mais même alors, on devait généralement subir une période de souffrances en attendant la fin, souffrances que seules la résignation et la consolation de la prière et de la famille pouvaient soulager.

Notre époque est placée non pas sous le signe de l'art de mourir mais sous celui de l'art de sauver la vie, qui pose une foule de dilemmes. Il n'y a pas plus de cinquante ans, cet autre grand art, celui de la médecine, se targuait encore de son aptitude à domestiquer le processus de la mort, à l'entourer de toute la sérénité dont la sollicitude professionnelle était capable. Mais, si l'on excepte les programmes, hélas trop rares, comme ceux que mettent sur pied les unités de soins palliatifs, force est de constater que, de nos jours, cet aspect de l'art a pour l'essentiel disparu pour faire place aux grandes performances de sauvetage et, malheureusement trop souvent, à l'abandon quand celles-ci se révèlent impossibles.

La mort appartient aux mourants et à ceux qui les chérissent. Elle est déjà souillée par les assauts déstructurants de la maladie : il ne s'agit pas de permettre qu'elle subisse la perturbation supplémentaire qu'apporteraient des efforts voués à l'échec. L'enthousiasme du médecin qui propose la poursuite d'un traitement a une incidence certaine sur les décisions prises dans ce domaine. Souvent, c'est le spécialiste éminent qui fait preuve de la conviction la plus absolue quant à la capacité de la biomédecine à relever le défi d'un processus pathologique ayant toutes les chances d'emporter sa victime. Une famille se cramponne à la bouée de sauvetage qu'offre telle donnée statistique ; or, sous les apparences d'une réalité clinique objective se cache parfois la subjectivité d'un fervent adepte de cette philosophie qui voit dans la mort un ennemi implacable. Dans l'esprit d'un tel guerrier, même un triomphe de courte durée justifie la dévastation des champs dans lesquels le mourant a cultivé sa vie.

Mon propos n'est pas ici de condamner les praticiens de la technologie médicale de pointe. J'en fais partie et, comme eux, j'ai connu l'exaltation des combats désespérés pour sauver le patient *in extremis* et, à l'occasion, la satisfaction suprême d'en sortir vainqueur. Mais il s'est agi plus d'une fois d'une victoire à la Pyrrhus, vu la souffrance qu'elle a entraînée. Je présume par ailleurs que, si j'avais mieux réussi à me mettre à la place du patient et de ses proches, j'aurais souvent hésité à préconiser de mener une lutte aussi terrible.

Le jour où je souffrirai d'une maladie grave qui exige un traitement très spécialisé, je chercherai, bien entendu, un médecin qui possède les compétences requises. Mais je n'attendrai pas de lui qu'il comprenne mes valeurs, les attentes que je caresse pour moi-même et pour ceux que j'aime, ma spiritualité ou ma conception de la vie. Ce n'est pas à cela qu'il a été formé, ce n'est pas en cela qu'il pourra m'aider, ce n'est pas ce qui lui permet de mettre en avant ses qualités intellectuelles.

Voilà pourquoi je n'autoriserai pas un spécialiste à décider quand il convient de renoncer. Je choisirai mon propre départ ou, tout au moins, j'en énoncerai les éléments avec une telle clarté que ceux qui me connaissent le mieux pourront s'en charger si jamais je me trouve dans l'incapacité d'agir. Peu importe

que les conditions de ma maladie me permettent ou non une
« bonne mort », celle qui se passe dans la dignité à laquelle tout
le monde aspire avec tant d'optimisme : pour autant qu'il est en
mon pouvoir, je ne compte pas mourir plus tard que nécessaire
pour des raisons absurdes, tout simplement parce qu'un cham-
pion de la médecine technologique ne comprend pas qui je suis.

Le lecteur qui lit entre les lignes de cet ouvrage y trouvera
un plaidoyer en faveur de la résurrection du médecin de famille.
Chacun a besoin d'un guide qui le connaisse aussi bien qu'il
connaît les voies pouvant le conduire à la mort. Il y a tant de
façons d'avancer par un même fourré, tant de choix à faire, tant
d'étapes différentes où l'on peut décider de se reposer, de passer son chemin ou de mettre fin à son voyage et, jusqu'aux derniers pas de cette marche, on a besoin de la compagnie de ceux
que l'on aime ainsi que de la sagesse qui permet de fixer son
propre itinéraire. L'objectivité clinique qui doit jouer un rôle
dans ce contexte ne peut être que le fait d'un médecin de famille
bien au courant des valeurs du patient et de la vie qu'il a menée,
et non pas d'un quasi-inconnu auquel on a fait appel pour ses
compétences hautement spécialisées. A de telles occasions, ce
n'est pas la gentillesse de l'étranger qu'il faut mais la compréhension d'un ami de longue date dans la profession médicale.
Quelle que soit l'orientation que prend la refonte de notre système des soins de santé, le bon sens doit dicter la prise en compte
de cette vérité simple.

Et pourtant, même la présence du conseiller le plus sensible
ne dispense pas l'individu de s'instruire sur les avenues de la
maladie et de la mort. Autant j'ai vu des personnes se débattre
trop longtemps, autant j'en ai connu qui ont trop vite abandonné la partie alors qu'il restait encore beaucoup à faire pour
conserver non seulement la vie, mais aussi le plaisir qu'elle
apporte. Mieux on connaît la réalité des affections mortelles,
mieux on peut déterminer le moment où il convient de s'arrêter ou, au contraire, de continuer le combat. Pour le mourant
et pour ceux qui l'aiment, des attentes réalistes offrent le
meilleur gage de sérénité. Et, lorsque vient le moment du deuil,
on doit éprouver la peine d'un amour perdu plutôt que le regret
d'un choix erroné.

Ce sens des réalités oblige par ailleurs à accepter que le temps de vie imparti à chacun reste nécessairement limité et que cette durée doit être compatible avec la continuité de notre espèce. En effet, l'homme fait partie, en dépit de tous ses dons exceptionnels, de l'écosystème au même titre que toute autre forme zoologique ou botanique ; sur ce point, la nature ne connaît pas de distinctions. On meurt pour que le monde puisse continuer à vivre. Chacun a bénéficié du miracle de la vie parce que des milliards et des milliards d'entités vivantes ont préparé le terrain avant de s'effacer, dans un sens, pour nous qui, de la même manière, céderons un jour la place à d'autres. C'est ainsi que la tragédie individuelle se confond, dans l'équilibre naturel, avec le triomphe de la vie qui se perpétue.

Cet état de fait ne rend que plus précieuse chacune des heures offertes ; il dicte la recherche d'une vie utile et satisfaisante. Si, par son travail et ses plaisirs, par ses réussites et ses échecs, chacun contribue à la perpétuation évolutive de notre espèce et, au-delà, de l'ensemble de l'ordre naturel, la dignité conquise au cours du temps bref que dure une vie trouve son prolongement dans celle qu'apporte l'acceptation généreuse de la nécessité de la mort.

Quelle importance attribuer donc à l'image du moment où, allongé sereinement sur son lit de mort, on prend à jamais congé de la vie ? Pour la plupart des gens, il s'agit là d'un idéal auquel ils aspirent et dont ils peuvent éventuellement se rapprocher mais que, probablement, ils n'atteindront jamais. Seules quelques rares personnes dont les circonstances finales de la maladie le permettent le connaîtront effectivement.

Quant aux autres, ils devront se contenter de ce qui leur a été donné. Grâce à une compréhension des mécanismes par lesquels les maladies mortelles les plus courantes tuent, à la sagesse qui naît d'attentes réalistes et à une prise de conscience de l'inutilité de demander à son médecin ce qu'il n'a pas à offrir, le déroulement de la fin peut être maîtrisé pour autant que le processus pathologique dont on est victime le permet.

Si une grande tranquillité caractérise parfois l'heure de la mort, souvent précédée par une inconscience béate, elle se paie en général au prix fort, celui du processus qui conduit jusque-là. D'aucuns parviennent certes à vivre quelques moments de noblesse qui leur permettent en quelque sorte de transcender les affronts qu'ils subissent : ces moments, il faut les savourer. Il n'en reste pas moins qu'ils ne diminuent pas la détresse dont ils ne font que triompher brièvement. La vie de tous les jours est ponctuée d'instants de douleur – pour certains, elle en est tout entière remplie – que viennent soulager des périodes de paix et de joie. Dans la mort toutefois, il n'y a qu'affliction. Là, les courts répits et les reculs momentanés sont forcément fugaces et les tourments ne tardent pas à reprendre ; seule la délivrance apporte paix et peut-être joie. Dans ce sens, on peut bien parler de dignité dans l'instant de la mort mais rarement dans le processus par lequel on meurt.

Mais, dès lors qu'il convient de modifier, voire de rejeter l'image classique d'une mort dans la dignité, que reste-t-il de l'espérance que l'on nourrit concernant les derniers souvenirs laissés à ceux que l'on aime ? La dignité que l'on recherche dans la mort ne peut se trouver que dans celle qui a marqué la façon dont on a vécu. L'*ars moriendi* est en fait un *ars vivendi*. L'honnêteté et la grâce de la totalité de cette vie qui s'éteint constituent finalement l'aune à laquelle on mesure sa mort. Ce n'est pas au cours des dernières semaines ou des derniers jours que l'on rédige le message dont les autres se souviendront, mais pendant les dizaines d'années qui les ont précédés. Qui a vécu dans la dignité mourra dans la dignité. William Cullen Bryant n'avait que vingt-sept ans au moment d'ajouter une conclusion à sa réflexion sur la mort intitulée « Thanatopsis », mais, comme beaucoup de poètes, il avait déjà compris :

Vis donc pour que, le jour où viendra ta convocation à rejoindre
L'innombrable caravane qui avance
Vers ce royaume mystérieux où chacun prendra
Sa chambre dans les couloirs silencieux de la mort,
Tu n'y ailles pas tel l'esclave des carrières dans la nuit,
Repoussé à coups de fouet dans son cachot, mais, soutenu et apaisé
Par une inébranlable confiance, que tu approches de ta tombe
Comme celui qui, s'enveloppant dans les draps de sa couche,
S'allonge en prévision de beaux rêves.

REMERCIEMENTS

Laurence Sterne, romancier du dix-huitième siècle, fit remarquer que l'écriture « n'est qu'un autre nom pour la conversation ». Le contenu et le ton d'un livre ou d'un texte sont dictés par l'idée que se fait l'auteur de la réaction probable du lecteur à chaque phrase : le lecteur est toujours présent. Ce livre n'a d'autre objectif que d'engager la discussion avec ceux qui souhaitent savoir en quoi consiste le fait de mourir. J'ai essayé d'entendre, par anticipation, la réaction du lecteur à mes propos. J'ai espéré que, en écoutant bien, je serais en mesure d'y répondre clairement et sans tarder.

Toutefois, le dialogue qui anime les différents chapitres ne constitue que le couronnement d'autres discussions que j'ai menées au cours de la plus grosse partie de ma vie avec ma famille, mes amis, mes confrères et, surtout, mes patients. J'ai fait appel à leur sagesse afin de mieux comprendre le sens de la vie et de la mort, car il est assurément plus facile de trouver la sagesse dans les paroles de son prochain que dans son expérience. Pour ma part, je l'ai cherchée partout où il me semblait possible de la découvrir. Même quand j'ignorais totalement être l'élève de l'un ou l'autre des innombrables hommes et femmes dont la vie se mêlait à la mienne, ils me formaient néanmoins, le plus souvent tout aussi inconscients que moi du don qu'ils me faisaient.

L'apprentissage humain se déroulant largement à l'insu de celui qui le donne ainsi que de celui qui le reçoit, il n'est pas rare qu'il passe par le dialogue courant, par l'échange verbal entre deux personnes. Dans mon cas, les plus poussés de ces dialogues se déroulent par intermittence depuis des années, voire des décennies, tandis que d'autres ne se sont produits que dans le cadre de la rédaction de cet ouvrage. S'il est vrai que « la conférence prépare l'homme », comme le prétendait Francis Bacon, alors on peut dire que, pour ce qui est de l'écriture de *Mourir*, j'ai bénéficié d'heures innombrables de préparation en compagnie d'êtres extraordinaires.

Plusieurs de ceux qui siègent avec moi à la Commission de bioéthique de l'hôpital Yale-New Haven ont, de façon répétée, contribué à aiguiser ma compréhension des questions cruciales qui se posent non seulement aux malades et aux professionnels de santé, mais, à un moment ou l'autre de la vie, à tout un chacun. Je suis particulièrement redevable aux personnes suivantes : Constance Donovan, Thomas Duffy, Margaret Farley, Robert Levine, Virginia Roddy et Howard Zonanna. Collectivement ainsi qu'individuellement, ils m'ont donné de l'éthique médicale une image tout autant humaine (et même spirituelle) qu'intellectuellement disciplinée.

Je suis aussi l'obligé d'un autre membre de la commission, Alan Mermann, pédiatre qui a trouvé une vigueur renouvelée en tant que pasteur de l'église congrégationaliste et aumônier de notre école de médecine. Il eut la générosité de m'aider à comprendre ce que vivent l'étudiant en médecine et le mourant qui se lient d'amitié et qui partagent leurs peurs et leurs espoirs.

Ferenc Gyorgyey, qui a mis à ma disposition les vastes ressources des collections historiques de la bibliothèque Cushing-Whitney de Yale, m'a, pendant toutes ces années, ouvert un trésor encore plus considérable : celui d'une amitié et d'un esprit de grande envergure. Jay Katz m'a pour sa part communiqué, tant dans des discussions que par ses écrits, une sensibilité à la prise de décision médicale qui va bien au-delà des faits purement cliniques du cas précis et même des motivations conscientes qui sembleraient dicter le choix des traitements. Ma femme Sarah Peterson m'enseigne encore une autre sorte de sensibilité que l'on désigne tantôt sous le nom de charité et tantôt sous le nom d'amour. Dans un cas comme dans l'autre, on trouve une compréhension du vécu d'autrui, mais aussi une foi incoercible. Dans la tradition de Sarah : « Quand je parlerai les langues des hommes et des anges, si je n'ai pas la charité, je ne suis plus qu'airain qui sonne ou cymbale qui retentit. » Voilà une leçon inestimable, non seulement pour les individus mais aussi pour les nations de la terre et certaines professions, surtout la mienne.

Depuis une dizaine d'années, j'ai la chance d'avoir pour ami Robert Massey. Gastro-entérologue, doyen à la faculté de médecine, historien de la médecine, analyste de ses développements présents et à venir, il a transmis à plusieurs générations de confrères une acuité de compréhension et un sens du devoir des médecins qui dépassent les soucis éphémères de l'instant et les intérêts étroits d'une corporation. C'est lui qui entend le premier mes idées, qui me sert d'oracle et d'autorité en matière de références aux classiques, sans compter les questions de grammaire latine, tant et si bien qu'il n'y a presque rien dans ce livre que je n'aie abordé avec lui. Pendant ces longs mois de travail, j'ai trouvé dans sa confiance en la valeur de cette entreprise la source d'une énergie tranquille.

Chacun des chapitres de *Mourir* a été soumis à une ou plusieurs autorités dans le domaine considéré. Dans chaque cas, les lectures qui en ont été faites ont suscité d'importantes suggestions qui ont grandement contribué à clarifier mes idées. Les chapitres consacrés au cœur ont été examinés par Mark Applefeld, Deborah Barbour et Steven Wolfson, ceux qui parlent du vieillissement et de la maladie d'Alzheimer par Leo Cooney, celui qui concerne la traumatologie et le suicide par Daniel Lowe, ceux qui traitent du SIDA par Gerald Friedland et Peter Selwyn, les aspects cliniques et biologiques du cancer ont été soumis à Alan Sartorelli et Edwin Cadman et, enfin, Jay Katz s'est penché sur les passages concernant la relation entre médecin et patient. Les spécialistes de ces domaines reconnaîtront sans peine tous ces noms ; c'est surtout un honneur pour moi de pouvoir les citer ici. Mes conseillers ont fait preuve d'une générosité qui a dépassé toutes mes attentes.

Un certain nombre de personnes m'ont aidé à répondre à des questions précises ou à retrouver des sources : Wayne Carver, Janis Glover, James M. L. N. Horgan, Ali Khodadoust, Laurie Patton, Johannes van Straalen, Mary Weigand, Morris Wessel, Ann Williams, Yan Zhangshou et ma secrétaire au grand cœur Rafaella Grimaldi. G. J. Walker Smith a examiné avec moi une série d'autopsies dont il a cherché à situer les enseignements dans le contexte du processus dégénératif du vieillissement. Une matinée passée en compagnie d'Alvin Novick m'a ouvert les yeux devant des dimensions politiques et intensément personnelles du SIDA que je n'avais fait jusqu'alors que deviner ; pour difficile qu'ait dû être pour lui d'exposer à un inconnu la douleur qui affligeait toujours son cœur, il a réussi à trouver la force nécessaire pour le faire et je n'oublierai pas ce qu'il m'a appris. Irma Pollock, que j'admirais depuis l'enfance, m'a exprimé toute l'angoisse que lui occasionna le souvenir tragique de la maladie d'Alzheimer ; il s'est agi pour elle d'un désir d'aider autrui. Son récit a renforcé ma foi dans la puissance de l'amour, de l'altruisme.

Le texte tout entier a été relu par plusieurs personnes d'origines très différentes dont les remarques ont beaucoup enrichi ma propre révision finale : Joan Behar, Robert Burt, Judith Cuthbertson, Margaret DeVane et James Ponet. Robert Massey et Sarah Peterson ont, cela va sans dire, apporté de nombreuses contributions critiques aux chapitres de cet ouvrage, qu'ils ont relus au fur et à mesure de leur rédaction. Autant Robert procède avec bienveillance et diplomatie, autant ma chère Peterson se montre intransigeante dans sa tâche, fondée, comme je l'ai exprimé ailleurs, sur « l'identification des divagations et la chasse aux radotages ». J'ai incorporé systématiquement les modifications qu'elle m'a proposées car même sa charité, pour grande qu'elle soit, a des limites.

Je citerai enfin mes nouveaux amis du monde de l'édition. *Mourir* n'aurait pas vu le jour sans l'apport de Glen Hartley : je lui dois non seulement l'idée de départ mais le titre même. A l'instigation de Dan Frank, il s'adressa à moi en compagnie de Lyn Chu pour me confier une mission que je ne pus refuser. Le manuscrit qui en est le produit final a été filtré par l'esprit de Dan Frank, éditeur d'une rare compétence dont seuls les auteurs ayant travaillé avec lui peuvent pleinement apprécier les inestimables indications. Du début jusqu'à la fin, Sonny Mehta porta le projet dans ses mains soigneuses en tant qu'éditeur et source première d'encouragement. Peut-il exister une équipe d'édition imbattable ? En tout cas, j'ai bien l'impression de l'avoir connue.

On dit qu'il n'y a plus de Muses au vingtième siècle ; or j'en ai trouvé une. Elle a nom Elisabeth Sifton et j'ai essayé de traiter les idées et la langue d'une manière qui lui plaise. Je ne demande pas de récompense plus grande que d'emporter son adhésion.

Il est un deuxième des aphorismes de Laurence Sterne qui s'applique à *Mourir* ; le voici : « Chaque homme doit trouver son intelligence dans sa propre âme et dans celle d'aucun autre. » Ce livre est le mien. En dépit des contributions et des inspirations que j'ai reçues de tant d'autres, je le revendique tout entier : chaque idée juste et chaque aberration, chaque vérité et chaque erreur, chaque réflexion utile et chaque absurdité. Ce livre n'est finalement de personne d'autre parce qu'il vient de mon âme.

S.B.N.

Transcodé et achevé d'imprimer le 26 juillet 1994
dans les ateliers de Normandie Roto Impression s.a.
61250 Lonrai
N° d'imprimeur : I4-1321
Dépôt légal : juillet 1994

Imprimé en France